群星闪耀时
这个时代的足坛传奇

梅西 上
messi

GUILLEM BALAGUE

[西]吉列姆·巴拉格 著
李晨曦 易晨光 严俊 译

新世界出版社
NEW WORLD PRESS

北京版权保护中心海外合同登记

图字：01-2014-7468

MESSI © Guillem Balague 2013
First published by Orion Books Ltd, London, Great Britain in 2013
All rights reserved. No part of this publication may be reproduced，
stored in a retrieval system，or transmitted，in any form or by any
means，electronic，mechanical, photocopying，recording or otherwise，
without the prior permission of both the copyright owner and the above
publisher

图书在版编目（CIP）数据

梅西：全2册 /（西）巴拉格著; 李晨曦，易晨光，
严俊译. —北京：新世界出版社，2014.12
（群星闪耀时. 这个时代的足坛传奇）
ISBN 978-7-5104-5263-5

Ⅰ.①梅… Ⅱ.①巴… ②李… ③易… ④严… Ⅲ.
①梅西，L.A. – 传记 Ⅳ.①K837.835.47

中国版本图书馆CIP数据核字(2014)第303918号

梅西

作　　者：[西] 吉列姆·巴拉格
译　　者：李晨曦　易晨光　严　俊
选题策划：蒋　祥　邓东文　陈中捷
责任编辑：丁　鼎
责任印制：李一鸣　高　金
出版发行：新世界出版社
社　　址：北京西城区百万庄大街24号（100037）
发 行 部：(010) 6899 5968　　　(010) 6899 8705（传真）
总 编 室：(010) 6899 5424　　　(010) 6832 6679（传真）
本社中文网址：http://www.nwp.cn
本社英文网址：http://www.newworld-press.com
版 权 部：+8610 6899 6306
版权部电子信箱：frank@nwp.com.cn
印　　刷：北京旭丰源印刷技术有限公司
经　　销：新华书店
开　　本：710×1000　1/16
字　　数：690千字
印　　张：43.25
版　　次：2015年2月第1版　2015年2月第1次印刷
书　　号：ISBN 978-7-5104-5263-5
定　　价：99.80元（全2册）

2005年8月17日，布达佩斯，2005国际足球友谊赛，阿根廷VS匈牙利，梅西首次代表国家队出场被红牌罚下。美好的足球梦被裁判击得粉碎，然而他必须明白，这就是足球

2006年5月15日，阿根廷布宜诺斯艾利斯，梅西拍摄宣传照

2007年7月22日，梅西中国行，广东深圳，梅西表演颠网球，一展球技

瑞士，2008年国际足联颁奖大典，足坛五"金童"齐聚新闻发布会

2008年北京奥运会，男子足球颁奖仪式在中国北京的国家体育场"鸟巢"举行。事实上，梅西为了参加这次奥运会付出了很大的努力。他终于不负众望拿到了金牌

2009年4月13日，2008/2009赛季欧冠联赛，梅西在德国客场备战拜仁慕尼黑之余，出席新闻发布会，展现自己的可爱一面

2009年7月9日，梅西来到美国佛罗里达州的迪斯尼乐园游玩，并和参加迪斯尼乐园国际足球赛的小球员们合影

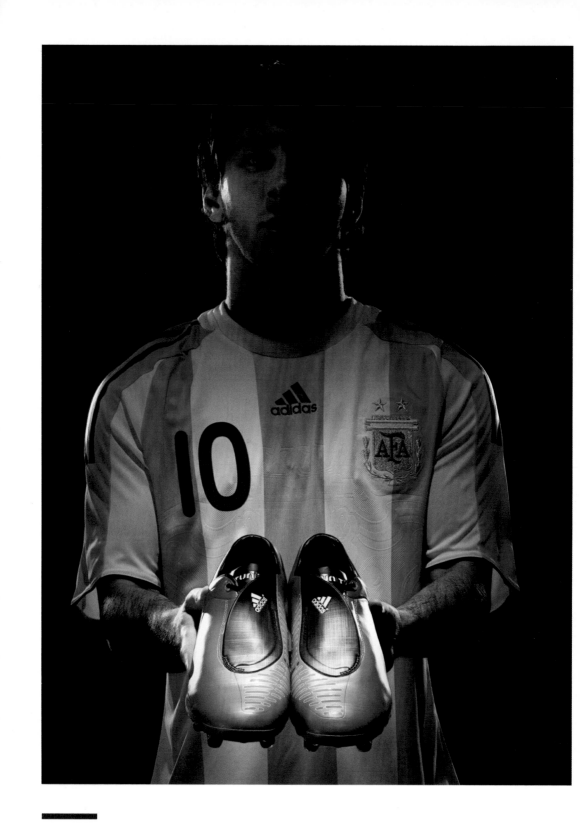

2009年5月27日，2008/2009赛季欧洲冠军联赛决赛，巴塞罗那VS曼联。梅西头球攻破范德萨球门，阿迪达斯F50i新球鞋"功不可没"

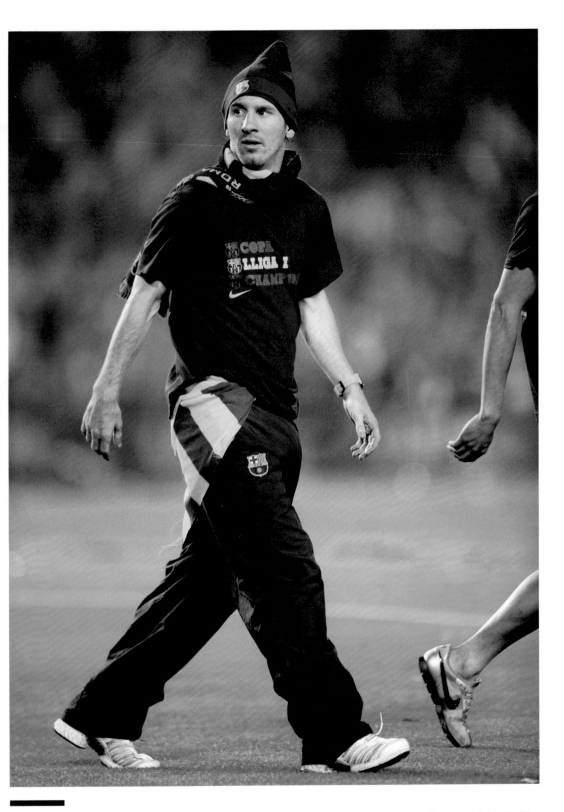

2009年5月28日，西甲巴塞罗那队球员回到自己的主场诺坎普球场，与球迷共同分享夺得欧洲冠军联赛冠军的喜悦

2009年7月30日，美国洛杉矶，西甲卫冕冠军巴塞罗那训练备战

2009年9月11日，梅西（中）在获得2008/2009赛季"迪斯蒂法诺最佳球员奖"后与出生于阿根廷的足坛传奇迪斯蒂法诺（左）以及时任阿根廷足球队主教练马拉多纳（右）合影

2009年12月21日，瑞士苏黎世，2009年度国际足联颁奖典礼上，梅西从国际足联主席布拉特手中接过世界足球先生奖杯。梅西也就此成为末代世界足球先生，2010年起，世界足球先生便与金球奖合并成为国际足联金球奖

2010年4月6日，西班牙巴塞罗那，2009/2010赛季欧冠联赛四分之一决赛次回合，巴塞罗那4：1阿森纳。图为梅西庆祝他在比赛中的第4粒进球

2010年6月22日，南非波罗瓜尼，2010年世界杯B组末轮，阿根廷2：0希腊。图为梅西祝贺帕勒莫锁定胜局

2010年6月，南非约翰内斯堡，2010年世界杯B组小组赛，阿根廷1：0尼日利亚。图为站台上的一名球迷，他手里举着的牌子上写着："是时候进球得分了，梅西！"

2010年7月3日，南非开普敦，2010年世界杯四分之一决赛，阿根廷0：4惨败于德国后，马拉多纳拥抱安抚梅西

2010年8月3日，韩国首尔，前来备战热身赛的梅西参加活动，与小朋友展开亲密互动

2010年8月3日，西甲豪门巴塞罗那韩国行，梅西收获"历史最佳球员"奖杯

2010年8月8日，北京国家体育场"鸟巢"，巴塞罗那与北京国安进行足球友谊赛

2010/2011赛季西甲第28轮，塞维利亚1∶1巴塞罗那，梅西任意球破门被判无效，每次失利对他来说都是"死亡"

2010年9月19日，西班牙马德里，2010/2011赛季西甲第3轮，马德里竞技1：2巴塞罗那。梅西受伤后被抬下场

2010年12月14日，意大利米兰，梅西与母亲一起逛街购物，他身穿黑色皮衣潮范十足

2010年12月28日，阿根廷布宜诺斯艾利斯，梅西在当地参加"梅西基金会"举办的慈善募捐晚宴，笑容腼腆

2011年1月22日，2010/2011赛季西甲第20轮，巴塞罗那3：0桑坦德竞技。梅西在进球后掀起球衣，上面写着"生日快乐，妈妈"

2011年1月12日，巴塞罗那，西班牙国王杯四分之一决赛，巴塞罗那5：0皇家贝蒂斯。图为梅西和哈维、伊涅斯塔分享金球奖杯

2011年4月9日，2010/2011赛季西甲第31轮，巴塞罗那VS阿尔梅里亚。梅西在打进他的第2粒进球以后亲吻队徽。梅西说："我欠巴塞罗那的，我很感激他们一直以来为我付出的一切。"

2011年5月3日，西班牙巴塞罗那，2010/2011赛季欧冠联赛半决赛次回合，巴萨主场1∶1战平皇马（总比分3∶1），佩德罗首开记录后，梅西与伊涅斯塔相拥庆祝

2011年5月27日，英格兰伦敦，2010/2011赛季欧冠决赛前，巴萨适应场地训练。图为梅西和平托在一起，他总是知道该如何照顾梅西

2011年5月29日，西班牙巴塞罗那，2010/2011赛季欧冠决赛，巴塞罗那夺冠载誉回家。巴萨全队先乘敞篷大巴上街巡游，随后进入诺坎普球场继续狂欢。在庆祝活动中，瓜帅深情拥抱梅西

2011年8月19日，2011/2012赛季西甲联赛开赛前，巴塞罗那拍摄全家福，这是一支筑梦的球队

2010年7月21日，墨西哥，梅西和女友安东内拉在海滨度假，两人皮肤黑白分明

2011年12月30日，阿根廷罗萨里奥，梅西出任罗萨里奥国际形象大使

梅西和罗纳尔迪尼奥之间有一种特殊的关系，"梅西就好比一朵在树荫下成长的小蘑菇，罗纳尔迪尼奥就是那棵大树"

2010年5月16日，2009/2010赛季西甲第38轮，巴塞罗那VS巴拉多利德，巴塞罗那成功卫冕，图为梅西和队友一起庆祝

2011年12月18日，日本横滨，2011年世俱杯决赛，巴塞罗那4：0桑托斯。在这一天，梅西邀请内马尔加盟巴塞罗那，梅西和内马尔的联手将给巴塞罗那带来怎样的惊喜呢？

2010年12月9日，西班牙巴塞罗那，联合国儿童基金会大使梅西在诺坎普与孩子们亲密互动

2012年1月5日，巴塞罗那，巴萨球员及教练造访当地儿童医院看望小球迷

2012年1月18日，2011/2012赛季西班牙国王杯四分之一决赛首回合，皇马VS巴萨。图为皇马后卫里卡多·卡瓦略与梅西争顶

2012年10月29日，西班牙巴塞罗那，梅西荣获2011/2012赛季欧洲联赛最佳射手金靴奖。还会有更多的奖杯在后面等着他

2013年1月16日，西班牙，2012/2013赛季国王杯四分之一决赛首回合，巴塞罗那2：2马拉加。梅西在赛前展示自己的4座金球奖杯，他是历史上第一位4次获得金球奖的球员

2013年2月6日，瑞典首都斯德哥尔摩，国际友谊赛，瑞典VS阿根廷，图为一名球迷深情亲吻梅西

2012年2月14日，德国勒沃库森，2011/2012赛季欧洲冠军联赛八分之一决赛首回合，勒沃库森1∶3巴塞罗那。图为丹尼尔·施瓦布（左）和队友科尔卢卡（右）对梅西紧追不舍

2013年9月18日，西班牙巴塞罗那诺坎普球场，2013/2014赛季欧冠小组赛首轮：巴塞罗那VS阿贾克斯
后排左起：阿德里亚诺，马斯切拉诺，布斯克茨，皮克，门将巴尔德斯
前排左起：梅西，阿尔维斯，桑切斯，法布雷加斯，伊涅斯塔，内马尔

梅西一家

献给我那重新开始阅读的父亲

献给我的母亲，我所认识的最坚强的人

献给玛丽韦尔，我美丽的精灵

推荐序

前阿根廷国家队主教练亚历杭德罗·萨维利亚

2011年阿根廷美洲杯之后，我被任命为阿根廷国家队主教练。尽管未曾在常规时间90分钟内输过球，阿根廷队在那届比赛中还是早早被淘汰了：他们小组赛中先是两场平局，然后击败哥斯达黎加完成出线，但最终在四分之一决赛中点球大战不敌乌拉圭。一支高手云集的球队参加锦标赛，要是没拿到冠军，那一定会很沮丧，哪怕他们常规时间一场未输。而阿根廷恰恰就是这种情况。

新的时代、新的教练总会带给球员们强烈的期待感。我们当时未能在美洲杯中更进一步，正处于低谷期。我能感受到人们复杂的情感——尽管比赛失利让人失望，但我们仍然有足够的动力去迎接未来。

我第一次和梅西交谈是在巴塞罗那。那是在2011年，我被任命为阿根廷队主教练后不久。我当时打算和所有在欧洲踢球的国家队成员见一面。第一站是葡萄牙，之后是巴塞罗那。我想和梅西还有哈维尔·马斯切拉诺聊聊，提议让梅西戴上队长袖标。那时我和梅西素未谋面，上一任队长马斯切拉诺我倒是见过。我此行的主要目的就是和球员们相互了解，特别是梅西这种我从未见过面的球员。确立球队领导权对我来说非常重要，我认为有必要让每个球员都知道：梅西现在就是领袖，他将以自己的风格带领球队。让他被球员们认可是极其关键的。我们三个见过面之后，我就直接前往意大利了，留下他们自己讨论这个问题，然后给我答案。我记得正是哈维尔给我打电话说："是的，梅西应当成为队长。"

那次会面以后，我们再次见面就是在印度的第一场国家队比赛，那是一场和委内瑞拉的友谊赛。而之后，我们又在孟加拉和尼日利亚队踢了场比赛。

不过要说阿根廷国家队新时代到来的标志，那绝对是2014年巴西世界杯南美赛区预选赛中对阵哥伦比亚的那场比赛。我们当时在巴兰基利亚经历了非常艰难的时刻，不过好在这个小伙子（梅西）能够在令人窒息的酷热中扭转比赛局势。多兰·帕冯的任意球打在马斯切拉诺身上折射入网，这使得我们0∶1落后。幸运的是，梅西在之后扳平了比分，而阿奎罗临近终场时完成了绝杀。

正如我常说的，足球需要那种下定义的比赛，带来你需要的基调，为你走上新的道路推波助澜。我认为那场比赛可能就是一个开始，因为在那之后，我们逐渐成为了一支团结一致的球队。一旦一个团队走向团结，他们就能得到好的结果，一起踢球是如此的开心，随之而来的也会是更高的成就。这是克服自身弱点最完美的办法，也是唯一的办法。

曾经有人问我，那场比赛是不是不只定义了国家队，也定义了梅西自己，因为从那之后整个阿根廷看待他的眼光都不同了。诚然，那场比赛是改变印象的起点，但是还有一场同样重要的比赛，那就是2月19日客场对阵瑞士。那真是一场完美的表演。那一天，梅西上演了帽子戏法。这也是他为国家队奉献的第一个帽子戏法。他曾无数次为巴塞罗那打出这样的表现，但这是他身穿阿根廷蓝白球衣的第一次。同年对阵巴西的友谊赛中，他再次独中三元……不过，说一千道一万，不论从足球的角度还是从教练的角度，逆转哥伦比亚才是真正为我们建立信心的比赛。

我只能说梅西实在是一个冷静的人。他拥有天生的领导气质，同时拥有世界顶尖的能力。更重要的是，他的领导被众人所接受。

我想要给予所有足球运动员自由，其中就包括梅西。他们已经生活在足够大的压力之下了，我更喜欢让他们随心所欲。队长的位置会带来极大的压力和责任，梅西知道这一点，也接受了这一点，而这也帮助他成长并走向成熟。同时，这对他的队友也颇有好处。

梅西领衔的阿根廷队虽然还没达到球员之间私交甚笃、无话不谈的状态，但是我可以说整个球队毫无疑问变得更开心了，在工作和训练中都表现出一种平静祥和的状态。整个氛围更加放松也更加快乐，这一点非常关键。

现在，我们有了一切让梅西释放自己能力的必备条件。梅西一定要感到舒服，而第一件也是最重要的一件事就是给他自由。他需要意识到，在球场上的任何时刻任何位置，他都可以做任何必要的事情。说实话，我刚刚说的都只是最低标准，仅仅是基本条件。我不想给他任何压力，因为职业足球运动员都知道比赛有多重要，也知道他们能为国家队做出多少贡献。

当你谈论梅西的时候，就一定要关注他的进步，因为正如人们所说：真正的困难不是取得成就，而是守住成就。所以连续4年拿下金球奖就是不断进步的最佳佐证。很明显，仅仅赢得一座金球奖就足够困难了，那么连续拿到4次绝对足以证明他作为足球运动员取得了多大的进步。在过去的几年，他逐渐走向成熟，也开发出了让他更加出色的足球技巧。保持水准本身就是难事，更别说他还站在如此之高的级别上，但不管怎样，他做到了。

我确信担任阿根廷队长对他取得进步颇有帮助。不管是作为普通人还是运动员，得到身边人的信任都是成长的必备条件。

2012年的国家队生涯对于梅西来说是伟大的，年龄增长一岁，他也收获了成熟。当人们都说一个足球运动员达到了巅峰的时候，你会怎么做？放任其自由发挥？对我来说，继续进行教育和指导依然非常重要。没有球员会出色到不需要建设性的意见和指导。

要想一睹梅西作为球员的能力有多强，你只需要看2013/2014赛季西甲揭幕战巴塞罗那对阵莱万特的比赛，那是一场7：0的"屠杀"。当梅西想要断球的时候，他就会带着信念和决心去断，直到成功抢下皮球，正如他在那场比赛中展现的一样：他完成了抢断，然后转化为自己的第3粒进球。我甚至感觉他在打入头球的时候，也像是他天生适合这项技术一样。

事实上，梅西就是那种不管有多艰难都会不断进步的球员。巴塞罗那选择用他打中路，我们在国家队也复制了这个决策，就是因为这个战术非常有效。梅西在这个区域能更多地触球，而他得球越多，对于其他队友来说就越有利。他已经变得成熟，自信，睿智，我们没有理由再让他打边路。伊瓜因和阿奎罗能为他拉开空间，而迪马利亚也能在侧翼伺机而动，梅西在中路能有多种选择，决定怎样接管比赛。很明显，和这帮球员一起踢球，梅西变得更具威胁，而对于他的队友来说，也是一样。

所以，一切都运转得如此顺畅，我要求球员们多付出些努力，去把球抢回来，从而帮助后防线上的队友。我需要他们更多地牺牲自我，帮助球队。不管处于什么位置，梅西都必须参与防守，并且抓住一切向他敞开的机会。梅西的神奇表现不是天上掉下来的，关键在于他和国家队队友对待足球的态度。正是梅西的不懈努力为球队带来了回报。

一般来说，世界上最出色的球员会效力世界上最出色的国家队。他们一定是赛季战线最长、比赛经历最多的球员，这也自然而然导致他们长时间的分离。但重要的是，一旦他们站上世界杯的舞台，他们就会调整到巅峰状态。最终，有些人取得成功，有些人饮恨而去。

现在，我们拥有一支出色的队伍，他们成熟稳重，看上去像一个整体；这正是我们在2013年8月14日对阵意大利的友谊赛中所展现出来的。但是，没有任何一支梅西效力的球队在失去梅西后依然能够踢出同样的足球，这是我们必须要面对的事实。我们必须尝试甩掉"离了梅西就赢不了球"的帽子。做到这一点，我们就能提升士气，哪怕有一天梅西真的不能上场，我们依旧能踢出伟大的比赛。尽管有些事毫无疑问——是的，没有他我们仍然可以存活下来，但是他绝对不可替代。最后，我必须强调，我上面所说的并非自相矛盾。

梅西是我们的标志，也是我们的领袖。他是一支非凡球队中非凡的一员。也许他是史上最伟大的球员。

目录 contents

导读

梅西去哪儿了？

这个问题就挂在胡安·曼托瓦尼中学梅西所在班级的每个人嘴边。该学校位于阿根廷罗萨里奥市南方的拉斯埃拉斯区（Las Heras），距离梅西的家很近。梅西已经错过一周的课了，以前除非是生病，不然他不会这么做。他的桌子空荡荡的。到了游戏时间，当有人拿出足球的时候，操场上的这项运动会变得异常混乱。胡安·曼托瓦尼中学没有足球场，总是有太多的孩子挤在一块又小又窄的操场上。这块场地本来就不太适合需要大量空间的足球运动，梅西一不在，情况就更是如此了。而此时距离他上次出现已有数天了。

当时正值9月，离整个学年结束还有3个月，阿根廷的学年是从前一年12月开始的。考试一门一门袭来，但梅西却不能到场。有人帮他询问能否改日再参加考试或者能否在外地完成课程作业，得到的答案都是："不好意思，不行！"

梅西今天来了吗？

罗萨里奥的纽维尔斯老男孩俱乐部里，他的队友也在问同样的问题，这是梅西在低级别联赛时所效力的球队。他已经缺席了马尔维纳斯训练营的多堂训练课了，而周末的比赛他也没有现身。

"肝炎，"俱乐部中的某位成员透露，"他得了肝炎。"好吧，这不过是传言而已。事实上没有人知道他到底得的是什么病，不过这病听起来就很糟糕，感觉是你一旦染上就再也踢不了球的东西。"没错，领队（the Maestro）得了肝炎。"大家都开始这么说了。

"领队"是梅西的代号。在学校的时候，他有时也会被称为"小不点"（el Piqui），不过在青少年队的小伙伴那里，他就是"领队"（他们当中还有超人"Clark Kent"、加利西亚人"the Galician"、大灰狗"the Greyhound"，以及因为发型被称为韩国人的"the Korean"）：阿根廷的足球场上，没有人会使用真实的姓名。哪怕是官方的球员名单，他们也遵循这项传统，名字、生日、身高，然后就是昵称：小老鼠"the Mouse"、沥青"the Bitumen"、小矮人"the Short One"……好吧，言归正传，梅西去哪儿了？

阿德里安·科里亚（Adrían Coria）是这支球队的负责人，他也是梅西的第一个11人制足球的教练，不过就算是他，也不知道这男孩跑哪儿去了。在9月份玩消失实在是太奇怪了。而更奇怪的是，球队遇上了一个问题：没有梅西，赢球变得困难了许多。有人给梅西在纽维尔斯的前教练基克·多明戈斯（Quique Dominguez）打电话，多明戈斯说："不清楚啊，我也不知道他在哪儿。"不过多明戈斯觉得一定是发生什么大事了：梅西从来都是个诚实可信的孩子，不过一年前他试训河床俱乐部之后，就再也没提过试训的事。河床有没有决定要他？据说他被查出了肝炎？

几天前，梅西的家里接到了一通电话："现在过来，带那孩子过来！"他们等这一天等了很久了，而现在，一切都来得如此突然。他们准备举家前往欧洲了。他们没告诉纽维尔斯老男孩。俱乐部中也没有任何一个教练、技术指导或者球员知道发生了什么。不论是梅西还是一直负责其职业生涯的父亲豪尔赫，他们都不愿意把这事告诉任何人。要守住这个秘密并非难事：他们都是谨慎且懂得保留的人。简直是一个模子刻出来的。

可能是出于预感，罗萨里奥当地的报纸《罗萨里奥首都报》（La Capital）曾在2000年9月3日用整整一版来报道这个小孩。这事可是史无前例的。"非常特殊的小麻风病人"，这就是当时的标题。"麻风病人"（Leper）是球队中所有成员共享的绰号，因为这家俱乐部曾在20世纪20年代为一所麻风病诊所进行过慈善赛募捐。镜头对面是带着微笑、歪着脑袋、穿着一件大衬衫的梅西。他会永远做一个"麻风病人"，他会是纽维尔斯老男孩狂热的支持者，这家俱乐部就是他少年时期的全部。在这里，他刚刚和队友赢得了所处年龄级别的冠军，这是他骄傲与自豪的源泉。他用微弱的声音（而且让这孩子在镜头前保持微笑真困难）和采访他的记者分享了他的一些梦想。他想当一个体育老师。当然啦，他肯定也想在顶级联赛中踢球。

之后是进入阿根廷国青队，再往后目标必然就是阿根廷国家队了，虽然这期间有很长的路要走。他喜欢吃鸡肉。那他最爱的书是什么呢？呃……《圣经》。这是他的第一反应，他并不是一个爱看书的人。如果当初没有踢球，他会选择哪种运动？"我必须要回答吗？我不知道，也许手球吧。"不过，是的，他始终把未来的自己看成一名体育老师。这是他在学校里唯一喜欢上的课。他也真有可能成为一名体育老师。

这是这家报纸为纽维尔斯老男孩队专门设立的副刊。文章是这样开始的："莱昂内尔·梅西来自于青少年联赛，是球队中的'经典前腰'（enganche，充满"爆炸力"的球员，进攻创造者）。他不仅是莱普罗萨足球学院出产的最出色的新秀之一，而且还拥有无限的潜力，虽然他身材矮小，但他可以过掉一两个人，可以盘带，也可以得分，重中之重的是，他很享受球在脚下的感觉。""盘带高手""经典前腰"，这些用来形容梅西的词汇和概念，都非常具有阿根廷特色。不过梅西当时并没有成为副刊第97期的封面明星，那一期的封面留给了几天前刚刚决定留队的一队成员克劳迪奥·帕里斯。

这篇采访的影印版最终跟随梅西一起飞跃了大西洋。

从罗萨里奥到布宜诺斯艾利斯的路上，豪尔赫和他的儿子梅西以及一位同行前往埃塞萨机场的朋友还讨论了这篇采访。耗时3个多小时的旅程似乎特别漫长，直直的一条路配上偶尔闪过的山谷和路标，简直无聊透顶。梅西只能坐在后座上呆呆地看着窗外。

这一天是2000年9月17日。一个星期天。

在只有三五个熟人和学校校长知情的情况下，父子俩从埃塞萨机场出发，前往巴塞罗那。

摆在他们面前的是一次24小时的飞行。

"（第一次乘坐航班的）感觉很棒，因为这对我来说是全新的体验。我以前从来没有坐过飞机，也从来没有经历过如此漫长的旅途，我很享受整个过程，直到飞机开始飞得有点儿……"（莱昂·梅西在巴塞罗那回忆说。）

记忆是会和你开玩笑的。事实上，那次飞行可不大稳当。当第一餐饭送上来的时候，梅西并没有吃，而是选择了睡觉，当时他平躺在3个座位上。在他的短裤下面，是他瘦小的双腿。他感到恶心，肚子里翻江倒海。他断断续续地睡着又醒来，感觉像生病了一样。

几年后，他还常常会在跑上球场之前有同样的恶心感，有时候他也会问自己，这种在那次飞行中体验到的生病感是否真是由于飞机震荡造成的。

这对父子在9月18日周一中午抵达了巴塞罗那，这是在他们录制那段视频7个月以后。在和梅西熟悉亲近的人眼中，那段录像能证明梅西是一个有足球天赋的孩子，只要一切按着计划走，他成为一名足球运动员不成问题。而在某些人眼中，那录像则意味着，梅西会是下一个马拉多纳。

当时有人给梅西拿了一公斤橘子和一些网球。他们叫梅西用这些东西进行一周的练习。7天之后，他们用家用录影设备记录了梅西颠113下橘子的全过程。使用网球则更轻松一些：140下（jueguitos），这是阿根廷的叫法，也就是连续颠了140下。那时候旁边还躺着个乒乓球。"把它给梅西。"于是他们把乒乓球递给梅西。这次颠了29下。你可以自己试试，看看能不能颠到3下。为什么梅西能比你强：他每天每时每刻都和球泡在一起，不管是在比赛间隔期，还是在比赛当中抑或是在家、在学校操场。日复一日，年复一年。8年之后万事达卡的广告中还用到了那段录像中的一些影像。你可以在YouTube（世界上最大的视频网站）上观看这段视频。

自从2月份那段视频被录制出来以后，梅西一家就在问自己："我们什么时候离开？我们要去哪儿？我们真的要离开吗？"这是他们每天都要讨论的话题，其中充满着不确定性和兴奋感。

这段视频，连同其他记录着梅西穿着纽维尔斯球衣在马尔维纳斯球场上展现滑雪般跑动和盘带的录像，最终被放在了何塞普·马里亚·明格利亚（Josep María Minguella）的办公桌上，他是在巴塞罗那有着巨大影响力的著名足球经纪人。同时，明格利亚本身还是巴塞罗那俱乐部的一员。一开始他还不太确定要不要梅西；远在千里之外、年纪如此之小，这些因素让他产生了疑虑，而且他也不是唯一一个心里打鼓的人。最终，通过一段段展示梅西精湛技术的录影，再加上同事对于这个男孩未来的极力看好，明格利亚坚定了决心，他决定把全部精力投入到梅西身上，希望能说服巴塞罗那给梅西一个机会。这比皇家马德里试图签下梅西仅仅早了一步。

明格利亚在自己的办公室打电话给梅西一家，让他们收拾收拾东西，尽早前往巴塞罗那："把那男孩儿带来！"于是，梅西的第一次飞行之旅也就随之而来了。

这也是他第一次穿越大西洋。

走下飞机，走进夏末潮湿的巴塞罗那，一个13岁的阿根廷男孩带着充满天赋的双脚和一个行李箱踏上了这片土地。与他同行的是在这个远离家乡的豪门取得成功的梦想，以及对新对手、新同伴的期待。

那些第一次见到梅西的人，看到他如此矮小，都觉得巴塞罗那做了一个糟糕的决定。费了这么大劲儿就为了……这么个小家伙？有这么矮小的人成为过出色的足球运动员吗？！

"我从罗纳尔多时代就开始关注巴塞罗那，没想到没过几年就得到了来这里踢球的机会。说实话，那时候我特别激动，十分渴望来到这里，想要亲眼看看一切都是怎样一番景象，因为我远在千里之外就已经在注视它了。但是在我刚到这里的时候，我还没有意识到未来会有多么艰难。"

（莱昂·梅西在巴塞罗那回忆说。）

那一天空降巴塞罗那的并不是莱昂内尔·梅西，只不过是个兴奋的孩子罢了。

戴夫·萨德伯里的歌《罗马之王》（the King of Rome）告诉我们一件事：哪怕你身处困境，也不能放弃梦想。"我深知这一点，"某位想要挑战命运的人说，"人可爬行，亦能学飞，但身处此境，地面似乎格外近。"2000年在罗萨里奥，是梅西学习"飞翔"最困难的时候。

纽维尔斯老男孩俱乐部拒绝帮助梅西一家支付注射荷尔蒙所需的大笔费用，而梅西却非常需要使用激素来帮助他生长。要是他们当时资助了梅西一家，小梅西估计永远都不会离开阿根廷。

在他之前，有谁曾听过一个如此小的孩子穿越大西洋找寻足球梦想的故事？13岁的梅西肯定是不愿意离开阿根廷的，尽管欧洲俱乐部签约其他国家的青少年人才并不稀奇，但是如此小的年龄就获得这样的机会实在是史无前例。再说回拉斯埃拉斯，那里依然没有人知道发生了什么事。梅西得肝炎了。是这样吗？应该是了……

在巴塞罗那，明格利亚被告知如果俱乐部准备支付昂贵的生长激素治疗费用并且给梅西的父亲提供一份工作，那么在完成一些必要的青训转会手续之后，梅西就会加盟他们。同样内容的电话也打给过皇家马德里和马德里竞技，但是都没有实质性进展。"不管在什么情况下，如果这个球员是俱乐部感兴趣的，我们就会让球员觉得巴塞罗那是最好的选择。"——这是所有致力于转会事宜员工的工作准则。

何塞普·马里亚·明格利亚：我们中的大多数人对于处理低龄球员没有什么经验。比如说吧，我当年接触瓜迪奥拉的时候，我们是相互联系的，那时他已经20岁了，之后我成为了他的经纪人，而他加盟了职业生涯的第一家俱乐部。现如今，12、13、14岁的青训体系已经非常专业了，但当年远非这个情况。所以当我们在阿根廷的联络人跟我们说有一个天赋异禀的小孩子的时候，我的第一反应是：哦，好吧，我们该如何跟进一个如此年幼的孩子？我起初持怀疑态度，不过最终同事的坚持让我开始严肃对待这件事。我收到了一段视频，上面记录了梅西在真实比赛中从己方球门拿球过掉千军万马然后射门得分的画面。是的，就是那一刻他震惊了我，让我觉得他与众不同。几个月之后，我和球队主席霍安·加斯帕特、安东·帕雷拉（体育总监），还有沙利·雷克萨奇（技术总监兼主席顾问）进行了会谈。

沙利·雷克萨奇： 有一天在打网球的时候，明格利亚告诉我他知道一个现象级的小男孩……有点像马拉多纳。其实呢，这事他已经跟我说过好多次了……之后他又说那孩子还在阿根廷。我当时想："啊，大概是个十八九岁的青少年吧。"之后呢？明格利亚告诉我他只有13岁！我随即说："你疯了还是怎么的？你认为我会同意吗……不会，没门！"

华金·里费： 我当时是巴塞罗那青训营的总监。而我最终同意了接纳那个男孩。沙利·雷克萨奇是巴塞罗那的技术总监，很明显他更关注一队。事实上，沙利·雷克萨奇是何塞普·马里亚·明格利亚的好朋友，所以这位把梅西介绍到巴塞罗那的经纪人才耐心听完了雷克萨奇对这孩子的一些不吐不快的想法。

沙利·雷克萨奇： 招募年轻人需要一个过程。如果他们告诉我有个现象级的孩子，比如说，在萨拉戈萨，那我会问，他是谁，在哪儿踢球，我要去哪儿才能看到他比赛？之后我会派两三个人去考察他，如果他们一个给予肯定而另一个持否定态度，那我就会亲自出马，然后给出我的决定票。之后你需要在球队里给他找个合适的位置，并且还有一大堆乱七八糟的事要处理。另一种可能是一个前巴塞罗那球员，比如说里瓦尔多，对我说："听着，在巴西有个十二三岁的男孩，真是个足球天才。"那我马上会重视起来，因为当一个像里瓦尔多这样的球员都告诉你某人天赋异禀，那你一定会慎重考虑。要是其他人跟我说类似的事，我可能就会把事情缓一缓。而且哪怕是里瓦尔多推荐，我也需要过去看看，眼见为实，我也有可能会说不。或者我们从另一方面来考虑，如果那孩子年纪太小又远在千里之外……把他送来见我，我们会留他半个月，这样青训营的教练就能在他们空闲的时候研究一下他。而如果在最初的几天那孩子有些紧张，他必须克服困难。现在想象一下，假如我们千里迢迢跑到阿根廷或者其他什么地方，结果要观察的那个孩子却病了或者不能踢球或者出现其他问题。归根结底，要想让我们打破传统和常规，那他得足够出色。

何塞普·马里亚·明格利亚：不管怎样，这对父母和这个男孩都会离开阿根廷。如果他们不能留在巴塞罗那，那他们就会尝试其他俱乐部。我告诉沙利那孩子正在接受一项治疗，而他家乡的俱乐部不愿意支付费用，要想得到这个孩子，巴塞罗那俱乐部需要负担起治疗费用。

沙利·雷克萨奇：所以当备受我信任的明格利亚对我说"有人告诉我有个现象级的孩子"的时候，我就想："好吧，那咱们怎么跟进？"

从明格利亚收到展示梅西颠球和盘带技巧的视频之后，几个月悄然而逝——哦，我不知道该如何决定了，也许他离我们太远了，也许他实在太小了……这就是梅西一家从巴塞罗那得到的模糊信息。他们经历了数月的忐忑不安，一直想知道那卷录像有没有产生影响。巴塞罗那有多大兴趣，什么时候联系他们？梅西的未来会是怎样的？他们应该怎么和孩子说这事？

所以我对明格利亚说我并不准备跑那么远去观察一个12岁的孩子……假如他已经18或者20岁……不管怎样，我在复活节或者圣诞节还是其他什么时候给出了这样的答复：我们需要找个时间让男孩和他父母过来待15天。

里费：我告诉雷克萨奇我组织了一场比赛，这样他就能好好地看看那个孩子了。加斯帕特、帕雷拉、里费、明格利亚、雷克萨奇……大佬们齐聚一堂就是为了看这个来自阿根廷的少年，阵容堪称豪华。接下来关键的两周中负责评判和训练梅西的青训营教练当然也注意到了小男孩的"老爸团"的出现意味着什么。

鲁道夫·博雷利：我记得有天在办公室里，某人，具体是谁我也记不清了，给了我两张双面的黑白复印件，上面是一家阿根廷报纸的文章，说的是梅西。当他们告诉我这个男孩要来试训的时候，我找这两张复印件找了很长时间，我确定它们被我放在父母家了，我肯定能找到。我对这篇文章印象深刻，因为那是我第一次知道"gambeta"用来表示盘带，而"enganche"是一个非常具有阿根廷特色的词，常常用来描述打前锋身后位置的球员。他们告诉我这孩子要分在我这一组，因为他出生于1987年。我常常会说，当时我之所以会第一个训练梅西，不过是因为我负责14岁以下的球员。我确信你听说过，有成千上万的训练师声称自己是梅西的第一任教练。不是吗？

在巴塞罗那普拉特机场等待梅西一行人的是明格利亚办公室的胡安·马特奥，他把他们带到了位于巴塞罗那北部的经纪公司。在电梯里的时候，梅西一家和未来的巴塞罗那体育总监特西基·贝吉里斯坦遇上了，同时，他和明格利亚的关系也极为亲近。"我们来自阿根廷。"梅西家中的某位鼓起勇气说。而特西基，边摸着梅西的头边说："这男孩一定很出色，虽然他有些矮小。"

和经纪人交谈之后，豪尔赫和梅西前往了广场酒店。支付他们这次旅途花费的并非巴塞罗那俱乐部：他们也永远不会这样做。明格利亚认得西班牙广场酒店的老板，是他替他们安排了住处，在酒店的546号房。那是间景致优美的房间。透过窗户，他们可以看到巴塞罗那国际会展中心的全景，稍远一点还有国家宫和夜晚随音乐而起的蒙杰伊克喷泉。近处是位于玛丽亚·克里斯蒂娜王后大道一侧的高塔，它们是为了1929年的万国博览会而特别建造的。在广场酒店的前方，能看到这个国家经典的雕塑，以及流入3个海域、冲刷着伊比利亚半岛海岸的河流。莱昂·梅西把行李箱丢在了房间里。这个小足球运动员虽然感觉舒服一点了，但是经历了颠簸的飞行之后还是有些虚弱。尽管如此，里费还是对豪尔赫说，他希望看到梅西的训练，而且就在当天。到了6点钟，里费就必须要离开了。

鲁道夫·博雷利会是梅西在巴塞罗那俱乐部的第一个训练师。

现任利物浦青训营总监的鲁道夫在2000/2001赛季负责巴塞罗那的少年队。就之后的成就来看，这支队伍堪称历史级。塞斯克·法布雷加斯、杰拉德·皮克、马克·佩德拉萨、马克·巴里恩特、维克多·巴斯克斯、托尼·卡尔沃、西托·列拉、拉斐尔·布拉斯克斯……这是巴塞罗那历史上最出色的少年队之一，现在他们中又加入了一个在自己家乡颇有名声的孩子。那个周一下午，所有负责少年队的人（奎米特·里弗特、基克·科斯塔斯、胡安·曼纽尔·阿森西，加上教练鲁道夫·博雷利、哈维·略伦克、阿尔伯特·贝奈赫斯）聚在了离迷你球场不远的训练场上。其中有一块场地是真草，另一块场地则是人工草皮。他们要了解少年队的进步情况，更要观察那个新来的男孩。

沙利·雷克萨奇当时并不在场，他在澳大利亚观看悉尼奥运会的足球比赛，那儿聚集了很多名声在外的年轻人（他们中间有塔穆多、哈维、普约尔、萨莫拉诺、苏亚索、穆博马、劳伦还有埃托奥）。但说实话，一个阿根廷的小男孩而已，也确实不需要沙利的出现：他的主要职责在于为一队做决策，而非青训营。如果把梅西丢到如此天赋异禀的少年队中他还能得到大家的认同，那么这个由明格利亚推荐的男孩就会被签下来。如果不能，那他就可以走了。沙利安排了这次试训；但在当时，他并不需要再做什么了。

梅西第一天前往训练的途中显得非常冷静。旅途带来的呕吐感还没有完全消除，不过他还是按时出现了，因为这是他一直梦寐以求的。他只有一个星期（之后就要赶回学校了）来展示自己的足球技巧。这对他来说倒不是什么难事。

想想你第一次走进从未亲眼见过的诺坎普球场或者迷你球场会是什么心情吧。当时的梅西正是这样。

来到"缩小版诺坎普"迷你球场旁边的场地上，"小跳蚤"（the flea）在进入更衣室之前犹豫万分。自己一个人走进去，他觉得非常尴尬。他特别地害羞（不对，他并不害羞，只是矜持）。他一开始在更衣室外面换衣服，不过最终还是在其他孩子都离开了之后，在室内完成了更衣。他找了一个附近无人的角落，直直地站在那儿，非常紧张。

想象一下从没见过莱昂内尔·梅西的人当时会是什么感觉。比如当时队中其他的同龄球员，或者那些只是对他略有耳闻的教练们。

"他真矮小。"这帮孩子纷纷说。鲁道夫当时就在更衣室里。"坐下，小伙子。"他对梅西说。这孩子进门以后连"你好"都没有说，或者说他进门时发出的声音听起来并不像是打招呼，不像是一次友好的问候。

对于当时也在换衣服的法布雷加斯和皮克来说，这个阿根廷人不过就是又一个来巴塞罗那试训的孩子。队中的外国人并不多，只是偶尔会有一两个，而每个月都会新进来几个男孩。梅西在角落更衣的时候，鲁道夫走到孩子们面前说："大家注意一点，他太矮小了，别伤着他。"

皮克：在第一周，梅西完完全全处于被孤立的状态，十分孤立。如果有人在一起说笑，他就会坐在板凳的一端，一脸不情愿。他很安静，也很内向。

法布雷加斯：来来往往的新球员实在是太多了，我们并没有太重视他，不过我对他来的第一天记忆犹新。

梅西在那儿包扎脚踝的时候，这帮孩子们给予了他嘲笑的目光。

皮克：他十分矮，而且几乎一言不发。没有人知道接下来会发生什么。

梅西当时的身高是1米48——4英尺10又1/4英寸。

法布雷加斯：他的头发有些长，说着柔弱、安静的阿根廷语，所以你几乎听不见他说话。事实上，他也几乎不说话。他瘦得像面条一样。我们想，这家伙就是来浪费位置的……

这是大家的一致看法。博雷利的一位助理十分担忧。他看到梅西在绑绷带，就上前问他是不是受伤了。不，不，这其实是阿根廷的习惯，为了防止扭伤而已。但是梅西却一言不发，不做回答。之后，这些十二三岁的男孩中就传起了这样一个玩笑："这家伙是个侏儒。"

梅西紧跟着皮克跑上球场，而皮克看起来是他的两倍高，梅西只到他的腰部。

梅西的父亲豪尔赫当时在看台上，也听到了别人的议论："他太矮小了，实在是矮小。"

球队之后开始热身，一般都是些有球训练。第一项就是简单的颠球练习，1、2、3……10、11、12……"他根本不会丢球。"某位观察者惊叹。20、21……

法布雷加斯：当他开始颠球的时候，我们就发现他和其他来试训的男孩不同了。

鲁道夫·博雷利逐渐加入了些一对一和射门练习。而当梅西上场时，问题来了。

法布雷加斯：一开始，他就让我看上去像个完完全全的蠢货，并且他能射门得分。还在少年队的时候，我在一对一防守方面是有特殊天赋的。当然现在我完全丢失了这项技能。我曾经能很轻松地把球断下来，虽然我不知道我是怎么做的。不管怎样，当时他让我看起来特别笨，笨到你无法想象。好吧，第一次也许是意料之外，也许只是我太放松了。但他在之后依然一次又一次地完胜我。

梅西用他的盘带、他的射门和他的稳定性震惊了所有人。孩子们沉浸在欣赏这位新来男孩的华丽动作之中。他赢得了小球员们的尊重。从那一刻起，任何人叫他"小侏儒"（the midget）的时候，都是带有敬意的，甚至还有喜爱之情。

从看台上你能听到："哦，哇哦！这孩子可不一般！"

梅西从广场酒店乘坐地铁前往迷你球场旁边的训练场，他搭乘绿色地铁线，坐4站就能到达拉斯科茨。由于并不是每天都有训练，梅西会和父亲还有一位豪尔赫或明格利亚的同事在港口附近闲逛以打发时间，他们偶尔会去博物馆，尽管他不会在里面待太长时间——那些场馆并没有给这个孩子留下太深的印象。他们乘坐观光巴士游览了圣家族大教堂，逛了逛港口，还游玩了动物园。他还要去老城区看看。周二是休息日。周一、周三和周四他会加入少年队当中，参加红土场上的训练。周五他们会更多地进行战术演练，所以梅西可能就没那么活跃了。周末对于他来说也是假期；他还不能踢官方比赛，这一点是自然的。

9月还是艳阳高照，但是没有8月那么炎热了，更适合随时出去走走。所以这帮阿根廷人想去锡切斯镇逛逛，在海滩上享受美好的上午，然后再观看一场球赛，这是梅西第一次参观诺坎普。来到巴塞罗那的第一个星期六，他就观看了球队的比赛，对手是桑坦德竞技。帕特里克·克鲁伊维特梅开二度，马克·奥维马斯打入球队的第3粒进球。在巴塞罗那历届教练中并非最受欢迎的洛伦索·塞拉·费雷尔带领他的小伙子们3∶1取得胜利。梅西从看台上拍了一张照片留念。诺坎普球场很大，但是拥挤的人群让他觉得有些吵闹。

他们还想去看9月26日巴塞罗那主场迎战AC米兰的欧冠小组赛，但是他们弄不到票。最终意大利人也以2∶0带走了胜利。

其他时间里，梅西都和球寸步不离。他会在酒店房间里用网球做游戏，他会把网球拿到走廊上，然后带球过掉假想的敌人，他也会玩颠球，用双脚轻抚网球。而再多出来的时间，梅西基本上是在电视机前度过的。

梅西的话不多，相比于他的内向，梅西并没有那么胆小怕人，任何接触过他的大人都觉得他是个可爱的孩子，但对于他的队友来说，起初几天的他确实有些孤僻。那一周中，球场之外的时光异常难熬，他们在焦急地等待沙利·雷克萨奇从悉尼回来，因为其他人说了都不算，不能确保梅西被签下来。在球场之上，梅西就是另一番模样了。站在新队友旁边，他不再是那个前一天独自安静地吃着披萨或者汉堡抑或是一盘意大利面的羞怯少年，也不是走着走着就陷入沉思的内向男孩。回到旅馆，当他一个人在房间里，在睡觉之前，他会拿出注射器，借助床头的灯光注射所需的药物。

而到了第二天，一切又会完美重复：球感训练、游览城市、吃披萨、下午训练，最后是一针注射。

"梅西，你知道该怎么做吗？拿到球以后，不要传给任何人，直接奔着射门得分去。"这是豪尔赫给他儿子的建议，父亲想要梅西尽可能地展示把他带到巴塞罗那来的盘带天赋。这也是对博雷利的训练主张的自然反应，作为巴塞罗那的训练师，他认为孩子们不应该粘球，触球一两下就该把球传出去。"我们必须按自己的风格踢球，平时怎么踢现在就怎么踢。"如果梅西只会一件事，那就是如何盘带了。当球队中其他人把球传来传去，只是顺从地待在自己的区域里的时候，梅西带来了一些不一样的东西。

一天又一天，一切按"计划"进行。梅西和少年A队一同训练，而在每次训练的末尾，他们都会和少年B队进行一场比赛。他的父亲会在看台上或者靠着隔开两块球场的围墙观战。

有一天，他一人独进5球，并且击中两次门柱。

他虽然在为自己而战，但是他的"独"带着坚定的信念和无与伦比的天赋，真没什么必要去纠正他的踢法。"只触一次球，梅西。"鲁道夫咆哮着，但其实他是在提醒球队的其他人"一次触球，至多两次"。别人怎么说怎么教都不重要，梅西就是按一如既往的方式踢球、轻轻触球、高速跑动、流畅盘带、连续变向。他是个天生的"弄球者"，而不仅仅是个足球运动员——这两者之间有着天壤之别。

另外一天，他又打入了6粒进球。

豪尔赫并不确定给予压力对他的儿子是好是坏。某一天，明格利亚的一个朋友建议豪尔赫用小礼物奖励梅西的进球。比如说只要梅西打进5个球，那就给他买他喜欢的背包或者球鞋什么的。豪尔赫采纳了建议，他并不确定这招能否奏效，而且他倾向于不过多干涉儿子的表现。但是这个挑战真的激励了梅西。他接下来又在比赛中打入4粒进球，并且还有一球重重地击中门柱，看上去球已经过线了。不，不，这球没进，有人告诉他。梅西随即陷入了疯狂——这球确实进了！差一点他就能得到一整套运动服了。随后他们激烈地讨论了这一球。最终，梅西还是拿到了奖赏。

第一周过去了，负责俱乐部青少年比赛的前巴塞罗那球员米盖利跑过来问："谁是那个从阿根廷来试训的男孩？"于是就有人给他指了指正在训练的梅西："就是那个小男孩，球场中间的那一个。"米盖利便开始盯着梅西。当时梅西正把一个足球停在脚面之上，等待教练的指示。"我不用看他踢球了；光通过他现在站着持球的动作，我就知道他是个出色的球员。"就是这样，不需要过多观察了。米盖利心中已经有了定论。

直到很晚，大概晚上8点左右，米盖利还在观摩训练课。"这帮家伙在搞什么，怎么还没签下这孩子？他是我见过的最接近马拉多纳的存在。"米盖利的话很有分量。他曾经是巴塞罗那的中后卫，和马拉多纳并肩作战过。但是一天天过去了，没有人透露给豪尔赫任何信息，梅西也是一样。他们依然在等待里费的决定和远在澳大利亚的雷克萨奇的归来。但他们不得不尽快回到阿根廷——梅西已经错过了太多的学校课程。豪尔赫坚持他们不能离开超过一周。而现在已经是第8天了，情况可不大好。

有关梅西的试训，传闻中存在着一些误会。据说当时某些巴塞罗那的教练并不确信梅西的天赋，不知道要不要签他，常常当面说一套背后又是一套。这些人的名字并未被透露，因为其中一些人现在依然在巴塞罗那俱乐部工作，其他远离诺坎普的人也大多有着不错的职业生涯，名单一旦公布，有可能损害他们的利益和名誉。

雷克萨奇对当时情况的描述让整个事件更加扑朔迷离了："我收到的典型反馈是：好吧，他实在是太矮小了，适合去踢室内足球或者桌上足球……平庸的球员！"但事实上，试训进行得非常顺利。不，应该说不只顺利，简直是决定性的。只要在训练课上观察5分钟，就足以领略梅西的才华了。从教练的角度来看，沙利·雷克萨奇出不出现在二号或三号训练场看梅西踢球都没什么必要了。他的决定票投不投也无关大局。

不过最终他们还是要等雷克萨奇回来拍板，梅西父子俩也不得不推迟回阿根廷的时间——其实一队的指导根本不应该参与到这事的决策当中，但是要签下这个13岁男孩，似乎没有人做好了承担可能失败的准备（甚至从最好的结果来说，梅西最终取得成功，这份伯乐之功也没人准备接着）。

那究竟要怎么解释当中的诸多疑虑呢？首先，俱乐部大佬们（至少精神上作用颇大的雷克萨奇、明格利亚、安东·帕雷拉、里费）的加入证明这件事很特别，非比寻常。这么多重要的名字摆在那儿，很容易让人觉得梅西受上层保护，一切已经板上钉钉了，或者至少局外人会这么看。这件事成为了那几周全城的热门话题，让大家产生了很大的期待。鲁道夫·博雷利和同事们抓紧一切时间来观察梅西，他们从不会浪费时间讨论梅西的天赋问题，而是在想如何把梅西的个人能力融入到球队已经成型的战术体系中。但其实，对于人们来说，大佬们对此事的兴趣并非最奇怪的事。

在2000年，把一个孩子从阿根廷带到巴塞罗那，这点子看起来就很诡异。因为确实是毫无先例。

梅西的天赋有目共睹。来自俱乐部内部、见证过那两周试训的匿名消息源把当时的梅西形容成 "las ostia en patinete"，字面意思是 "最出色的"： "他当时的表现"——那个消息源继续说—— "和他现在差不多，只不过是迷你版的而已"。所以说，俱乐部因为梅西矮小而历史上又没有成功先例，所以不想要梅西，这个说法真是冤枉他们了。其实还有其他的原因。

时至今日，从世界各地引入各个年龄段的孩子实在是再正常不过了，俱乐部之间的竞争，小到只有8岁的孩子也会被写入档案。但在2000年，这是件开天辟地的事。再早5年的话，从马塔罗、格拉诺勒斯、桑特佩多尔（都是离巴塞罗那不到一小时车程的城镇）签约12到13岁的孩子都会被认为是把他们带到了很远的地方。那时队中所有14到15岁的青少年全部来自于西班牙。

而现在他们竟然说有一个阿根廷男孩来试训了，而且还只有13岁……等一下！

现如今，我们能看到很多有关这个课题的研究成果，但是在当时，大家普遍的看法就是：不管一个球员在他同年龄层中有多出色，没有人能确保他在一队也能达到同样的水准，或者他甚至可能连职业球员都当不了。"在那么小的年纪，带他远离父母，远离祖国，远离伙伴，远离过去的一切，把他放在一个充满未知与不确定性的环境中去。是的，梅西现在确实成为了世界上最好的球员，这也的确是个完美的故事，不过……"那次不寻常试训的另一位见证者如是说。梅西的未来并不会由那些青少年足球教练决定，但是他们也会在私下里谈论潜藏在当前情形下的可能危险；哪怕是从离巴塞罗那稍远的西班牙城市签约球员，让他背井离乡，俱乐部都会慎重考虑。无论是从常理上还是从逻辑上，梅西都应该被同样对待。奥利奥·托特，最负盛名的球探之一，同时也是巴塞罗那青训营的领袖和思想家，他常常说拉玛西亚更喜欢15或16岁的球员加入。这就是2000年时的情况。

所以，全部可能的原因都摆在这儿了，是大佬们的强势介入产生了影响，还是青训的教练们缺乏意识和眼光，抑或是他们清楚让一个小男孩远离家人的负面效果，所以不情愿过早签约？

举个例子吧：安德烈斯·伊涅斯塔，他还是个孩子的时候（1996年，12岁），代表家乡的西甲球队参加了在布鲁内特举行的国家级锦标赛。和其他所有重要的锦标赛一样，各个俱乐部都派遣了大量球探前去观察。而这届比赛中最耀眼的明星是来自阿尔瓦塞特的伊涅斯塔，排名第二的则是来自梅里达的豪尔赫·特罗伊特罗。第二是无法获得奖赏的，但两个孩子谁更出色还是引起了广泛的讨论。巴塞罗那当时详细记录了伊涅斯塔的表现，还和他的家人进行了交谈，甚至讨论出了合同的细节，不过他们最终决定让伊涅斯塔待在家里，俱乐部会远程指导他的成长。他们的想法是两到三年之后，等伊涅斯塔年龄达到青年标准了，再把他带到拉玛西亚。

而特罗伊特罗的父亲拒绝坐下来被动等待，所以他从西班牙西部埃斯特雷马杜拉的梅里达驱车出发，几乎跨过整个西班牙，来到了巴塞罗那的办公室。他的儿子会成为职业球员——这是毫无疑问的。他知道俱乐部对于特罗伊特罗的观察报告非常正面，巴塞罗那的评价让这家人蠢蠢欲动。所以，要么俱乐部现在签下他儿子，不然他就会前往马德里、巴伦西亚或者其他地方进行尝试。巴塞罗那向他解释离开学校、背井离乡可能对孩子造成的负面影响，但是这位父亲非常固执。特罗伊特罗是他儿子，他要想尽一切办法把儿子带进豪门。

巴塞罗那最终向他的施压屈服了，尽管这有违他们最初的目标和安排，但特罗伊特罗的确是一个技术极佳的左翼球员，拥有很高的天赋，这些天赋也的确在之后的低级别比赛中展现无遗。但是当时拉玛西亚没有那个年龄层的孩子；事实上，只有一人小于16岁。巴塞罗那是如何解决这个问题的？他们召唤了同样来自拉曼查省的伊涅斯塔，让他也提前来到巴塞罗那，和特罗伊特罗做个伴，以免特罗伊特罗感到孤单。

最后结果如何呢？豪尔赫·特罗伊特罗因为不守规矩被踢出了拉玛西亚。而伊涅斯塔，那个当时常常在巴塞罗那郊外的球员宿舍中哭泣的男孩，若干年后打进了帮助西班牙首次捧起大力神杯的进球。

有美好的前景，也有恐惧、疑虑，哪怕巴塞罗那现在有一套备受好评的青训体系，依然无法保证孩子们一定取得成功。

有人在第8天的训练结束后问梅西："你还觉得和巴塞罗那签约是个好主意吗？"那个人就是鲁道夫·博雷利。梅西给出了肯定的回答，他喜欢这里的训练方法，在罗萨里奥，更多的是纯粹的身体训练，而这里的大多数项目是有球练习，这让他很高兴。他很享受球在脚下的感觉。而且他在这里体会到了巴塞罗那的伟大，也感受到了挑战。他想要留下来。

梅西到达巴塞罗那10天之后，这座城市已经没什么可游览的了。足球方面，俱乐部也不需要更多地了解他了。该做的都已经做完了。梅西已经离开学校快两周了，这根本不在计划之内。很明显，不管哪家俱乐部，到这个时候估计都想拿下梅西了，但这事对于巴塞罗那有些特殊，没人想承担风险：他们要等雷克萨奇回来。

豪尔赫已经做好回家的准备了。"再多待一天，雷克萨奇周一就回来了。"有人告诉他。千呼万唤始出来，这位主席顾问终于从悉尼返回，并且和里费见面了。台面上有一大堆事要处理，其中的一件就是有关那个阿根廷男孩的。"让他在更大的年龄梯队中踢场球，和大两岁的孩子对抗。我想看看面对更大的孩子时他会有怎样的表现。"雷克萨奇说。

沙利·雷克萨奇：我参与进来是因为需要投决定票，如果所有下级都达成"签下梅西吧"的一致意见，那我也不必来干涉低级别的梯队了。

最后的试训定在了10月2日，晚上6点。这次不是在梅西这几天踢得最多的红土场地，而是在保龄球馆旁的三号球场，使用的是人工草皮。这块场地对面就是迷你球场。

决定性的时刻就要来临，没有任何退路。第二天豪尔赫和梅西可能就要回阿根廷了。满打满算只有1米48的梅西，将要面对比他大两岁的青年球员。

米盖利来看梅西踢球了，里费当然也来了，还有基克·科斯塔斯、哈维·略伦克、阿尔伯特·贝奈赫斯，以及过去10天在所带球队中训练梅西的鲁道夫·博雷利。他们都坐在替补席上。

比赛开始了，而沙利·雷克萨奇依然没到。

吃完午餐后，他才姗姗来迟。刚从澳大利亚回到西班牙，他还在倒时差。

比赛还有两分钟，沙利走上了通往球场的楼梯。

沙利·雷克萨奇：我当时和往常一样，走了一会儿后，在看到他拿球的时候，我停下了。

雷克萨奇进门走上球场，绕过角旗，走到球门后面。

沙利·雷克萨奇：要找到他很容易，因为他太袖珍了，是场上一道特殊的风景线，不是吗？

梅西在中场拿到球，然后开始盘带，试图过掉任何挡在他前面的人。

豪尔赫·梅西：卡洛斯（沙利）走进场地的时候，梅西恰好完成了一个漂亮的动作。

沙利·雷克萨奇：如我所说；我来到球门后面，然后准备继续走……梅西带球过掉了两个人，之后又甩开门将，射门得分。

豪尔赫·梅西：漂亮。球进了！

这是他们全场的唯一进球，梅西所在的队伍最终1∶2失利。雷克萨奇走向替补席，也就是教练们聚集的地方。

沙利·雷克萨奇：我绕了大半圈，花了七八分钟。我在板凳上坐下，之后……

仅仅露面了10分钟，沙利·雷克萨奇就离开了三号球场。他在青年队教练的板凳上坐了两分钟，就转身离开，怎么来的就怎么走。

等了这么久，豪尔赫·梅西终于见到那个能拍板的人了！经历了遥远的旅途和漫长的等待，豪尔赫·梅西认为雷克萨奇没有给予梅西应有的重视。沙利看到梅西在球场上的表现了吗？豪尔赫问自己。其实，雷克萨奇所看到的足以让梅西留下了，一切都很有希望。

比赛结束之后，梅西一言不发。一如既往地安静，他只是在默默聆听。

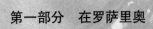

第一部分　在罗萨里奥

1　"传球，梅西！"但他从来不传

周日必备：最后一个是笨蛋！

无一例外，每周到了这天，梅西都会来到外祖母家中，和两个哥哥（罗德里戈与马蒂亚斯）在房前的小水泥场地上一起玩抢圈游戏（rondos，也叫toros，或者用英文说，piggy in the middle），虽然那时候这游戏还不叫"抢圈"。或者他们也会玩脚上网球。之后他的表兄弟会过来，马克西和埃马努埃尔。而梅西的堂弟布鲁诺也会在几年后出生，这是他叔叔婶婶（克劳迪奥和马塞拉）的孩子。

两块石头被摆在那儿当门柱，哪边先进6个球就算获胜。游戏就这样开始了。

梅西的外祖母还有她的两个女儿——塞莉亚和马塞拉，会在厨房里忙东忙西，准备酱汁浓郁的面条。而两位丈夫——豪尔赫和克劳迪奥，再加上外祖父安东尼奥，他们会在狭小的餐厅中欢快地交谈，或者是站在门口，全神贯注地欣赏孩子们玩耍：看看那球感，看看埃马努埃尔是怎么控球的，看看从身材矮小的梅西脚下把球断掉是多么困难……

"好样的，马克西！"豪尔赫喊道，他曾在纽维尔斯老男孩俱乐部踢过低年龄级别的比赛，直到他被征召去服军役。

吃饭时间到！孩子们慢慢悠悠地回到屋子里，虽然很饿，但他们更不愿意离开激战正酣的比赛。

坐上餐桌前，每个人都必须把手洗干净，在这幢只有两个卧室的小房子里，没有人想要离开，这可是丈夫们（克劳迪奥和豪尔赫）、姐妹们

（塞莉亚和马塞拉）还有酷爱足球的兄弟们欢聚一堂的好时光。有时候沙发会被展开，不管哪个孩子想留下来过夜，都可以把它当床。孩子们非常敬爱他们的外祖母，不仅是因为她能做出美味的面和让人吃到一粒不剩的米饭，更是因为她从来不对孩子们说"不"。

食物很快就被一扫而光。一切都是那么的好吃，但5个孩子还是在口中 dulce de leche（一种牛奶糖）的味道并未散去的时候，就迫不及待地夹着球，赶往拉巴哈达的广场。

就是在那里，他们会继续或者重开一盘谁先到6球的游戏。他们再次全身心地投入到踢球当中，连续4个小时不停歇，有时时间甚至更长。

他们分拨从来都是势均力敌的。有时大一些的孩子（1980年出生的罗德里戈、1984年的马克西以及1982年的马蒂亚斯）会联手挑战小一点的孩子（1987年的梅西和1988年的埃马努埃尔，埃马努埃尔是个出色的门将）。在这里大家拿球的机会都差不多，场面远比正式的青少年足球比赛粗糙和混乱。沮丧的大孩子们特别希望和梅西还有埃马努埃尔一队，尤其是梅西。"马蒂亚斯，要小心了！"豪尔赫喊道。

梅西就像一只没头脑的小鸡一样，追着球乱跑，而一旦他拿到了球，就会拒绝让它跑掉。他会血脉贲张，脸红得像个番茄一样——这就是叔叔克里迪奥对梅西的印象。要是他丢球了，你可得小心。他会嚎啕大哭，并且向任何敢于上前安慰他的人发泄怒火。他一定要到获胜才肯罢休。

"比赛总是以不快结束，我们常常打起来。哪怕我们赢了，我哥也会很烦我，因为他知道如果我赢不了就会发怒。结局总是很糟糕，我又哭又闹的。"梅西对阿根廷杂志《画报》（*El Gráfico*）说。

比赛往往发生在邻里之间。他们在外祖母家旁边的广场上进行的周日比赛，是对所有人开放的。而梅西/库奇蒂尼家的孩子们从未输过。马蒂亚斯对此的解释是："一开始他们不愿意和我们对抗，因为梅西年龄太小了，埃马努埃尔也是一样，而最终他们会为梅西喝彩。梅西那时候只有9

岁，却已经开始对抗十八九岁的孩子了，而且他们根本拦不住他。"

这样一块天赋云集的球场上能否涌现出一两个职业球员呢？

11岁的时候，罗德里戈和纽维尔斯老男孩的青少年队签约了，和其他梅西家的孩子一样，他之前为格兰多利俱乐部踢球。他是一个拥有出色得分能力的中路进攻手，速度迅猛，技术娴熟。城市间踢对抗赛的时候，他还代表罗萨里奥参加了所属年龄组别的比赛。梅西曾在《晚邮报》上讲述过他哥哥为什么早早结束了足球生涯："没错，他曾是非常出色的足球运动员。可惜他遭遇了车祸，导致胫腓骨骨折，在那个年代，如果你遭遇这么大的一场意外，基本意味着你的职业生涯终结了。"这场悲剧，再加上可能缺少成为职业球员所必备的坚韧，导致罗德里戈放弃了足球。不过他之后在厨房中找寻到了真爱，并把全部激情投入了进去。他想要成为一名厨师。

决定放弃足球生涯之前，马蒂亚斯在纽维尔斯老男孩的低级别球队中司职后防。但是，几年之后，他又重回足球场，而他最后效力的球队是罗萨里奥地区联盟的恩帕尔中央竞技队，他在那里一直踢到了27岁。

身高只有1米65的马克西米利亚诺是马塞拉和克劳迪奥最大的孩子，他后来常常为巴西甲级联赛的维多利亚队进球，此外，他还效力过阿根廷甲级联赛的圣洛伦索队和巴西弗拉门戈俱乐部，也去巴拉圭和墨西哥踢过球。他在巴拉圭的第一家俱乐部是亚松森自由，他在那里的第一堂训练课中就头骨重伤。但是他很固执也很顽强，最终重回足球场。他的女儿瓦伦蒂娜由于早产，所以不得不在恒温箱中度过自己来到人世的最初几天，而在她出生后的第二天，她父亲为弗拉门戈进了球。在同一个晚上，梅西也在对阵巴伦西亚的比赛中上演帽子戏法，把3粒进球献给了刚出生的瓦伦蒂娜。

一样来自于罗萨里奥的埃马努埃尔，在小时候看起来和梅西不分伯仲，当时他们在格兰多利俱乐部一同踢球。他一开始司职门将，并在纽维尔斯老男孩待了一年，之后便前往欧洲发展。现在他是一个左中场。他在2008年来到德国，为慕尼黑1860队的预备队踢球，紧接着在第二年就成功升入一队。他也曾在西班牙乙级联赛的赫罗纳队待过。现在，身高1米77的他，在巴拉圭甲级联赛的奥林匹亚队效力。他非常想有一天能和马克西还有梅西一起，为Ñuls（阿根廷语，也就是纽维尔斯老男孩的意思）踢球。

布鲁诺1996年才出生，也就错过了早几年和哥哥们一起踢街头球赛的日子，虽然他也能和其他小伙伴共同享受这项运动。布鲁诺目前是罗萨里奥当地的雷纳托-塞萨里尼俱乐部中最出色的新秀之一，这里曾经产出过费尔南多·雷东多和该俱乐部创始人之一的儿子桑蒂·索拉里。无论是踢球的样子还是风格，布鲁诺都像极了梅西：他跑动的方式、他触球的感觉，甚至他庆祝进球的动作。不过，拿孩子做比较的时候你还是要小心一些。在布鲁诺的推特和脸书账号上依然能看到这样一句话："离开了足球，生活变得不同了"（2012年2月）。他曾彻底离开了足球，但现在，他再次尝试爬上这趟名为"足球"的高速列车。

梅西在13岁的时候就离家前往巴塞罗那，于是和兄弟们一起聚餐的机会也就少了。那些街头足球赛就这样变成了往事。男孩们一天天长大，生活渐渐分开了他们。但是童年时光的一幕幕永远深埋在他们心中，我们每个人都是一样。

梅西的外祖母，在他只有10岁的时候，离开了人世。

蜿蜒的巴拉那河流、国旗广场以及其中的国旗纪念碑、两家伟大的俱乐部还有当地的居民。

这就是游客眼中的罗萨里奥。罗萨里奥到底是个什么地方？这是一座距离阿根廷首都布宜诺斯艾利斯300公里的城市，驱车3小时便可到达。除了贯穿巨型峡谷的那一条又直又窄的公路以外，两座城市之间就没有什么了。这里远离喧嚣，看起来与世隔绝，同时它拥有属于自己的小骄傲（这里的人从不说自己来自圣菲省，他们只说自己是罗萨里奥人）。他们也有自己的德比，"麻风病人"（Lepers）大战"恶棍"（Scoundrels），也就是纽维尔斯老男孩对阵罗萨里奥中央。支持两支球队的当地居民一半一半，不管你问谁，他们都会说这里的德比是"最具激情的比赛"，虽然也有他们不愿意想起的时刻——有时激情会发展成混乱甚至暴力。

梅西就是"麻风病人"中的一员。纽维尔斯老男孩之所以有这个绰号，是因为在大概100年前，他们和罗萨里奥中央队都受邀参加一场资助麻风病诊所的慈善赛。最终，纽维尔斯老男孩接受了邀约，而罗萨里奥中央没有答应。从那天起，纽维尔斯的头号死敌就拥有了"恶棍"的坏名声。

从布宜诺斯艾利斯出发，走高速公路前往罗萨里奥。在某个环形公路处，眼前会是一片简陋的房屋，而它们右侧，画着巨大的带着罗萨里奥中央配色的"C"，仿佛在对你说："你正踏入'恶棍'的地盘。"当你看到唱反调的标语的时候，你就更能确信到达罗萨里奥了：不，不，你可以在其他墙面上看到"这是'麻风病人'的城市"，颜色当然是纽维尔斯老男孩的红黑色。从涂鸦你就能嗅出针锋相对的火药味了。这些简陋的房屋，是很多罗萨里奥郊区居民的家，透过窗户，就能看到那条高速公路。而这也是一块非常贫穷的区域，脏乱的地面上，人们骑着摩托车，并且从不佩戴头盔；那些摩托车都非常老，不过不是老爷车的老，而是老旧的老。

继续前行，不久之后，工厂和大型建筑取代了贫穷。每个司机到了这里都仿佛在欣赏风景一样，因为他们貌似从不会去看路标。或者可能正如某些阿根廷人所说："路标也给不了你多少信息，让你知道还要在这条笔直的路上走多久。"

高速路快走到尽头的时候，你开始看到这座充满吸引力的城市的轮廓，不同尺寸的摩天大楼映入眼帘；道路两侧变得高树林立，突然，一幢外围包裹着曲折管道的巨型现代工厂从天而降，为这份景色平添了一股诡异的工业化美感。这里的植物都由巴拉那河灌溉，现在你就可以第一次看到这条关键的河流了，正是它滋养出了肥沃的土地，成为这片土地古时候繁荣昌盛的源泉。欣赏完树和工厂，你会穿过一个新式的公园进入这座城市，之后便能看到由道路两旁的两层小楼点缀着的罗萨里奥美景。马路此时也摇身一变成为了大道，静静地守护在这座历史悠久、庄严伟岸的城市外围。

罗萨里奥，既是潘帕斯草原的大门，也是一座由乡村乔装而成的城市。这里走出过切·格瓦拉①、歌手菲托·派斯、漫画家及作家罗伯托·丰塔纳罗萨、足球名宿马塞洛·贝尔萨和塞萨尔·路易斯·梅诺蒂②，加起来足以和首都掰一掰手腕了。同时，这里也有着成千上万的欧洲移民。这里还是阿根廷某个标志的诞生地：1812年，土著们第一次使用现在阿根廷国旗的蓝白配色，以区分自己和敌对的西班牙军队。

前往城镇中心所经过的是独立公园，记者爱德华多·范德库伊曾这样描述它："这是这座城市开始定义自我风格与个性的地方。从进入公园开始，你也走上了优美的奥罗诺林荫大道，景致看起来颇像明信片上的巴黎。而埋藏在成片绿荫之中的，是纽维尔斯老男孩俱乐部的主场。"街道开始变得狭窄，在十字路口（真的有很多）处，你永远不知道谁该走谁该停：貌似都是谁先到谁先走。白墙已然转为灰色，咖啡店的装潢都是高高的天花板、大型的落地窗还有小小的桌子。店里有很多男士通过欣赏漂亮姑娘打发时间，女士们呢，包括年纪较大的，都非常喜欢称赞年轻小伙子们健硕的身型，他们看起来都足够强壮，可以成为职业足球运动员了。大

---

① 切·格瓦拉，或简单称切，本名埃内斯托·格瓦拉，古巴共产党、古巴共和国和古巴革命武装力量的主要缔造者和领导人之一。是阿根廷的马克思主义革命家、医师、作家、游击队队长、军事理论家、国际政治家及古巴革命的核心人物。古巴革命胜利后，任古巴政府高级领导人。1967年，他在玻利维亚被部下逃兵出卖，被玻利维亚特种部队俘获并处死，享年39岁。

② 塞萨尔·路易斯·梅诺蒂，阿根廷传奇教练，曾在1978年世界杯中带领阿根廷在主场夺冠。

家都说阿根廷最美的女人都来自罗萨里奥；塞尔维亚和意大利基因的融合创造了有着橄榄色皮肤和浅色眼睛的金发美人，让人无法抗拒。优质的食物让这里的居民保持着健康的身体和气色。罗萨里奥是阿根廷最高产的农业区之一，周围的土地生产着大量的谷物和大豆油，为孩子们的茁壮成长提供了必备条件。

尽管到处都是足球场，有时甚至隔两个街区就有一个，在罗萨里奥，你并不会看到太多人穿着球衣，不管是罗萨里奥中央的还是纽维尔斯老男孩的抑或是国家队的。这里有五六个联赛，很多足球运动员都不止在一个联赛中踢球：刚踢完一场比赛，赶紧骑上摩托车，前往另一个联赛的比赛踢球。在罗萨里奥，如果一个人不是球员，那他一定是球赛的组织者、教练、裁判或者其他什么相关的角色。不只男人，女人也是一样。

"罗萨里奥之所以与众不同，就是因为它对于足球的独特热情。"曾经执教过纽维尔斯老男孩、巴塞罗那的教练赫拉尔多·"塔塔"·马蒂诺说，"这座城市就是球员的输送带，它是一家工厂，生产着忠于罗萨里奥独有的足球梦想的天才们。这帮对足球充满激情的年轻人就是我们常说的'营养充足'的球员。这也就是为什么罗萨里奥的青训地位如此重要，能出产像巴尔达诺、巴蒂斯图塔这样的巨星，显而易见，莱昂内尔·梅西也是这份冗长名单中的一员。"

名单上其实还有马莱昂·肯佩斯、阿维尔·巴尔多、罗伯托·圣西尼、毛里西奥·波切蒂诺①以及很多成名球员。事实上，在2014巴西世界杯预选赛中，亚历杭德罗·萨维利亚手下的阿根廷队有10人来自罗萨里奥，其中包括哈维尔·马斯切拉诺、埃弗·巴内加、安赫尔·迪马利亚、埃塞基耶尔·拉维奇、马克西·罗德里格斯、伊格纳西奥·斯科科、埃塞基耶尔·加雷……当然了，还有梅西。

---

① 现任热刺主教练。

　　罗萨里奥还正好是"马拉多纳教"的发源地（当然其中有半开玩笑的意味）。教众都是迭戈·马拉多纳的死忠，把他奉为历史上最伟大的球员。并且每年10月30号，也就是马拉多纳生日那一天，他们都会模仿阿根廷天主教的传统，举行一次类似宗教仪式的庆典。马拉多纳1993年时曾在纽维尔斯老男孩效力，在他初次亮相的时候，梅西穿着红黑色的球衣去观看了比赛。

　　在罗萨里奥，足球就是生命。而用一个进球来说明这种城市精神最合适不过了。根据《吉尼斯世界纪录大全》，那是历史上被庆祝次数最多的一粒进球。这一球发生在1971年12月19日的布宜诺斯艾利斯，纽维尔斯老男孩对决罗萨里奥中央，一场令人窒息的比赛。这是联赛的半决赛，也是两家俱乐部唯一一次在首都正面对决。如此关键的一场比赛中，双方都无法找到破门的良机。而之后，离比赛结束还有13分钟时，罗萨里奥中央队在距离纽维尔斯禁区非常近的位置犯规，球队前锋阿尔多·佩德罗·波伊走入禁区等待任意球发出。他一边走的时候，还一边对场外的某个摄影师喊道——这算什么？预感、猜测还是未卜先知？——"把你的相机准备好，这球要进。"

　　这球真的进了。波伊先是与防守队员缠斗，然后甩开了对手，高高飞向空中，身体弯成弓形，双臂摆开。球进了！身体跳起头球破门！要不是球擦到了纽维尔斯中后卫的肚子改变了方向，让守门员猝不及防，这球可能就不会进。但不管怎样，这是一锤定音的进球：在半决赛把世代死敌扫地出门。中央队在之后又赢得了决赛，夺取了冠军，这也是"恶棍"队史中第一个冠军，但这个冠军被庆祝的次数还是无法和波伊的鱼跃头球相提并论。

　　过去的30多年里，每年的12月19日，名字霸气外漏的球迷组织"恶棍称霸拉丁美洲"都会聚集在中央队主场举行庆典：在这一天，某人会进行传中，然后波伊会复制当年的鱼跃头球。然而近些年，就如波伊本人所说，鱼跃已经不再那么充分，更多的是"球到了以后再起跳"。

　　这就是罗萨里奥，这就是足球。梅西并非凭空而降，阿尔弗雷多·迪·斯蒂法诺①和迭戈·阿曼多·马拉多纳也是一样。阿根廷血统可能在其中起不到多大作用，但有一点是确定的，这三个人都出生在一个足球每天都能让你获得大的荣耀（名声、金钱）和小的自豪（来自所有邻居的认同感）的国家。但亦如马蒂诺对《帕年卡》（Panenka）杂志所说，这些来自罗萨里奥街头的优质原材料和足球热情需要有合适的渠道进行输出："这一方面，豪尔赫·格里法起到了至关重要的作用。球员生涯结束后，他非常清楚自己想要什么。他并没有执教某支阿根廷甲级联赛球队的野心，他更希望成为球员的伯乐，而且他从未背叛过自己最初的理想。从20世纪70年代中期开始，一直到往后的20多年，他在纽维尔斯老男孩俱乐部留下了不可磨灭的印记。之后他又成为了博卡青年的青训教练，但是他的目标始终如一：做一个发掘球员的人。格里法在这个领域有着非凡的天赋，对于发现人才有着毒辣的眼光。这种天赋甚至延续到了选择助手方面。马塞洛·贝尔萨就是他光辉岁月中的助手之一。他从阿根廷的一端跑到另一端，不仅局限于罗萨里奥，还会到周围的区域去，寻找，永远在寻找，只为发现那隐藏在民间的璞玉。贝尔萨为了完成这项无穷无尽的任务，开着他那辆小小的菲亚特147奔波了上万公里，为'麻风病人'带来了丰硕的果实。他的辛勤工作最终得到了回报。1988年由何塞·尤迪卡执教的纽维尔斯队取得了冠军，而在1991和1992年，作为一队教练的马塞洛·贝尔萨也率队拿下冠军。"也正是格里法在关键的时刻发现了梅西的天赋，不然梅西可能只会拥有一个简短的足球生涯。

　　在罗萨里奥的任何地方，你都能嗅到足球的气息，但奇怪的是，空气

---

　　① 阿尔弗雷多·迪·斯蒂法诺，前阿根廷足球运动员，是20世纪50年代末著名的球员，绰号"金箭头"。曾效力西班牙著名足球俱乐部皇家马德里，与匈牙利名将普斯卡斯合力为皇马于1956年至1960年间连赢5届欧洲冠军杯。

里并没有梅西的味道。这里几乎看不到梅西出镜的照片、绘画甚至广告。每个人都能讲出一个有关于"小跳蚤"的故事，但这座城市似乎不愿意因此而沾沾自喜。大家的普遍共识是：在大街小巷张贴梅西的照片是一件很俗的事。或许这也是他们对于梅西低调形象的一种尊崇。

而对于梅西来说，罗萨里奥就是一切。当你问到他最深爱的记忆是什么，他的回答是毫无疑问的："我的家人，我的邻居，我出生的地方。"

梅西一家在拉瓦列哈大街的小房子里住了数十年，此地位于罗萨里奥市中心东南4公里的郊区，也被称为拉巴哈达或者拉斯埃拉斯。对于其他人来说，这地方默默无名；而对于梅西来说，这里就是家。这是典型的邻里相熟的小村落，大家都夜不闭户。坤比亚音乐与谈笑之声从中发散出来。孩子们在街道上玩耍，路上也没什么车。时间在拉巴哈达仿佛停滞了一般。在这块冷清的工人阶级居住区，狭窄的以色列大街的525号，就是豪尔赫·梅西自己盖的房子。

豪尔赫·梅西的父亲欧塞维奥是一位职业建筑师，因此豪尔赫也很快掌握了这项技能。梅西家的两位男子汉利用周末的时间在这块买来的300平米的土地上堆砖砌瓦。起初的时候，房子还只有一层，和街道上其他人家的规模没什么不同，只不过是带着一个可供玩耍的后院。房子的一面是钦蒂亚·阿雷拉诺的家，他与梅西同龄，也是梅西最好的朋友。现在，梅西家门前的路面改善了很多，整条街道都安上了路灯和排水系统。他们家的房子也变成了双层小楼，并且增加了一道围栏（这条街道上的唯一一家）和一个几乎从来不开的监控摄像头。这里就是豪尔赫·梅西、塞莉亚·库奇蒂尼还有他们的4个孩子早些年生活的地方。

梅西曾在意大利《晚邮报》（*Corriere della Sera*）上回忆："那是一间小房子。一个厨房，一个客厅，还有两间卧室。其中一间卧室属于我的父母，而另一间则是我和兄弟们睡觉的地方。"这条街之后成为了梅西的地盘，距离这块崎岖不平、没有围栏的街区200米，有一片杂草丛生的场地，那就是他们踢球的地方；场地旁边，有一家马蒂亚斯曾工作过的售货亭（就在他家旁边，后来他把这间售货亭送给了一个亲戚），那时梅西已经前往巴塞罗那踢球了，而现在那家售货亭依然在那儿。在街道的尽头你能看到格兰多利俱乐部，外祖母就住在这附近，而再远一点是几位表兄的住处。梅西的祖父母欧塞维奥·梅西·巴罗和罗莎·玛丽亚也住在附近，现年86岁、已经退休很久的欧塞维奥依然每天早上起来张罗他在家里改造的一间简陋面包店，他们已经在这里住了50年了。

一切从这里开始，一切又在这里结束。温馨和睦的大家庭是梅西家和库奇蒂尼家的孩子们成长的沃土。梅西深爱着自己的父母兄弟、叔叔伯伯，特别是他的母亲：他在自己的背部纹上了母亲的面容。"他没和任何人说就做了这件事。有一天他向我们展示那个纹身，我们当时就目瞪口呆了。这件事他做得毫无征兆。不过身体是他的，我们也没什么可说的。"梅西的父亲在西凯·罗德里格斯的书《赢家教育》（*Educados para ganar*）里回忆说。那本书中，拉玛西亚青训史上最著名球员的父母从他们的角度分享了一些故事。

这里还有梅西最好的朋友，哪怕是现在，他只要有空，还是会去见他们。对于梅西来说，罗萨里奥、拉巴哈达（叫哪个名字无关紧要）就代表着他的童年，借用诗人里尔克的说法，这里是"一个男人真正的家乡"。这里是他常常想回去的地方（事实上他也会时不时地回去），也是他永远不会离弃的地方；在巴塞罗那踢球的时候，他常常会回到这里休息放松，让一切复杂的事变得简单。

这也就是为什么只要有可能，梅西就会回到家中和家人团聚。夏天或者圣诞节，只要有足够长的假期，他一定会跑回罗萨里奥躲清净。自从他在城市郊区买下了一座豪宅之后，他在那条街道附近就不常出现了，但是有时候他也会被看到在那里骑脚踏车。他还是会偶尔去那条街道附近逛逛，2013年的夏天，就有人看到他在一家超市中推着一满车的小蛋糕、酒和面包棒；他那一天是在恩特雷莱昂斯省东南部的瓜莱瓜伊丘度过的，那是一个安静的小镇，尽管梅西戴上了帽子，但他还是很轻易地就被认了出来，并且被索要合影。他早就习惯了随时在街头被拍，他也从来没有任何自我保护措施。

梅西交往多年的女朋友也来自他的家乡。那个女孩名叫安东内拉·罗库佐（Antonella Roccuzzo），同为罗萨里奥人的她还是梅西挚友卢卡斯·斯卡利亚（效力于哥伦比亚联赛的卡利体育俱乐部）的表妹。梅西在只有5岁的时候就认识安东内拉了，而她现在已为人母，为梅西生下了一个名为蒂亚戈的男孩。其实，故事的结局差一点就不会这么美满了。梅西开始试图吸引安东内拉目光的时候，她还是个可爱的小姑娘，而且对他毫无兴趣。没多久，梅西就前往巴塞罗那了，两人因此很长一段时间没有见面。不过，在梅西某次放假回家的时候，爱情的火花就此迸发。

值得注意的是罗库佐、斯卡利亚这两个名字，莱昂·梅西的姓是梅西，而他母亲的娘家姓是库奇蒂尼（Cuccittini）。这一家人是从马尔凯大区的雷卡纳蒂和安科纳移民到罗萨里奥的意大利人的后代。莱昂内尔·梅西同时还拥有西班牙血统。

罗萨里奥是一座非常吸引欧洲人的城市，在这座城市发展起来的前10年，西班牙人和意大利人占据了一半的人口。梅西的曾祖母罗莎·玛特艾格泽就是来自布兰卡福特，那地方位于西班牙莱里达附近的比利牛斯山脉，而罗莎在还是孩子的时候就移民到了阿根廷。越过大西洋，她遇见了来自贝利凯雷杜尔赫利的何塞·佩雷斯·索莱。

当大家都远离家乡的时候，新建立的人与人的关系总是能够稳固而持久；它们是移民者的救命稻草。这里是真正全新的世界，也是新生活的基础。在刚到这片陌生土地的时候，罗莎和何塞一直相互扶持。他们最终在阿根廷成婚，并且生下了3个小孩，其中一个就是罗莎·玛丽亚，欧塞维奥·梅西的妻子，豪尔赫·梅西的母亲。近期，《晚邮报》和梅西进行了一项有意思的小测验，让他对梅西家的发源地更加了解。

记者： 你曾祖来自雷卡纳蒂，和贾科莫·莱奥帕尔迪一个地方。

梅西： 那是谁？

记者： 一个伟大的诗人：孤山，对我而言总是如此珍贵/树篱，挡住了我的大片视野/使我不能望到最远的地平线。

梅西： 不好意思，我还没听说过这个人。

记者： 也许你听过洛雷托，离雷卡纳蒂很近。

梅西： 不，不好意思，我还是不知道。那是哪儿？

记者： 在马尔凯大区，意大利的中部。你难道不想去看看你的曾祖来自什么样的地方？

梅西： 说实话，没那么想过。我觉得我父亲应该知道那个地方。他曾回去过，并且探访了一些亲戚。也许有一天我也会去吧。

记者： 那你至少见过布宜诺斯艾利斯的"移民者旅馆"吧？大多数初来乍到的意大利人都会在那里落脚。

梅西： 很遗憾，我依然不知道。

之后那个记者便给梅西展示了几张当时来到潘帕斯寻找财富的意大利人的老旧黑白照片。"女人们都是披着围巾、穿着黑色长裙的，而且面色严厉。孩子们都非常瘦削而且光着脚。食物是大锅饭。男人们都穿着深色夹克、白色衬衫，戴着呢帽。一双双眼睛都盯着茫茫一片未知的世界，那种眼神应该被写入一首哀伤的歌中。"梅西看着那些照片，有些好奇，也有些其他情绪。

对于梅西来说，一切始于罗萨里奥，一切也止于罗萨里奥。梅西/佩雷斯一家最终定居在了拉斯埃拉斯。他们和同为意大利后裔的库奇蒂尼·奥利维拉夫妇（也就是塞莉亚的父母）住得很近。身为邻居的豪尔赫和塞莉亚擦出了爱情的火花，但是他们耽搁了一小段时间：15岁的豪尔赫和13岁的塞莉亚意识到了彼此的感情，但却没有为之奋斗。5年之后，当豪尔赫服兵役归来以后，他们步入了婚姻的殿堂。

不久之后，他们打算离开，前往澳大利亚生活。你说如果梅西是澳大利亚人，他还会成为足球运动员甚至足球巨星吗？我们稍后再讨论这个话题，不过最终的结果就是，梅西一家更喜欢生活在父母附近。塞莉亚为一家生产工业用磁盘的车间工作了数年，而和移民团体中的其他人一样，豪尔赫随时准备着做任何能带来收入的工作——不论是早上6点就开始在金属加工厂房做螺丝钉，还是上门收取每月的医疗保险费。他很明白，要想收获更好的自己，为家庭提供一个有保障的未来，他必须要努力工作。在纽维尔斯老男孩青训营里打拼了4年之后，他最终没能成为职业球员，所以每晚休工之后，他便开始到夜校学习，从17点到21点，他想成为一名化学工程师。完成进修课程总共要花8年时间。他当时只有22岁，但是把一切事情安排得井然有序：他的努力最终收获了回报。

豪尔赫在1980年进入了阿辛达（Acindar）公司——阿根廷主要的压制钢材生产公司，他的第一个儿子罗德里戈也在那一年出生。要到离罗萨里奥50公里的宪法镇的工厂，他不得不乘坐班车。这家公司鼓励员工们相互竞争，因此豪尔赫得以迅速升迁，他最后还当上了经理。他的工资供养一个三口之家是毫无压力的，或者说，养四个都没问题：马蒂亚斯在1982年出生。"我的父亲，"梅西/库奇蒂尼家的第二个孩子说，"是一位工人，他从来不会要求什么，而且无论过去还是现在，都保持着谦逊。他一直在为更好的生活努力工作，为了我哥哥，为了我……为了让我们兄弟几个能在最好的学校读书。我们别无所求。"

家里的食物总是很好吃，而且从来不会浪费，这里有个好证据：梅西在接受《晚邮报》采访时证实了这一点："我们会吃阿根廷或者意大利风味的菜：意大利面、意大利方饺、西班牙香肠……我的最爱是米兰小牛肉。母亲做饭的味道与众不同，绝对独一无二。不论浇不浇酱汁，放不放番茄和奶酪，都特别好吃。我们是低调的家庭，但并不意味着我们很穷。说实话，我们懂得满足，没什么过高的要求。"

有关于阿根廷球员的出身，人们有个普遍看法：其中的大部分人来自于中产阶级家庭，也就是欧洲常说的工人阶级家庭，而不会出自于下层社会或者贫困家庭。事实上，梅西就是这个情况。穷孩子在绿茵场上取得成功的案例在阿根廷非常少见。至少在迭戈·马拉多纳出生于布宜诺斯艾利斯南部的费奥里托贫民窟之前，情况确实如此。

现实就是，穷人家的孩子很难获得足球俱乐部试训的机会，有时是因为缺少门路，有时是因为没有钱财，这些让他们没有办法参与训练，购买装备以及保证营养。满足不了上述条件，他们也很难进入足球学校：这也就意味着成为职业球员简直是天方夜谭。而对于下层社会的家庭来说，是有孩子成功进入了俱乐部，但是都很难坚持下去，一部分原因是家庭结构的缺失，而另一部分原因则是他们所生活的村落并不鼓励纪律性和牺牲精神，反倒是毒品横行。因此，很少有职业球员出身贫寒。

不过，总还是有些特例，比如说雷涅·豪斯曼（出战1978年世界杯）、马拉多纳（虽然他从没挨过饿）、卡洛斯·特维斯，也许还可以算上埃塞基耶尔·拉维奇和奇皮·巴里霍。巴里霍曾在2000年卡洛斯·比安奇手下的博卡青年队踢球，他倾尽全力偿还足球带给他的一切：带回无家可归的孩子，给他们食物，并且在巴霍弗勒洛斯训练他们。除上述几个人以外，几乎没有出自穷人家的球员了。

阿根廷足球运动员主要来自于中产阶级家庭，他们在20世纪的最后10年体验了前所未有的艰难时光，那个时候通货膨胀造成比索每天都在贬值。阿根廷的发展停滞了。未来看起来一片黑暗。

1980年代的阿根廷可谓是风云突变。1982年阿根廷对英国占领的岛屿发动军事行动（马岛战争），不过是为了把民众注意力从军政府连年失败并且愈演愈烈的经济政策中转移开来。当时社会矛盾非常明显，通货膨胀也难以停止。阿根廷人正走向灭亡，而希望也一天天消散。但是军事上的失败恰恰把民众的怒火团结了起来，它们最终被转化成了实际的行动，旧的政权被推翻了。1983年12月，民主政治重新回到阿根廷。

4年之后，由阿尔多·里科上校带领的年轻军官团体脸谱军（劳尔·阿方辛和卡洛斯·梅内姆出任阿根廷总统时期发起暴动的叛军）开始崭露头角，国家也陷入无休止的内战当中。军队不想再蒙受耻辱，要求撤销他们通过暴力控制人权的指控。尽管阿根廷人在大街小巷保护民主政治，尽管罢工蔓延了包括罗萨里奥在内的整个国家，但是劳尔·阿方辛还是迫于压力通过了法案，赦免了上校级别以下因强迫失踪、非法拘禁、酷刑致死等行为而服刑的军队人员。为了掩盖不堪的近代历史，阿根廷政府可没少下功夫。

1984年到1985年之间，多达15起爆炸案件造成了不小的混乱，宪法镇也在其中，事发地点离豪尔赫·梅西工作的地方非常近：这是部分阿根廷民众的怒吼，他们不接受随随便便就忘记黑暗过去的做法，或者说不愿意向军队的威胁屈服。而在接下来的几个月中，大街小巷都是要求更高薪水和更公平经济政策的抗议者，糟糕的局势在整个阿根廷蔓延。

1987年6月24日，这一天正处于经济和政治危机的中期，同时这一天也是马拉多纳在墨西哥举起大力神杯后快一年的时间，这一天还是著名作曲家及演员卡洛斯·加德尔去世52周年纪念日。就在这一天，莱昂内尔·安德烈斯·梅西出生了。

他是在一阵恐慌之中出生的。

医生诊断出了胎儿宫内窘迫的症状，他们很担心，可能不得不借助外力催生。豪尔赫很害怕出现悲剧，但孩子最终还是正常出生了，尽管他看起来比正常新生儿要红而且还有一只耳朵弯了。"不，不，不会一直这样的，等等看吧；明天就会一切正常的。"妇科专家诺韦尔托·奥德托告诉这对焦急的父母。

27岁的塞莉亚·库奇蒂尼和29岁的豪尔赫的第三个儿子就这样降生在罗萨里奥的一家意大利诊所。体重3.6公斤，身长47厘米，这就是刚出生的梅西。Leonel？两人决定给孩子这样命名。但最后为什么又变成Lionel了呢？倒不是Lionel Ritchie（莱昂内尔·里奇）启发了这个名字，尽管他是备受欢迎的摇滚传奇，也很受梅西家的喜爱，名气还在之后几年达到了巅峰。其实是这样的，豪尔赫在前往注册中心的路上时，已经和塞莉亚达成一致，决定用Leonel命名新生儿。不过他认为这名字虽然听起来不错，但总感觉哪里不对。到达注册中心之后，他又查看了一遍可选名字的列表：他不想让自己的孩子叫Leo。列表上就包括Lionel，一个英文名。豪尔赫喜欢这个名字，于是决定用它登记。因为名字迟迟定不下来，在家中夫妻俩还有点小摩擦（看在上帝的分儿上，豪尔赫！）。虽然非常短，但总归是争吵过。最终，命运和豪尔赫开了个玩笑，注定的事情也无法改变，他的儿子还是以Leo这个名字为世人所知。幸运的是，对于梅西的父亲来说，在阿根廷，Lio永远是Lio。（梅西的父亲当时不知道，英文中Lionel这个名字的昵称恰恰就是他最不想要的Leo。）

梅西9个月的时候开始学会走路，而且常常会追着哥哥们丢在家里的球跑。他刚长到两英尺的第二天，就第一次自己走上街了。家里的前门总是开着的，而门口的马路上也很少有车经过。记得吗，这就是那儿的风土人情。

当他跟跄着走出去的时候，一辆自行车经过，把他撞倒了。

当然，梅西哭了，但他好像并没有受伤。那天睡觉的时候，他发出了一些噪声。他的胳膊肿了，而事实上，伤势要严重得多。医院诊断出来他的左前臂尺骨出现裂缝。这是他脆弱的身躯给出的第一个信号，同时也第一次显示了他非凡的承受疼痛的能力。

1岁生日的时候，他收到了自己的第一件球衣。这一家人都是"麻风病人"的球迷，除了最叛逆的马蒂亚斯：不用想了，他是中央队的球迷。

这时候，梅西/库奇蒂尼家的新成员已经开始和哥哥们一起玩球了，这是个喜欢看足球胜过看卡通的孩子，而在他3岁生日的时候，他收到了一个看上去像红宝石的足球。"照顾好他！"他母亲吼道。当时他只有4岁，经常跑出去和大孩子们一起踢球。"我妈妈允许我出去踢球，但由于我比其他人小，她常常会坐在场边盯着，注意我是不是开始哭了。这对我影响很大。"梅西对哥伦比亚的杂志《Soho》说。接下来的故事套路大家就很熟悉了，特别是对那些想要成为足球运动员的人来说，而对于那些最终成为了职业球员的人，情况更是如此。

在床上的时候，要是感觉不到足球在身边（一般是在他脚边），梅西就睡不安稳。要是把球从他床上拿开，他就会陷入绝望。对他来说，足球就是餐桌上的面包，一刻都离不了。当梅西的母亲让他出去买东西的时候，他也带着个球。如果不这样，他就不肯去。要是手边没有球，他就会拿袋子或者球袜，利用一切他能找到的东西，卷个球出来。"梅西出门的时候要带球，他和球一起生活，和球一起睡觉。他只想要球。"罗德里戈·梅西在2012年金球奖颁奖典礼上的一段视频中回忆。豪尔赫坚持让梅西和朋友们玩点其他东西——出去骑车、和邻居打弹珠或者玩PlayStation游戏机、看电视。他是个正常的男孩，他父亲反复强调。不过豪尔赫也向德国《踢球者》(Kicker)杂志承认："在我的记忆里，他总是在球旁边。"

曾在低年龄级别比赛中展现过成为职业中场球员天赋的豪尔赫，在拉米罗·马丁的书《梅西：足球天才》（*Messi: Un genio en la escuala del futbol*）中透露：有一天，梅西震惊了所有人。

"那时候我和孩子们一起在街上玩抢圈游戏……当时罗德里戈拿球，而梅西在圈中间抢球。电光火石之间，他把自己甩到他哥哥脚边，夺走了足球。我们看着彼此，全都惊呆了。没人告诉过他怎么完成这个动作，完全是自然反应。"

从那一刻起，大家都开始关注这个男孩和他身上的天赋。他开始收获人们的掌声，他为给别人带来的喜悦而感到高兴，也为自己高兴。就像所有孩子一样，他想要更多：更多地拿球，这意味着他能得到更多的注意，享受更多的快乐。豪尔赫在《体育画报》中回忆说："在他4岁的时候，我们开始意识到他与众不同。没经过几次练习，他就能让球乖乖地躺在他的球鞋上。简直难以置信。再大一点的时候，他开始和两个哥哥对抗，一个大他7岁，一个大他5岁，但是梅西总能在他们面前'跳舞'。这绝对是天赋，与生俱来的。"

这个矮小又安静的小家伙要么待在家里，要么在马塞拉阿姨家，他的朋友对他就一个印象："这家伙眼里只有足球。"而不久之后，梅西的邻居钦蒂亚·阿雷拉诺引起了他的注意。钦蒂亚——她比梅西大一个半月——位于拉巴哈达的家就在梅西家旁边。他们入学的第一年就是同学，而且还是同桌，考试的时候梅西也会坐在钦蒂亚后面。和钦蒂亚在一起的时候，"小不点"（el Piqui）更愿意说话。"大家都这么叫梅西。有一天，一个男孩喊道'过来，小不点'，之后这个外号就传开了。"梅西最好的朋友回忆说，现在他是一位优秀的心理学家以及学习障碍儿童的老师。钦蒂亚是会到梅西家劝他去上学的人。她也会向其他人解释梅西在试图说什么。在考试时，她会在尺子、橡皮上给梅西传一些提示，或者写几张小纸片给他。她还会给梅西带午后点心。她告诉梅西"如果你现在不好好学习，以后会遗憾的"，而梅西的回复则是："你说得对，我以后会后悔，可我就是学不进去。"梅西偶尔逃课的时候，钦蒂亚还会帮他打圆场，她会撒谎说自己是梅西的表姐。

她也是少数知道梅西在注射生长激素（或者说承受生长激素分泌不足的痛苦，同一个意思，不同的感觉）的人之一，因为在学期末的一次旅游前，梅西的妈妈拜托带孩子们出行的钦蒂亚的妈妈，让她确保梅西在每晚睡觉之前都完成注射。

"莱昂内尔那时候年龄还小，但却常常光着脚跑过来，掺合到球局里。"梅西的另一个邻居鲁文·马尼卡贝尔说，"很多次我们被他弄烦了，就把他抓起来，然后甩一边去，但他依然会爬起来继续踢球。"

住在街对面的是基罗加一家，其中一个成员回忆说："孩子们不会整天踢球，但他会这样。其他人都走了之后，他还一个人在门口继续踢。我妈妈说了他好几次，因为实在是太晚了，可他完全不听，依然继续踢球。"

"踢球的时候，他偶尔会被撞翻在地，并且哭起来，但很快他就会停止哭泣，继续疯跑。你可以看到他确实与众不同：他的技术、他的速度……"钦蒂亚回忆说。

据说罗德里戈是第一个叫梅西"小跳蚤"的人。而事实上，这个名字并非来自梅西的身边人。梅西一家相信是多年以后一个墨西哥足球解说给他起了这个昵称。他们所说的人是恩里克·贝穆德斯，他被认为是西班牙语界最受尊敬的声音之一。他是能给人带来纯粹娱乐的王者，也是豪尔赫·巴尔达诺①口中"最不重要的角色中最不可或缺"的解说员。"大狗"贝穆德斯——这是他为世人所熟知的名号——在成为解说员和成百上千个昵称（阿道弗·莱昂斯在他口中变成了"天堂射手"，拉斐尔·马克斯则成了"萨莫拉之皇"，而因为穿着阿迪达斯的蓝色球鞋，他把大卫·贝克汉姆称为"蓝鞋"）的创造者之前，他是一个摇滚歌手、一个嬉皮士、一个临时演员。他对于佩普·瓜迪奥拉打造的巴塞罗那球风的描述非常古怪："球在你那儿，球又到了我这儿，持球，传球，抚摸球，亲吻球，然后再把球给我。"但是贝穆德斯从未声称自己是"小跳蚤"这个昵称的创造者，谁给梅西起了这个名字依然是个谜。

种种迹象表明梅西有一些特殊的天分。"他就是上帝发出的一束光。

————————

① 豪尔赫·巴尔达诺是前阿根廷足球运动员，曾担任西甲球队皇家马德里的体育总监。球员时代的他更是1986年世界杯的冠军队成员。

总是有人说：'他会成为职业球员的，不是吗？'他就是天生的足球运动员。"钦蒂亚的妈妈克劳迪娅说，她在梅西小的时候偶尔会给他当保姆。

"他刚开始踢五号球的时候，由于球太大了，我们本以为他会把球踢得到处跑，可他却完美地掌控了它。"他的哥哥马蒂亚斯回忆说，"那场景简直是美呆了，你一定要看一看，每个第一次看到的人都会想看第二次。"

五号球的直径足以够到当时梅西的膝盖了，但那球就像粘在他的左脚上了一样，从来不会滚远。细微的触球让他能完成很好的控制，他用球鞋的一侧轻轻踢球，一直把球保持在地面上，以免球反弹超过他的膝盖或者小腿导致球远离他，这样大孩子们就没有机会把球拿回去了。

他拥有极强的身体协调性，这一特质帮助他将控球和加速进行了完美的结合。他常常和比他大的男孩们对抗，而且总是表现亮眼。这是神赐之礼或是天生的才华吗？之后我们再来讨论这个问题。

更可怕的是（他的脸总是比番茄还红），他还是个非常积极的竞争者。或者这么说吧，他非常争强好胜。再换个更好的描述：他十分勇敢而且不喜欢失败。虽然总以沉默示人，但骨子里他还是有着小男孩的脾性。他会带着一满盒在街上赢回来的弹珠回家，他会反复数它们，如果少了一个，他就会发狂。

塞莉亚，梅西的母亲：他小的时候，在家里可淘气了。我们玩牌的时候，都不愿意和他玩，因为我们知道他迟早会作弊。

豪尔赫·梅西：在任何方面，他都不想输。

塞莉亚：如果他没赢，他就会气急败坏地把所有牌甩得到处都是。他不想上学的时候，他就会直接说他不想去。

梅西（对《体育画报》说）：有一次我在家里和表兄打起来了，当时外祖母也在场。最后家里人都不站在我这边，他们把我赶出去了，不让我进门。于是我就开始朝大门丢石头或者踢石头。

塞莉亚：当时我把他丢到门外，他就开始朝我扔石头，说他再也不会回来了。他就要把房子外扔得满是石头了，于是我走过去跟他说："我要把这事告诉你爸爸！"他倒是满不在乎。他真是被宠坏了……梅西有着很强的个性，我猜这一点来自于我们夫妻俩，但更多的是像我。他是那种想什么说什么的人，不论好坏，不顾后果，他不会试图掩藏自己的喜怒哀乐。而从他爸爸那里，他获得了责任感，同时，他这个人也很公正。

这也就是梅西的父母想要在西班牙Canal+上的《罗宾逊报告》（由前利物浦球员迈克尔·罗宾逊主持）中表达的：你不能掩盖你凶恶的一面；如果你有这样的情绪，那就要接受，梅西也只是偶尔露出自己的獠牙而已。

格兰多利俱乐部的小球场被苏联风格的混凝土楼房所围绕，那是城市边缘一块不大的居民区。有人说，在这里生活是艰难且危险的。如果你仔细观察，你会在楼房间的河流中看到前往罗萨里奥港口的船只。球场四周的土地是光秃秃的，刚好形成对比，可以充当边线。周围高高的建筑对于这些小球员来说仿佛巨人一般，他们确实太小了：这里大都是5~7岁的孩子，有些大一点的也不过12岁。入口旁边，是一扇长满绿藓和铁锈的大门，场地四周也竖起了围墙，以免球被踢出去。大门上面写着一个标语："请在此处清洁球鞋。"看台只有三层，第二层往往是孩子们的父母坐的地方，梅西的外祖母也出现在了那里。她牵着小梅西来看外孙马蒂亚斯踢球。同样穿过格兰多利红白球衣的罗德里戈，此时已经在为纽维尔斯的青少年队效力了。

观看比赛的时候，梅西会时不时地对着墙踢球。

这里的队伍是由萨尔瓦多·里卡多·阿帕里西奥负责的，一个很瘦很冷静的男人，他在基层足球奉献了40多年。那一天，有一个球员没来，所以1986一代就不能进行日常的7对7比赛了。有时的确会遇到这种情况。萨尔瓦多只好等待，看看会不会再来一个人。

"让他上，让他上。"外祖母指着那个5岁的小孩说，当时他还不是

"小跳蚤"。

"他太小了，女士。他可能会受伤的。"阿帕里西奥回答说。

"就让他上吧。"外祖母坚持说。

"好吧好吧，我会的。但是如果你看见他哭了或者吓着了，请把他带走。打开大门带他走。"

于是，这位教练让梅西上场了，虽然他比其他人都小一岁，而且在这个年龄，一两岁的差别显得非常明显。

小家伙就这样登场了。球第一次滚到他脚下时，看起来比他还大。

接下来发生的事早就注定了，一切和往常一样。

当球来到梅西右脚边的时候，他就呆呆地看着，任由球滚走。这孩子根本就没动。

阿帕里西奥挑了挑眉毛，这就是他想象中的场景。

接下来梅西又接到一次传球。这次，球来到他的左脚：其实，当时球是打到他腿上的。但他调整了两步，适应了皮球，就开始牢牢控制它。靠着轻轻的触球，他沿斜线带球跑动，开始了"障碍训练"。他带球过掉了所有挡在他前面的人。

"踢它，踢它！"阿帕里西奥喊道，"传球，传球，梅西！"

外祖母在一旁微笑着。

梅西没有传球。

他确实很矮小，但是打那天起，教练完全没有理由不让他上场。"和其他13个孩子比起来，他踢球的时候感觉就像他已经踢了一辈子一样。"很多年之后萨尔瓦多回忆说。那一年，他参加了格兰多利1986级队伍的所有剩余比赛，并且帮助球队获得了冠军。

但梅西完全不记得那一天了，他的外祖母告诉他，那场比赛他打进了两球。

梅西最想要的当然是和罗德里戈、马蒂亚斯还有表兄们一起踢球，不论是在广场，还是在街道，或者是在家里。但是和其他孩子一样，他也想要足球装备，一件俱乐部队服，他想为哥哥们曾经效力过的球队踢球。所以，在他5岁那一年，在微笑的外祖母的注视下给了所有人惊喜之后，他开始每周为格兰多利俱乐部在儿童联赛（5~12岁孩子参加的七人制足球比赛）中踢球。那家俱乐部就在拉费雷尔大街的4700号，1980年2月，当地一群想培养孩子竞争心的父亲们成立了这个机构。

看看这段视频吧（http://youtube.com/watch?v=9GFeiJEGjUo），当时的梅西还只有5岁。

在盘带和改变节奏方面，那个时候的他就展现出了与现在相同的得心应手，同时还有相同的欢快庆祝与比他人小几号的身材。

"小不点"拿到球以后，先会找寻突破口，然后带球冲过去。防守他的人只能在身后跟着他，他的队友也是一样。如果从一侧他突不过去，他就会停下来控制住球，然后观察其他线路，而队友和对手都围在他的身边。你要知道，在阿根廷，射门得分往往被认为是比较平庸的事——人们更喜欢创造机会、助攻队友、串联全队，并且把对手吸引到自己所在的区域里。在这样的大背景下，很多人却不认为这个特殊的小球员需要做什么改变。"传球，梅西"之类的喊话在后来就很少听到了。不管什么时候，梅西总能找到突破线路，他会把门将甩得远远的，在球门附近射门。球进了！

总会有人挑衅说，你需要看看梅西能否在寒冷入骨的周三夜晚也拿出给力的表现，比如说在被雨水浸透的斯托克。这些人真应该去看看梅西所在的第一家俱乐部（格兰多利）的球场，崎岖不平的表面上满是石头和小玻璃片。这块场地是由当地机构提供的，俱乐部只能在晚上使用，因为白天学校要占用它。而这里的照明设备简直是糟透了。

从两岁开始，梅西就常常和外祖母一起前往离家15个街区的格兰多利俱乐部。梅西总是一只手抓着外祖母的胳膊，因为他很难跟上，而另一条胳膊则夹着作为礼物得到的足球。最初他们是去看罗德里戈和马蒂亚斯踢球的，过了一两年，就只有马蒂亚斯在那儿了。而最后，梅西自己加入了年龄级别比他大一岁的球队，每周一三五沿着同样的路线前去训练。比赛往往会在周六进行。

"她实在是太好了。她的生活就是照看我们这帮孩子。她会容忍我们所有奇怪的想法，表兄弟之间常常会为了争夺在她家过夜的机会而打架。我不知道我的外祖母懂不懂足球，但正是她带我们去踢球的。她是我在训练、比赛中的第一个球迷。她声嘶力竭的加油声总是萦绕在我耳边。"梅西罕见地在《世界体育报》（*El Mundo Deportivo*）的采访中陷入了自我沉醉。

其实，梅西的外祖母从不会在电视上看球，也不会出现在纽维尔斯的看台之上。对她来说，足球就是她的孙子和外孙们一起玩耍的东西。对孩子们来说，生活是围着外祖母转的。从这个意大利女人身上我们也可以看到，相互尊重和支持是这一家人生活的基础。如果你让梅西说几个一生之中最高兴的时刻，他的答案肯定会有"我外甥或者侄子出生的时候"。提醒一下，这是他自己的儿子出生前的答案。

原来的时候，梅西会和外祖母从家里走到格兰多利，然后又走回家。他上学了以后，外祖母每天下午5点都会去接他和马蒂亚斯，他们会一起喝一杯提神的饮料，然后去训练。"事实上，那是我们生命中非常美妙的一段时光，我们很享受看梅西踢球，因为在还是孩子的时候，他就展现出了自己的天赋。外祖母没过几年就离开了人世，但是没有她一切就不会开始。"马蒂亚斯说。

"把球传给莱昂内尔，把球传给那个小男孩。他能得分。"外祖母总会这样喊。她确实是个懂球的人。

由于她身上的拉丁血统远比其他血统要浓，所以她不太能控制自己的情绪，总是手舞足蹈的。和每一家俱乐部一样，格兰多利也有自己的死敌，那种从建队开始就较劲的对手；有时从比赛场面来看，这种敌对关系仿佛更是来源已久。这些比赛他们就是不能输掉。而艾丽斯竞技队就是死敌之一。强硬的球风和身体对抗有时候会因为爸爸们的口角甚至打斗而结束。在一场失去控制的比赛中，外祖母用一个瓶子打了艾丽斯队某位支持者的脑袋。"别再胡闹了！" 她尖叫道。当然，她也没真给对方带来什么伤害。那一天，不用说了，最终格兰多利取得了胜利。

不久之后，梅西的外祖母被查出患有阿兹海默症①。记者托尼·弗里尔罗斯在梅西早年的传记《梅西：巴塞罗那的财富》（*Messi: El Tesoro del Barça*）中披露了这件事："梅西的外祖母开始逐渐失去记忆，并且出现语言障碍，那时的她总让人感到困惑。在她生命的最后几个月里，全家人只能无助地看着她，看着她被这不断恶化、无法医治的病症一点点吞噬掉生命。而对于梅西来说，那感觉就像自己身体的一部分在消逝。"

那时候全家就像是看着一个活死人。梅西的外祖母在1998年5月4日过世，那天距离梅西的11岁生日没多远了。

外祖母从没有看到过梅西在顶级联赛或者巴塞罗那踢球。

"对于所有人来说，这都是巨大的损失。我们都没想到会如此痛彻心扉。现在想起梅西当时爬上棺材止不住大哭的场景，我依然会有些情绪波动。"马塞拉阿姨回忆说。

"那绝对是场可怕的打击。"现在的梅西说。

从那以后，梅西每次庆祝进球的时候，都会仰望天空，手指指向天堂。"我很想念她，我要把我的进球献给她。我希望她能来这儿看我踢球，但是在我还没能取得成功之前，她就已经离去了。这是让我最恼怒的地方。"梅西2009年时对《世界体育报》说。

---

① 老年痴呆症。

"可怜的女人，虽然她永远无法看到梅西功成名就，但是她催化剂的作用不可忽视。"钦蒂亚的父亲、梅西一家的邻居阿尔弗托·阿雷拉诺说。

"梅西为了职业生涯而奋斗的那几年，他常常对我说，他在晚上会和外祖母交谈并请求她的帮助。"梅西的妈妈回忆说，"很遗憾现在她不能看着梅西踢球。不过不管她在哪儿，我相信她能看到梅西变成了什么样的人，也会为她深爱的外孙感到高兴。"

梅西是信上帝的，尽管和家中的其他人不同，他不是常常去做礼拜的基督徒。他始终觉得自己亏欠陪伴他走过关键成长时期的外祖母太多感激，当然，他也一向认为，外祖母一直在他身边。他只有一次在进球之后没有向外祖母致敬，那是在他的儿子蒂亚戈出生之后，他当时用吮吸拇指的方式庆祝了进球。那次以后，梅西又开始一如既往地向外祖母致谢了。梅西第一次离开自己居住的城市是在11岁，那是春天的一个星期六。当时梅西和好友迭戈·巴列霍斯（碰巧他还在后来成为了马蒂亚斯的大舅哥）坐了一个半小时的公交到达了罗萨里奥南方的格雷戈雷斯省长镇，去外祖母的墓地拜祭。

梅西从5岁开始为格兰多利踢球，一直踢到快7岁。在1986级的队伍中，他身穿10号球衣，而他的表兄埃马努埃尔则担任守门员。这段时光里，有两件事情在反复发生：他们几乎赢了所有比赛，球总是在梅西脚下。

每次训练、每次比赛的重要性都是无与伦比的。在训练或比赛之前，梅西都会进行细致入微的准备，而且不需要任何人的帮助。首先是球鞋，用水清洗之后，他会用布擦拭或者用刷子刷。然后是用绷带绑脚踝。他就像个职业球员一样，虽然还是个小家伙，但是他极度地严肃认真。

萨尔瓦多·阿帕里西奥是梅西的第一个教练，每堂训练课，他都会让孩子们先慢跑，进行一些简单的拉伸，之后就开始有球练习。那时候，训练就是纯粹的踢球、踢球、再踢球。

"don Apa"①萨尔瓦多有个美妙的故事——他不是发掘梅西的人，他只是引导了一股无法阻挡的天赋。原先是铁路工人的他于2009年死于脑部裂伤（根据某些人的说法，当时你甚至能听到空气中流出他脑袋的声音），享年79岁。他从来没有过多地吹嘘自己："并不是我发现的梅西，但我确实是第一个把他派上球场的人。为此我感到非常骄傲。"

和无数默默无闻的教练和技术指导一样，"唐·阿帕"得到了附近4~12岁孩子们的信任，他把他们从街道上的玩耍中带走一会儿，来到格兰多利体味纪律和快乐。他手上有很多梅西小时候踢球的视频：一个穿着红白球衣的小不点带着球全速前进，过掉所有的防守队员，他从己方禁区拿球一路杀到对方禁区，射门得分，然后从球网里拿出球跑到中圈，一切又如出一辙。

在很多采访里，"唐·阿帕"都是这样回忆梅西的："他每场比赛会进六七个球。他把自己置于球场中央，等待守门员开球。守门员会把球踢给他的一个队友，然后梅西从那个队友那里接球，开始盘带。之后便会上演神奇的表演。当我们到达球场的时候，会看到一大堆人跑来看梅西。他一旦拿球，就会把它据为己有。难以置信，没有人能拦得住他。在对阵黎明队的比赛中，他打入了一个你常常会在广告中看到的进球。那个球我记得很清楚：他过掉了所有人，包括门将。他踢球的风格呢？和现在完全一样，但是更加自由。他是个严肃的男孩，常常躲在外祖母的身旁，非常安静。他从来不唧唧歪歪，如果有人重重地把他撞倒，他会哭一小会儿，然后站起来继续奔跑。

"每次我看到他踢球，我都会眼圈泛红。当我看到他打进马拉多纳式进球的时候，就是他对阵赫塔费的那粒进球，我想起了他很小很小的

---

① 唐·阿帕，西班牙语中don置于名字之前是对男性的尊称，这里是表示阿帕里西奥先生。

时候……"

　　"唐·阿帕"的继任者大卫·特雷韦斯现在是格兰多利的主席。他骄傲地展示了俱乐部当年赢下的奖杯和球队合照。照片上梅西穿着一件对他来说特别大的球衣。"对于这个年龄的男孩来说，能做到这一切是非常罕见的。"特雷韦斯坚定地说，"当时大家都说我们拥有下一个马拉多纳。这里是世界上最好的球员的起点，他的第一件球衣属于我们。"

　　"他会拿到球，一连串的动作会以进球结束。哪怕对手开始恶意侵犯他，他依然能改变比赛。当时就是这样：如果你很矮小但是踢得特别好，他们就会把你撞散架。"冈萨洛·迪亚斯回忆说。他是梅西在格兰多利时期的队友，自然而然也赢得过一切荣誉。

　　当马蒂亚斯·梅西确立了成为足球运动员的梦想之后，他发现表达自己变得更容易了。而且他和所有梅西家的人以及其他旁观者一样，都相信自己正在见证一些非比寻常的事。他回忆道："因为梅西踢得太好了，所以常常会碰上这样的问题。说实在话，真是好到不行，以至于有些教练把孩子们派上场就是为了把梅西弄下去——如果他们不能通过正当的手段把球从他脚下夺走，他们就会采取其他方法。那些动作你得亲眼看过才会相信。甚至会有对方球员为梅西的一些精彩表现而鼓掌。'你在干吗呢？'对手的球迷会愤怒地问。"

　　有时候，这些回忆折射出来的似乎更像现在的莱昂内尔·梅西，而不仅仅是一个踢球踢得很好的小男孩；当然在那个时候，梅西就已经是个进球不止的得分手了，但个人才华横溢并不代表适合团队作战，两者差别巨大。他们谈论的，并非一个孩子，而是一个已经成为伟大球员的孩子，这是完全不同的。后知后觉地崇拜那些取得成功的人，这是人们的通病。也正是出于这个原因，现在很难找到敢于实实在在地加一句"但是"的人了。

　　不管怎样，当时在格兰多利俱乐部确实还有其他展现出天赋的孩子。"我见过好几个类似于梅西的球员，但是他们在训练上没有拿出坚持不懈的精神。"冈萨洛·迪亚斯说。

呃，坚持不懈。没有它，你就成不了职业球员。

豪尔赫·梅西也曾有一个足球梦，但是在纽维尔斯老男孩青训营待了4年之后，正在一队征召他，他有机会大放异彩的时候，他离开了俱乐部，前去服兵役，而他回来以后，他就结婚了。当豪尔赫29岁的时候，也就是大多数足球运动员的巅峰期，梅西出生了。

豪尔赫有着贯彻始终的理念，但是他从来不是言传，而是身教。他的人生哲学非常简单：努力工作，坚持到底，保持谦逊，然后你就能达成目标。也许这就是为什么梅西没有沉溺于名人文化，也没有被霓虹灯下那一串伟大的名字弄得头晕目眩。

和同年代的绝大多数阿根廷人一样，对于豪尔赫来说，任何情况下，足球都意味着令人无法抗拒的马拉多纳。他珍藏了很多马拉多纳的视频，并且常常放给他的儿子们看。一人扛起球队的领袖气质，寻找机会时对球的"爱抚"，能够给出"答案"的有力双脚，豪尔赫把对这些东西的崇拜和欣赏传递给了下一代。 对于和梅西同时代的大多数人来说，在前河床球员巴勃罗·艾马尔身上能看到那样的影子。梅西不只一次地说过，孩提时期他并没有崇拜的足球偶像，但是他很喜欢看艾马尔踢球。小时候他真的没有偶像吗？我们能找到相关线索吗？梅西12岁的时候曾被问及谁是偶像这件事，他给出了两个名字："我的父亲和我的教父，克劳迪奥。"在同一个采访中，他还承认，他认为谦逊是最伟大的美德。他父亲一定会赞成这一点。

和哥哥们一样，梅西遗传了他爸爸对于足球的热情。豪尔赫是一个矜持的人，有时甚至会给人距离感，但他同时也是一位不错的中场球员，小梅西常常会去看他爸爸和阿辛达工厂的同事们一起踢球。豪尔赫很懂足球，很懂这项他深爱的运动。梅西一家每周末都会到格兰多利观看马蒂亚斯和莱昂内尔的比赛，而有一天，俱乐部的负责人跑来问豪尔赫愿不愿意担任1987级队伍的教练。因此，他成为了梅西的第二个教练。"我们隶属于Alfi联赛，罗萨里奥及周边自治区中众多的独立联赛之一。联赛分多个组别，一直到12岁，孩子们往往都是踢七人制球场。"豪尔赫对托尼·弗里尔罗斯说。

他每周训练孩子们3次，一般都是简单的个人练习，比如说提高技术的持球练习。偶尔他也会安排战术训练，孩子们都学得很快，他们像海绵一般，很愿意也很高兴去吸收豪尔赫的指导。梅西从来不会进行针对性的训练，他不会花一下午去练习右脚传球，也不会使用逆足进行绕石盘带。他的父亲从不要求他这么做。梅西只是简单地按自己舒服的方式踢球，在每周的训练课上，豪尔赫都会尽可能地尊重自由精神。

这是在1994年，梅西6岁的时候。

豪尔赫·梅西在自己仅有的一年教练生涯中一场球都没有输过。"我们赢下了联赛和锦标赛中的所有比赛，甚至连一场友谊赛都没输。也许这么说有点过，但当时那支球队确实引起了轰动，因为他们达到了一个很高的标准。而在队伍中，梅西有如灯塔一般闪耀。"他曾对阿根廷媒体说。"在这支球队中——我不想夸大这件事——他做的几乎所有事都起到了正面的效果。进球的是他，危急时刻挺身而出的也是他，改变比赛的还是他，他就是如此出类拔萃。好吧，我是他爸爸，他是我儿子，但我说上面那段话并不是出于这个原因，我只是在陈述事实。"他对《踢球者》杂志说。

采访他的记者接下来问了一连串听起来很平常的问题，但是对话依然很有意思："对于球员梅西来说，他会怎样看待你，是豪尔赫·梅西教练更多，还是父亲更多？"豪尔赫回答："在踢球的时候，他总是很自律，他会听从安排，完成一切指示。他会听进去我作为教练对他说的每一句话。哪怕是现在，他依然保持这个习惯。弗兰克·里杰卡尔德在巴塞罗那的时候让梅西打右路。他总是会按照教练的安排执行，不管是叫他打什么位置，也不管教练是谁。而且他从不抱怨。这些都是一如既往的。"

　　"人的一生中有三个要素：使命、眼光和价值观。"德高望重的阿根廷体育心理学家利利亚娜·格拉宾补充说，"他从父亲那里继承过来的财富是他为人处事的方法，也就是他所传递的价值观。梅西从母亲那里获得了很强的个性，而从他父亲那里得到了冷静、容忍和克制：这是一种奇妙的组合。我想可能这就叫作阴阳平衡吧。此外，他还继承了豪尔赫的谦恭、自我牺牲精神以及坚忍不拔。"

　　这个孩子能取得成功，也源于他父亲毒辣的眼光。豪尔赫有一次说："对于人类来说，听到自己的名字被众人呼喊是世界上最美妙的事。如果你有梦想，那你就要坚持。"豪尔赫很有眼光。当他看到梅西踢球并意识到梅西有天赋的时候，他的态度就是希望自己的儿子能从同龄人中脱颖而出。做儿子的总会想要让自己的父亲高兴，也会努力让他一直高兴下去。这种眼光，这种态度，成就了那次巴塞罗那之旅。豪尔赫为梅西指明了道路：你能成为职业足球运动员。

　　"家庭赋予了梅西积极的价值观，眼光提供了光明的未来，而使命就是踢足球。豪尔赫有眼光，这个家庭也有眼光。很明显，他们拥有一位天才，这对父母有让他们的孩子在这条路上继续走下去的眼光，这让梅西的天赋得以发掘和培养。"利利亚娜·格拉宾解释说。

　　之后，豪尔赫作为教练、顾问甚至经纪人帮助梅西规划了他的职业道路。父亲兼经纪人，这就是豪尔赫的最终角色。相较于来自全球的颂扬，梅西从父亲那里得到的称赞少之又少；豪尔赫更多地是给梅西讲述他的观点和建议。而且，在必要的时候，他还会提醒梅西那些价值观。他让他的儿子每时每刻都保持脚踏实地，特别是当过多的成就分散梅西的注意力，让梅西可能无法看到更美好风景的时候。正如我们即将看到的，这一切都有可能发生。

　　因此，豪尔赫从一位父亲开始，逐渐变成了引路人、镜子、导师和平衡者，他是梅西的英雄。这个男人是梅西一定会顺从的，他很少逆着父亲的意思做事，而他的父亲也陪伴他走过了这一路。对于他的父亲，梅西有着绝对的信任和不可动摇的信念。

正是豪尔赫决定他们在格兰多利的日子到头了。每周末，一家人都会去看马蒂亚斯和梅西的比赛，但有一次，豪尔赫发现身上的钱不够支付两比索的入场费。于是他就问工作人员这次能否把入场费给免了。结果对方给出了否定的答案。那天下午，梅西还是照常参加了比赛，但这也是他最后一次身穿格兰多利的球衣。

莫妮卡·多米纳老师也有她关于梅西的回忆。梅西6~8岁在拉斯埃拉斯的学校读书时，就在莫妮卡的班上，她教了他小学的前3年。

"他是一个非常安静的男孩。不幸的是，你总是会对那些调皮捣蛋、问题重重的孩子记忆深刻。他安静，礼貌，不想表达情感的时候会把自己藏得严严实实。他是个受保护的孩子，因为他有钦蒂亚这样的同学，他们形影不离，一同升年级。钦蒂亚就像是梅西的妈妈，她身高接近他的两倍，因为梅西实在是太矮小了，看起来就像一个还在上幼儿园的孩子。而且他还有一张如此讨人喜欢的脸……他小时候和现在一模一样。看到他你就会想要上去抱他！那个时候，还不只这些。那个年代的老师都像是第二母亲，与现在的教师给人的感觉大不相同……现在教书的年轻小姑娘身上根本看不到什么母性本能，而在我们那时候则是完全不同的。我会让孩子们坐在我的腿上，照顾他们，这样的事情现在不会发生了。而梅西就是众多'婴儿'中的一个，还是个特别小的'婴儿'，和他坐着一起聊天让人很开心。

"他很随和，但是几乎不说话。有一件事我记忆犹新：我试图让他说话。我会在闲暇时间给他开特殊课程，和他一起画画什么的。那个时候我们俩很亲近，但他就是什么都不说。他只会说'是，不是'，然后就没有其他的了。不过当我问他有关我所教课程的问题时，比如说数学或者阅读理解，他就会回答，这让我宽心了些。

　　"一般来说，梅西都会坐在教室的第一排，但他很害羞，这让他难以融入到班集体中。他做好了自己的事，但没能在班里出类拔萃。他做得真的不错，总是能通过考试，作业也按时上交。

　　"我们作为老师，一直在试图帮助他，他也做了自己能做到的事；这并不意味着他能力不行。完全不是这样的。问题只是他没有在学习上更进一步的意愿，他有其他的兴趣，他想要的只有足球。

　　"学习方面，他是个平常的男孩，并不是非常出色。他很有责任感，会把作业尽可能做好。但是，他并没有在学习上花太多时间。七年级的时候，有个关于梅西的报道，当时的校长允许报社拍下了成绩簿的照片，从那上面你可以看到他所有的分数。梅西是体育成绩最好的一个，手工和音乐分数也不错。但在阅读理解和数学上面，只能说他做得刚刚好，7分，刚及格的分数。所以说，他学习平平。

　　"一想到梅西，我脑海中浮现的第一个画面就是他在学校操场踢球的样子，从后场拿球，一路盘带。尽管他们手上不是时时都有足球，但他们会用袜子或者塑料袋甚至橡皮泥捏一个球出来。他们会想尽办法踢球，不管能找到什么样的材料。

　　"但一般来说他们是有个球的。他们会去体育老师的储物柜拿足球，有时则是自己从家里带来一个。他们对于体育老师在不在了如指掌，如果他不在，那课间的时候，球一定在其他老师手里。

　　"那个时候，你是会借给孩子们足球的。但现在，你不会这样做。现在的孩子们会用球砸同学的头。那时候学生的数量差别不大，总是100个左右，我们能管得过来。他们也会互相照看。因此，那时的男孩们是允许踢球的。

　　"梅西的所有朋友都把他当作某种领袖，班级合照的时候，他们让他站在中间，他们都爱他，非常爱。他们会等着他：'我们去踢球吧！'他们都尊敬他，因为他在球场上光芒四射。他会从场地的一端跑到另一端，没有人能跟得上他；他是个跳蚤，也像个玩具娃娃；他享受自我，同时给他人带来欢乐。

"他从来不会太过张扬，但是从他的眼中，你能看到他为自己做到的一切感到高兴。我觉得他们家……我常常想问他妈妈，他在家里是不是也这么乖，因为在学校表现好可能是为了不失去踢球的机会。也因为在教室里，他总是非常安静，但铃声一响，他就会跑到外面去，所有人都会跟在他后面。

"你可以看到孩子们都聚集在那间大多功能厅附近，他们摆了两个球门，所有的孩子都极度渴望上去玩耍，而玩耍的内容就是足球赛。

"以前，安排是这样的：40分钟的课程，15分钟课间。每40分钟，就是一次玩耍时间。而现在的课程都是持续1小时的，然后是15分钟休息。不管过去还是现在，孩子们都会利用这15分钟踢球。他们会踢迷你比赛，也许在第一次课间时踢上半场，而在第二次课间踢下半场。

"在这15分钟里，梅西会和其他男孩一起踢球。不管是7对7比赛还是全部孩子分两拨对抗，梅西都会像变了个人一样，他会拿到球，然后把小伙伴们耍得团团转。那根本不是足球，完全就是盘带……他已经在一个小足球学校练习过这项技术了……你们管那所学校叫什么来着？和他一起踢球的孩子大多也在那家足球学校里。

"我常常会说这个故事：当他妈妈拿着他的一大堆奖杯来到教室门前的时候，带着任何母亲都会有的骄傲之情，可是他却不想让他妈妈进来，他不想谈论自己的成就。或者说，从小时候起，他就不愿意炫耀自己的荣誉，他踢球就纯粹是为了踢球，他拥有对足球的热情，就和现在一样……他不想把'我是最出色的'这事到处展示，因为这是深埋在他内心的东西。他想要像其他男孩一样被正常对待，他不想让自己显得突出。现在的他，依然如此。

"她是一个天使，人类中的天使。我现在还会常常在附近的超市看到梅西的母亲。她不会满城去说'我是梅西的妈妈'。她与其他的妇女一样，穿着朴素，毫不浮夸。我认识一些足球运动员的妈妈，她们满嘴都是'老娘是XXX的母亲'……而梅西的母亲则是位既不复杂又能干的女士。梅西也是一样，他没有到处跟人说'我现在是亿万富翁'……完全没有。他还是过着自己简单的生活，能多简单就多简单。因为这就是他的脾性。他不会到处去吹嘘今天是不是又进了很多球，而很多男孩都会兴冲冲地对我嚷：'老师，你看到那粒入球了吗？我进的，我进的……'但是他从来不会这样。这个家庭、这位母亲给了梅西正确的示范，这同时也是家规，这就是为什么他如此安静，如此内向。"

去拉斯埃拉斯的学校上学，小梅西并不用走太远。球不离脚地走过家门前的街道以后，他朝着一面围着军队营房的墙走去，穿过这片区域，来到布宜诺斯艾利斯大街，面前就是胡安·埃尔南德斯广场。一所小学校就在那儿，白色的墙带着绿色的装饰，而窗户是封死的。学校里的树和长着杂草的小路占据了那个破败不堪的广场的一侧。这是少有的都是好孩子的学校之一，这一点和附近的风情很像，不像其他罗萨里奥的学校，到处都是吵闹的"熊孩子"。这么说莫妮卡·多米纳可能会不同意。最有价值的东西不是这幢建筑，而是一种文化以及它散发出来的气质。当孩子们进入学校的时候，就已经知道了这里的要求有多高，也知道要在这里学习和保持怎样的价值观：对这块区域的归属感、进取心以及团结一致。真是一所好学校。教室前是个院子，拱门就是入口，而正中间是一棵树。这院子小到几乎连用来练习颠球或者只设置一个球门都不够。也因此，男孩们更倾向于使用那块现在是多功能厅的区域。

"那里有一间学校用来集会的大多功能厅，但是梅西在的时候，多功能厅还不存在：那只是一块小区域，不过对于孩子们跑来跑去踢足球来说，那足够了。"戴安娜·托雷托说。她在梅西6岁的时候教过他，当她回忆"小跳蚤"在学校里的时光的时候，她情绪激动，以至于有些结巴：

"我们会和所有孩子一起去那块小区域。有件事我记得很清楚，甚至现在想起来都让我捧腹，所有孩子都跟着球在跑，但是没人能从梅西脚下把球拿走，他们会跑过来跟我抱怨：'老师，他不传球。'"孩子们真就是抢不到梅西的球！

"他是一个很欢乐的男孩。"托雷托女士继续说，"没错，他是很内向，但是这影响不了他每天高高兴兴的。他脸上总是挂着微笑。而且他也有很多朋友。他在同龄人里非常受欢迎。他的家人总在那里等着他，总是问他在学校表现得怎么样，因为他在家里可是个淘气包，他妈妈想知道他在学校是不是也这样。"于是，我们就看到了三个小梅西：踢球的他、在家的他以及在学校的他。一个梅西静静地坐在教室里，另一个梅西在运动场上自由奔跑。和戴安娜的对话还在继续：

记者：家人、学校以及同龄人都在保护他，大家为什么这么做？

戴安娜：每个人都注意他，照顾他，这是他自己赢得的，我猜这也就是为什么他有那么多朋友。他的同学都很喜欢他。当他展现高超的足球技巧的时候，他们甚至尊敬他。他身上散发出了领袖气质，我不知道他自己是否清楚这一点，但是其他人都能从他身上看到——与他在教室里的安静完全相反。他去哪儿，他的小伙伴就跟到哪儿。他组织比赛，把他们带入足球这项他深爱的运动当中。

记者：从内向到领袖气质，这有些特别……

戴安娜：是的，他有着完全不同的两面。

记者：那么假如梅西没能成为梅西，甚至没能当上职业球员，他现在会在干什么？

戴安娜：我觉得他会和他的家人在一起。某一天，也许他会有自己的家庭，正如现在一样。我们都为他现在的家庭感到骄傲，我们希望有一天他能带他的儿子蒂亚戈来学校看看，来见见他成长的地方。这是我们所有老师的愿望。是的，我觉得没有成为职业球员的话，他会和家人在一起……不好意思，一谈起他我就有些激动。

1993年，妹妹玛丽亚·索尔出生的那一年，梅西6岁……那时候他在适应学校环境、卫生习惯、努力程度、自我表达、音乐、写作和体育方面做得都很糟。

1994年，在莫妮卡·多米纳的教导下，他依然难以适应学校环境，创意写作成绩糟糕，不够努力。

1995年，8岁……进步明显。数学、创意写作、口头表达都很出色，没有糟糕的地方。钦蒂亚对他帮助很大。"她就是梅西的影子，他们总是在一起。"多米纳说。体育10分，非常出色的成绩。

（摘自托尼·弗里尔罗斯的《梅西：巴塞罗那的财富》）

不论是大人还是小孩都保护梅西，因为他太矮小了，因为他很会踢球，因为他是好孩子，因为他是自己的儿子或朋友的儿子，因为他总带着"厚着脸皮"的微笑。也因为他很矜持；他并不害羞，但是内向，甚至有些防备心过重。没人会去惹恼他，也没人会让他感到痛苦，至少在学校是这样的，他赢得了所有人的真心。对于一个人甚至一个足球运动员，在如此备受保护的安全网中，成长会变得相对容易。

除学习之外，所有的孩子在学校还要接受其他考验。当地黑帮会欺负他们，这种事常常发生。那里的童年真的很残酷。要是他们碰巧今天选上你，你一定要确保自己能够全身而退。梅西球踢得好，这吸引人们来看他踢球，同时使得人们尊敬他，爱他，需要他，保护他。他很矮小，他自己也清楚这一点，但是无论是和他一起踢球的人，还是在旁边看他踢球的人，都会忽略这一点，因为他从不令人失望，总能让他们印象深刻。所以地痞流氓也从来不欺负他。所有人都争着和梅西一队，因为只要队里有他，就等于确保胜利了。这种小院子里的比赛，能赢就最好别输，因为被击败的一方要忍受一天的冷嘲热讽。甚至有时候，高年级的队伍缺人，他们也会邀请梅西加入，以确保取得冠军。梅西对此非常感激，他会用他的沉默和他的技术，带领球队取得胜利。就和现在一样：行胜于言。

但上学时光不能全是足球；老师们不允许孩子们的生活被对足球比赛的激情完完全全地掌控，以至于他们意识不到什么时候该停下来学习了。老师们当时对付梅西的方法就是不让他踢比赛，让他远离足球。最爱的东西可望而不可及，这样的日子总是异常难熬的。

记者：现如今，学校里的老师会不会把梅西当作例子来宣传？

拉斯埃拉斯学校的新校长克里斯蒂娜·卡斯塔内拉被问到这个问题。她并不认识梅西本人，只能从千里之外观看梅西神奇的表现，并为之震惊。

克里斯蒂娜·卡斯塔内拉：我不知道，我不知道……每个来这所学校上学的人都知道梅西，他们都知道这是他的母校。我不知道是否达到了尽人皆知的程度，但事实就摆在那儿。现在我负责这所学校，我要看看我们能否建立一个"梅西角"，用我们收集的那些剪报。现在学校里确实什么都没有。

记者：这样做对其他学生好吗——专门为他划出一块特殊的角落？

克里斯蒂娜·卡斯塔内拉：我不知道，但是很多事情确实是以梅西的名义办成的……

记者：……所以你觉得该做点什么，把他树立成榜样，激励孩子们……

克里斯蒂娜·卡斯塔内拉：据我所知……我们拥有……阿根廷的文化允许这样的情况……我们有很多……

记者：传奇，神话……

克里斯蒂娜·卡斯塔内拉：没错，没错，当然了，梅西的成功不会被拿到课堂上去大讲特讲，但是如果有外地人来，我们做好有东西向他们展示的准备，那肯定是好的。或者有一天梅西重返母校，那也能用得上。我教书教了30年，从来都是遵守学校规程的。这件事看上去像是有违规定，但不管怎样，都无所谓了。你不需要那么严苛。我不认为这事会让人们给我鼓掌，这也不是我的目的。我就是觉得学校里该有个"梅西角"，用来纪念他。

记者：梅西，作为公众人物的梅西，代表着很多值得宣扬的价值观。

克里斯蒂娜·卡斯塔内拉：的确，因为他令人骄傲。深埋在他体内的那些价值观值得我们灌输给其他孩子。

记者：我有一个阿根廷的朋友，也是一名球员，他对我说政府应该利用好梅西的形象和影响力，比如每个月让他说一回"请刷牙"，然后突然之间整个国家的人都会早晚刷牙，或者说"在学校要好好表现"，那么全国的孩子都会改变。真的能有这么好的效果吗？

克里斯蒂娜·卡斯塔内拉：是的，绝对会这样……当时梅西的外祖母会在他放学后送他去格兰多利训练，他们会穿过一片区域。那片区域在未来会变成——谁知道呢——商业公园之类的东西，或者——现在政府把那块地租给了梅西家——会被改造成球场，用来训练那些和梅西有同样梦想的小球员。

如果某一天没有训练，那梅西会和住在附近的朋友们玩耍，比如说迭戈·巴列霍斯，迭戈说："我们经常在一起，总有需要学习的新技能，总有需要尝试的东西，也总有事情要做。我们并非真的淘气，但有时候我们也确实用球破坏了花圃，也把大门当球门踢……我们甚至玩过气手枪……我们一起做了很多事。从他家出来，沿着左手边走200米，会有一片空地：这里就是阿根廷的诺坎普球场。就是在这里，梅西迈出了自己足球生涯的第一步。我们在这里闲逛，我们在这里疯跑，我们在这里躲猫猫……这里是我们的地盘。"

弗拉戈蒂是附近的一家商店，梅西经常会利用商店的铁门玩二过一配合，以防他的小伙伴们从他脚下断球。那个年代，没有明确的时间，也没有清楚的边界，除了学校和家长，孩子们很少受到其他限制。

"我们剪断了（围着那块老区域的）铁丝网，这样我们就能进去踢球了。我们无数次地被那些军人追赶，因为那块区域是禁止进入的。"另外一位邻居沃尔特·巴雷拉回忆说，"但那块区域实在是太适合我们踢球了，草皮很完美，没人在上面踩来踩去，在上面踢球的感觉特别棒。有时候他们会趁我们不注意逮住我们，然后把我们关进小牢房里。不过没什么大不了的：他们从一个门把你关进去，然后从另一个门把你放出来；不过就是为了吓吓我们，仅此而已。"

在拉斯埃拉斯度过了自己的小学生活之后，梅西在13岁的时候，开始进入乌里布鲁大道（Avenida Uriburu）的胡安·曼托瓦尼中学读书。这所学校离他家也非常近，不过他在几个月之后就离开了这所学校：他觉得，他的未来在遥远的地方，而非他熟知的这块区域。在胡安·曼托瓦尼中学，他不再有不可分割的灵魂伴侣钦蒂亚在一旁陪伴他，支持他；他身边的事都开始慢慢改变。

梅西不是那所中学的捐助者，他的资助都给了拉斯埃拉斯：过去10年中，他的捐助加起来相当于那所学校两年的开销。2005年梅西回到了母校。当年他的老师已经有个儿子了，他邀请梅西参加校庆，并且和梅西一起踢了球。学校当时正在准备一个大活动，而梅西刚好出现了。那时候他还没有现在有名，但还是受到了热情的接待。两年后的又一个下午，他再次回到这个地方，这次是为了看他的堂弟布鲁诺·比安库奇，他在这儿一直待到了晚上。这是一次惊喜之旅，他进入学校的时候低着头，非常安静地躲在他的阿姨、布鲁诺的母亲马塞拉后面。那时候他真是特别窘迫。

后来，不知怎么的，他突然之间开窍了。他开始和其他孩子交谈。他走遍了各个教室，亲吻他人，进行签名，并且允许自己被拍照。在这所除了课间休息就没什么热闹事发生的学校里，对于所有在场的孩子和家长来说，这3个小时都是值得纪念的。

当时，某个一年级看起来不超过5岁的男孩对旁边体型相同穿着同样衬衫和校服的同龄朋友说："真不敢相信，掐我一下看看。"

2 等待梅西

本剧由真实故事改编（共两幕，包括多个场景和虚构对话）。人物见附录全部人物列表。

梅西的邻居，梅西在纽维尔斯老男孩时期的队友、教练、技术指导和部分对手，还有其他出现在梅西生活中的角色，我们的素材都来自这些人口中。他们讲故事的时候满怀激情，同时也带着些许淡淡的忧伤。当一个天才深深地震撼了你的生活的时候，这是完全可能发生的。下面剧本中会出现大量的名字，而且他们之间还有很强的关联性——毕竟，这既是梅西的故事，也是他们的故事。但是，阅读剧本的时候你完全可以让自己的脑子歇一歇。你没有必要费劲巴拉地记住谁是谁，或者谁说了些什么。某种程度上来说，所有人都可以被简化为一个角色，那就是在罗萨里奥陪伴梅西成长的人。所以如果你在人名的海洋中迷失了，那就把他们理解为那个长不大的男孩的左膀右臂。

故事发生在20世纪90年代晚期的罗萨里奥，当时阿根廷正着眼于未来，处于新旧时代交替的最后几年。第一幕设置在马尔维纳斯的一家自助餐厅里，"马尔维纳斯"是纽维尔斯青少年队训练中心的名字。

第一幕

第一场

鸦雀无声，舞台被一束光照亮。

"梅西去哪儿了？"

"他们说他得了肺炎。"

"啊？"

舞台开始变暗，布置好的墙面上敲出"6年之前"的字样，随后放映下面这段视频（http://www.youtube.com/watch?v=OnkoU8_QRXU）：

视频展现了5岁的梅西拿球与控球的画面。他没有传球，而是寻找进球的线路。他从场地一端跑到另一端，过掉了所有对手，直到甩开门将，确保他能精准射门为止。最终，他得分了。他转过头，回到自己的半场，没什么表情也没什么动作，等待比赛重新开始。不久之后，他所在的队伍开球，梅西第一个触到了皮球，并且直奔进球而去，他再次过掉了所有挡在他前面的人。球对他来说很大，都快到他的膝盖了。

这是一场在马尔维纳斯举行的比赛。马尔维纳斯这个名字有着特殊的内涵，而这里也是纽维尔斯老男孩的孩子们进行七人制足球比赛的地方，这种比赛也被叫作"婴儿"足球。这个简单的体育中心被贝拉·穆希卡大道分为两个部分，其中最好的球场是一号球场——它有一个看台并且绝大多数比赛都在这里举行。视频里的比赛就是在这块场地进行的。

从梅西家走到这里不太现实，距离太远了，所以一般会有人开车接送——他的父亲、母亲或者是某位队友的父亲。梅西乘坐的车一般会是他朋友阿古斯丁的父亲的那辆白色雷诺12，先是沿着乌里布鲁大道一路行驶，直到走上奥罗尼奥路，穿过独立公园（纽维尔斯的主场就在这里）到达佩列格里尼大道。之后左转进入弗朗西亚，继续前行经过两个街区后，在塞瓦略斯大街处再次左转。训练中心的门牌号是3185，内部的一面墙壁上罗列了球队历史上所有进入过一队的球员姓名，而梅西目前还不在其中。

入口和一号场地的球门之间是两幢小建筑：一间有桌椅的小咖啡厅和球队的办公小楼。这块区域总是很热闹：爸爸们坐在这里边喝啤酒咖啡边聊球，他们的儿子们都身披纽维尔斯老男孩的球衣，来来往往的人群中，有曾效力于这家俱乐部的老人，也有路过凑热闹的球迷……

回到舞台布置，在马尔维纳斯的那家自助餐厅里，一圈好友围着桌子边喝边聊，同时还注意着旁边球场上正在踢球的孩子们。这是在下午3点左右。几年之前，有人把挂在入口的写着"马尔维纳斯"的标牌拿掉了，现在我们只能在某个角落看到这块边角已经生锈的牌子，"马尔维纳斯"这个名字被弃用了。舞台的最后面是一面画着两层小楼的墙。这幢小楼的一层有扇门，门里面是一间办公室，办公室的地面上散落着各种文件和几座奖杯，还有一些其他的东西陈列在架子上。第二层也有一扇门，但奇怪的是，里面什么都没有。没人能解释这是为什么。也许是资金被用完了，连安置一个楼梯间的钱都没有了。很少有人会上二楼，这家俱乐部的办公室就只在一层。舞台的边界，也就是演员和观众之间，摆放着一些球网。

加夫列尔·迪格罗拉莫（Gabriel Digerolamo，纽维尔斯老男孩队教练）：*他们把梅西带来见我的时候，我说："他和我们想象中的完全不一样，不是吗？"*

埃内斯托·韦基奥（Ernesto Vecchio，纽维尔斯老男孩队教练）：*他拥有特别的踢球技巧；没人教过他，与生俱来的。*

加夫列尔·迪格罗拉莫：*你永远不会想到，如此矮小的人能带来这么爆炸性的影响。他是那种想好要做什么就会做到底的人：从左路杀到右路，从右路杀到左路，或者中路长驱直入，他只有一个想法，那就是进球，这个想法深深地扎根于他的脑中。*

埃内斯托·韦基奥：*甚至在他进入纽维尔斯俱乐部之前，整个罗萨里奥就已经在谈论那个为格兰多利踢球的天才小男孩了。*

迭戈·罗维拉（Diego Rovira，纽维尔斯青少年队的9号）：*我在1998年中期来到纽维尔斯。我的第一堂训练课是在贝拉维斯特，球队一队训练*

的地方。当时我们和雷纳托·塞萨里尼队进行了一场友谊赛，最终我们大概是以7:0获胜。有3个球是由一个又小又快同时技术出众的男孩打进的。那时候我还一个人都不认识，不过他是第一个吸引我注意力的人。那个男孩就是梅西。

梅西开始在罗萨里奥家喻户晓是因为他在校际锦标赛（比如说备受欢迎的Alfi联赛）中大放异彩。在这块土地上，到处都是技术指导、球探、训练师，多年之中，他们观察过各种训练课和"婴儿"比赛，眼光异常毒辣。罗德里戈和马蒂亚斯当时已经是纽维尔斯老男孩青少年队中的成员了，在赛季开始的时候，正是罗德里戈提出：梅西已经做好为纽维尔斯俱乐部在季前赛中踢球的准备了。所以在1994年伊始，在几周之中的下午或晚上，6岁7个月大的梅西开始和纽维尔斯的青少年队一起踢球。

罗伯托·门西（Roberto Mensi，纽维尔斯老男孩队主管）：那个时候，选择一名球员，首要的是看他的技术水平，其次是身体素质，最后才是家庭环境。

基克·多明戈斯（Quique Domínguez，纽维尔斯老男孩队教练）：纽维尔斯有一条建队哲学，它是由前马德里竞技球员豪尔赫·贝尔纳多·格里法（Jorge Bernardo Griffa）驱动的：纽维尔斯要拥有最好的球员，错失天才球员是一种奢侈，我们不能允许这种事发生。所以我常常会停下车，看某位小男孩踢个5分钟，如果有吸引我眼球的东西，我会下车，走到场边问："你是那孩子的妈妈？""是的。""你的孩子签约俱乐部了吗？"如果他没有，我会继续问："他愿意为纽维尔斯效力吗？"我们总会先下手为强。同时，根据物竞天择原理，在梅西身边踢球的人一定也是这附近最出色的球员。

加夫列尔·迪格罗拉莫：马塞洛·贝尔萨的助手之一克劳迪奥·维瓦斯（Claudio Vivas）跑过来对我说："你将拥有一位不属于这个世界的球员。"之后，梅西跟随我的球队踢了三四场比赛，也在少数几个其他教练手下踢了几场，比如说沃尔特·卢赛罗。

基克·多明戈斯：比较梅西和他的对手的时候，这中间的差距是巨大的，我的意思是天壤之别。面对防守者的时候，梅西10次里有8次可以精确地达到自己想要的效果；另外两次中，一次防守者能做出正确判断并且近乎断球，另一次则是完完全全地失位。差距实在是太大了。现如今，梅西看起来依然是超出其他人一截的球员，不过这里的其他指的是来自皇家马德里、意甲、英超的球员……

加夫列尔·迪格罗拉莫：季前赛结束后，我问梅西是否愿意为我们效力。

埃内斯托·韦基奥：看过梅西踢球以后，我和他的父母进行了交谈并且达成了协议。他就此加入纽维尔斯俱乐部。所有梅西家的人都是纽维尔斯的球迷，除了马蒂亚斯。如我们所知，他支持罗萨里奥中央队。

于是，在1994年3月21日，快到梅西7岁生日的时候，他和他支持的球队签约了。当时的梅西身高1米22（刚过4英尺），他加盟纽维尔斯的3个月前，正在准备1994年世界杯的迭戈·阿曼多·马拉多纳刚为自己简短的罗萨里奥俱乐部生涯画上句号。

豪尔赫·巴尔达诺（Jorge Valdano，前纽维尔斯老男孩球员）：这座足球压倒一切的城市就是一个巨大的球场，而纽维尔斯拥有罗萨里奥最出色的足球学校。

基克·多明戈斯：我会鼓励他们发挥自己的优势，然后悄悄进行打磨，我在足球教学上的名声就是这样得来的。正如我父亲教导我和我兄弟一样，我从来不会对着他们喊叫，威胁，责骂，羞辱或者是施加压力。所以，如果你踢得一团糟，那我就希望你明白自己做了些什么，然后确保不会犯同样的错误，不是因为你被我骂怕了，而是你真的明白自己错在了什么地方。

赫拉尔多·格里希尼（Gerardo Grighini，前纽维尔斯青少年队球员）：
我们都是七八岁的孩子，在球场上踢七人制比赛，进行常规的儿童足球训练：大概就是速度训练、颠球加上技术练习。在那个时候，最重要的事情就是学习用脚踢球，让球乖乖听话。我们每周二、三、五训练，周六和周日进行比赛。

基克·多明戈斯：是的，我们会进行经典的传球和停球的训练课程。有一次，一位教练问他手下的孩子们球员有多少种触球方式。他们的答案很多：10种、15种、12种。好吧，事实上有近乎200种方式。你甚至可以用你的背部停球。所以，现在问下一个问题，有多少种传球的方式呢？你也看到了，这就是我们在足球学校试图教给孩子们的东西：如何传球、如何停球、如何思考，意识到要想进球，长传往往不是最好的选择……

赫拉尔多·格里希尼：最重要的是，我们的足球充满乐趣。我们是一圈好友，完全不会像上学或者工作那样彼此缺乏交流，非常不一样；我们是互帮互助的伙伴。事实上，我常常会等不及放学，胡乱吃点东西，然后赶紧去训练。

基克·多明戈斯：我们也会向他们展示比赛中可能出现的情况。而且有时候，我们是鼓励竞争的：我们向他们展示什么叫疯狂，也会让他们玩在巴塞罗那被称为抢圈的游戏，尽管常常会产生争执，因为没人想在中间抢球。某种程度上来说，我们也创造了一种鼓励偷奸耍滑的氛围，不得不承认，阿根廷人有时候会走得太偏，就像马拉多纳"上帝之手"所展示的一样。但是，在比赛中、在训练中，你也确实需要一些小伎俩。

在马尔维纳斯，6~12岁的孩子们被分为6个组别。现在，这个青训中心大约有300个孩子，而据说曾经甚至有过800个孩子同属纽维尔斯门下的盛况。从这里的泥土球场（现在一号场地上是有草坪的）走出了贝尔萨、圣西尼、巴尔博、巴尔达诺、巴蒂斯图塔、波切蒂诺和索拉里，而它只是阿根廷众多足球学校中的一所。有成千上万的青少年与他们签约，为自己通往职业足球的道路打下了一针强心剂。但是，一般情况下，过不了几年，其中的大部分人都会在这里终结自己的足球梦想。

豪尔赫·巴尔达诺：*我离开家，发现自己来到了一块1000平方公里的足球场上：一个巨大的平原，零星地点缀着一两头吃草的牛和偶尔出现的树，除此之外，它具备足球场的一切要素。而且，这地方土地肥沃，这一点也很重要，因为在其他贫瘠的地区，营养得不到保证往往会对出产伟大足球运动员造成负面影响。*

罗萨里奥有激情也有感伤，有希望也有沮丧。你在这里可以了解足球，但更重要的是收获朋友。在这里，你会了解社区的意义，你会为自己的生活书写下伴随一生的精彩故事。阿根廷的整个社会形象就是围绕足球创建的。他们一生都在踢球：虽然严格来讲这种夸张的说法肯定不是真的，但是阿根廷就会给你这样的感觉。这是一个渴望获胜并且可以学习如何获胜的地方，这种城市气质能够帮助孩子们取得进步。在这个年纪，踢足球的感觉往往是纯粹、老派、真实并且一去而不复返的。尽管来自市场的力量常常会对它产生威胁，但也有一些传奇级别的技术指导（比如说格里法）培养孩子，不是为了卖钱，而是为了让他们发展为更全面的个体。

基克·多明戈斯：*竞技对于孩子们同样非常重要，因为一场比赛被灌4个球可没什么意思，而打进4个球明显有趣多了。但不管怎样，友谊还是第一位的，比赛之后你们要明白这只是一场比赛而已——孩子们必须相互握手，哪怕输了个0：10，也要祝贺胜利者。而如果你们赢了，你需要激励输的那一方：如果输方没有握手的意思，那也没关系，赢方转身走人就可以了。不过，有时候我们的队伍确实不太愿意和胜方握手……*

豪尔赫·巴尔达诺：豪尔赫·格里法是帮助阿根廷足球发展的领军人物，纽维尔斯俱乐部遵循了他的工作思想，这使得他们拥有顶级水准的青训营。

基克·多明戈斯：在纽维尔斯，梅西磨练了技术，习得了技巧并且收获了取胜的态度。我经常对我的球员们说：我们一上场，就要力争1∶0，然后找寻2∶0扩大比分的机会，之后是3∶0、4∶0……直到裁判吹响比赛结束的哨音。有一两次我们以类似10∶0、15∶0的比分获胜。当然，这样的比赛往往会发展到比较尴尬的地步，也许在进第10个球之后，对面的男孩们就再也不想踢了，所以他们规定了一个6∶0的限制，比赛一旦踢到6∶0就停止。

豪尔赫·巴尔达诺：从某种程度上来说，纽维尔斯良好的氛围随着格里法的退隐江湖而终止了。比如说，巴拉斯·布拉瓦斯（激进的球迷组织）成为了青少年球员的老板。单单从这一件事你就能看到，道德沦丧的风气逐渐在俱乐部中蔓延。谢天谢地，还好后来新的管理方案止住了这个趋势。

埃内斯托·韦基奥："婴儿"足球的水准也许是有些下降了，但是这其中也有社会变迁的原因。有些男孩的父亲无法承担把孩子送来训练的费用，这就是目前的情况。而且，现在的孩子和以前也不一样了，他们更叛逆，会顶嘴，不愿意聆听。原来管理孩子们很容易，而现在着实难了很多。还有一件产生影响的事就是新建的足球场不够，我们缺乏场地。现代科技让孩子们更愿意和电脑、游戏机、互联网待在一起，他们对于体育不再那么充满兴趣。这是一种不幸。

第二场

黑暗的舞台上，正在播放一段视频。从视频里，你可以看到8岁的梅西双脚均能射门得分，他几乎从不丢球，在对方撞击他的时候会展现出色的竞技精神。被撞翻在地以后，他会先停一停，然后继续比赛。哪怕是这一个小小的细节，都能体现出他的与众不同。而之后，在15分钟之内，会上演罗萨里奥的经典一幕：刚刚取得胜利的梅西和队友们接到教练的指示，要去安慰被他们打败的对手。于是，梅西便跑向一位躺在球场上为球队失利而懊悔不已的球员。当然，他是在做教练让他做的事，但是没人规定他要跑过去，也没人要求他跪在地上，更没人命令他拥抱对手。在这个年龄，可不存在什么虚情假意做样子，梅西的行为没有一项是被迫的。很多人会说，这就叫最纯粹状态下的足球。

舞台上，所有的角色都在浏览《奥莱报》，其中一人开始高声朗读："莱昂内尔·梅西内心非常明确，他在未来不会成为一名教练。他难以想象自己在板凳席上发号施令的场景。"当这些人开始谈论足球的时候，总是会落脚到一个地方，一些主要特征会被反复强调：那是一支总是在进攻、防线压得很靠上并且通过高压逼抢迫使对方进行长传的球队。他们打入了很多球，甚至可以说是进球无数。他们说的是佩普手下的巴塞罗那？才不是呢：他们说的其实是纽维尔斯出品的"87年进球机器"（the Machine of '87）。

队里的孩子们有：莱吉萨蒙、佩切、卡萨诺瓦、斯卡利亚、冈萨雷斯、希门尼斯、鲁阿尼、马齐亚、布拉沃、米罗，等等。（Leguizamón，Pecce，Gianantonio，Casanova，Scaglia，González，Giménez，Ruani，Mazzia，Bravo，Miró）

赫拉尔多·格里希尼：*我觉得"87年进球机器"这个称号应该是很久之后才出现的，我不记得当时有人这么叫过我们。*

迭戈·罗维拉：*纽维尔斯1987级青少年队是基克的球队。基克·多明戈斯，正是效力于萨斯菲尔德的中后卫塞巴斯蒂安的父亲。球队成员如下：门将是胡安·克鲁斯·莱吉萨蒙，现在他效力于科尔多瓦中央队；卢*

卡斯·斯卡利亚身披5号球衣，他是一头怪兽，当时大家都叫他"pulpo"（大章鱼），现在他为哥伦比亚的卡尔达斯队踢球；罗索如今在布雷西亚俱乐部，而格里希尼也在意大利踢球；莱安德罗·希门尼斯之后去了河床，另一个莱安德罗，也就是贝尼特斯，同样去了河床；然后就是梅西、隆卡利亚和我。"纽维尔斯的1987级青少年队是不可战胜的。"人们总这样说。我们在1999年赢下了所有比赛，2000年也几乎做到了这一点。比赛往往会踢成8：0或7：2之类的，进球都数不清了。

赫拉尔多·格里希尼：整个罗萨里奥都在谈论这支球队，因为我们拥有梅西、胡安·克鲁斯·莱吉萨蒙、卢卡斯·斯卡利亚……他们都是非常出色的球员。我们的足球生涯开始于小球场，七人制足球。每场比赛，梅西一个人就能进三四个球。

迭戈·罗维拉：球队的锋线组合实在是太犀利了。梅西是10号。而7号是隆卡利亚，是的，我没记错，就是隆卡利亚，他速度奇快，踢出了很多高质量的传中。再加上贝尔杰西奥。多么出色的球员！多么出色的贝尔杰西奥！顶在最前面的是9号，也就是我。

还是刚才那个人（其实可以是任何人）开始大声朗诵《奥莱报》上文章的另一个段落："这支球队像蚁群一般团结协作。这也就是他们把自身天赋最大化的诀窍。而当时年仅8岁的梅西就已经显得与众不同了，他是这台完美运转的机器的驱动器。"

迭戈·罗维拉：1999年，我们参加了3个锦标赛并且全部夺冠；我甚至记得我们赢下了所有比赛，貌似是45场，平均每个锦标赛15场，实在是太疯狂了；好吧，其实是除了一场比赛以外全胜：对阵罗萨里奥中央。他们是唯一能和我们掰掰手腕的球队，并且赢过我们，但我们也用一场4：0还以颜色。那场比赛，他们甚至没能接近我们的球门，事实上，那一整年都很少有球队能接近我们的球门。

基克·多明戈斯：在阿根廷，梅西激发了拉美球员天生的技术天赋。就像内马尔、罗纳尔迪尼奥、里克尔梅等人一样，他学会了那种人球结合的方式，那种控球和引导球的感觉。而在纽维尔斯，梅西培养出了自己的取胜意志。

莱昂德罗·贝尼特斯（前纽维尔斯青少年队球员）：他总会给人带来震撼。我们到达球场以后，对手一般会说"这小子白给我都不要"之类的话。但是一旦他拿到球，他就会让他们目瞪口呆。

迭戈·罗维拉：有一次，基克的一名助教提出了个好点子，用自我比较的方式激励我们，也就是上半场的纽维尔斯队对抗下半场的纽维尔斯队。半场的时候，我们3：0领先。一切非常完美。那下半场呢？进了4个？没错，就是4个。所以下半场的纽维尔斯队以4：3赢了上半场的纽维尔斯队。这个结果非常喜人，说实话，和梅西一起踢球本身就是一件让人开心的事。

埃内斯托·韦基奥：他就是个奇迹。他非常聪明，球感非常出色，他能把球打进，他也为他的队友而踢球。有一次在马尔维纳斯的一号球场，门将把球开给他以后，他从己方球门一路杀到对方球门，打进了惊世骇俗的一球。你不需要给他演示什么。你又能给马拉多纳或者贝利演示什么呢？教练唯一需要做的事就是帮他打磨一些细节。

胡安·克鲁斯·莱吉萨蒙（前纽维尔斯青少年队球员）：在欧洲，他因为对阵赫塔费的那粒进球而声名大振，但对于我们来说，那种进球太常见了，简直就是家常便饭。

迭戈·罗维拉：梅西，每次我见到他……都会笑着回想他做到的那些疯狂的事。他就是个怪物。比如说，他在对阵勒沃库森时打进了5个球：独中五元对于绝大多数人来说想都不敢想，更别说还是在欧冠联赛了。梅西是如何做到这一点的呢？就和在纽维尔斯的时候一模一样。虽然那时候他速度还没这么快，爆发力还没这么强，但感觉就是差不多。

基克·多明戈斯：对于那个年龄的孩子来说，梅西有着超凡的协调能力。足球就仿佛是他身体的一部分一样。如果球来得很高，他必须用头控制，那他就会使用脸颊，因为他知道这是最好的缓冲方式。而其他男孩则可能用额头停球，因为他知道这是他身体最坚硬的部分，但结果往往是球被重重地顶开。为什么会这样？因为梅西与众不同。

加夫列尔·迪格罗拉莫：足球技术方面，他是我见过的最具天赋的男孩。他实在是太出色了，以至于我常常会改变他的位置，让他适应在球场的各个部位踢球。

基克·多明戈斯：我常说，我不知道谁从谁那里学到更多。是梅西从我们这儿，还是我们从梅西那儿。

阿德里安·科里亚（纽维尔斯老男孩教练）："梅西在场上的时候你完全不需要指导球队如何踢球。"他们常常对我说。

迭戈·罗维拉：梅西会吸引几个防守球员，于是我便有了一对一的机会，情况往往会是这样。我必须让自己随时做好准备，站在对手最后一层防线之前，蓄势待发：一对一要保证进球。当比赛踢起来不那么轻松的时候，我们会采取另外一个策略，通过长传球寻找机会，这种战术其他队伍很少使用。莱吉萨蒙是我们的门将，他会寻找我的位置，然后大脚开球。"帮我把球卸下来。"梅西会喊。你能想象那场景吧。当时我比任何对手都要高出一头，所以这事太轻松了。

胡安·克鲁斯·莱吉萨蒙：在一次锦标赛中，如果我们夺冠，那么组织者就会给我们每个人一辆自行车。我们成功打进决赛，不过，比赛一开始我们必须要面对没有梅西的情况，他就是没有到场……上半场我们也最终以0：1落后。梅西去哪儿了？他迟到是因为他被锁在家中的浴室里了，为了出来，他不得不敲碎窗户的玻璃！好在他赶上了下半场，并且带领我们3：1取胜……3粒进球全部来自梅西。就像我说的，这种表现我们见证了无数次。我们共同生活共同成长，这段经历代表了我们整个童年。

布鲁诺·米拉内西奥（前纽维尔斯青少年队球员）：我记得当时我和祖母说梅西扭伤了脚踝导致第二天无法上场的时候，她觉得我异常沮丧。我祖母是个医疗术士，她让我把那男孩的名字告诉她。"莱昂，莱昂·梅西。"我对她说。她从未告诉过我她做了些什么，我也没有和梅西说她是我祖母……好吧，肯定是她治愈了他……到了第二天，梅西就像没受过伤一样来到球场，脚踝的肿胀完全消除了。他参加了比赛并且和我们一起夺得了冠军。几年之后，当我在祖母家通过电视看梅西为巴塞罗那踢球的时候，我问她："祖母，你还记得他吗？"她回答说："完全不记得了。"于是我便提醒了她那件事。现在，只要她在电视上看到梅西，就会微笑着自夸："那个男孩……当时我可是治好过他一次伤呢。"

赫拉尔多·格里希尼：那个时候我们不需要为球队做什么，或者说要做的没那么多。任务很简单：我们只需要把球传到梅西脚下，仅此而已。比赛就此终结。他也许会丢一两次球，但第三次、第四次把球给他，他一定会把球打进，绝对靠谱。

安赫尔·鲁阿尼（前纽维尔斯老男孩队员"luli"鲁阿尼的父亲）：也许现在的人不会相信，但当时梅西一个赛季在所有比赛中总共能进100球左右。如果你还记得梅西1994年来到纽维尔斯并在2000年离开，那我们就是在谈论他在"婴儿"比赛中超过500粒的进球了，实在是太惊人了。

阿德里安·科里亚：也许在那个时候他还没有意识到，从某种程度上来说，身材矮小反而成了一种优势——他能更好地控制球，他可以比其他人更灵敏且迅速。

基克·多明戈斯：他会传球，但不是简单地把球传给你，而是挑传，他会在传球前用脚尖点两下球。他就是能给出这样的传球。梅西对于足球有着最纯粹的情感，他并非迷恋于足球带来的金钱，绝对不是，他踢球是为了获得其中的快乐。

赫拉尔多·格里希尼：在纽维尔斯的球场上，技术指导会让梅西在赛前或者中场的时候做一些颠球练习。有一次在马德普拉塔，他赛前颠球的时候，甚至有球迷把硬币丢到他身边。15分钟过去了，他依然没有失去对球的控制。还有一次在秘鲁，我觉得他甚至颠到了1200下。那时候他只有9岁。

弗兰科·卡萨诺瓦（前纽维尔斯青少年队球员）：1996年夏天，在纽维尔斯传奇球员、现任巴塞罗那教练赫拉尔多·马蒂诺的告别赛上，纽维尔斯的这帮小男孩们在中场休息的时候获得了绕场一周的荣誉，因为他们刚刚取得了锦标赛的冠军。突然，他们在场地中央停下了，并且把梅西推向了中圈。看台上陷入了疯狂。"马拉多纳，马拉多纳！！"当梅西表演颠球的时候，人们都开始尖叫。

内斯托尔·罗赞（前纽维尔斯老男孩队技术指导）：每颠球100下，他就会获得一个冰激凌，我记得他颠了将近1100下，所以他们给了他10个冰激凌。

赫拉尔多·格里希尼：11岁的时候，我们开始从七人制足球过渡到十一人制足球。有时候我们两种比赛都踢，周六踢七人的而周日踢十一人的，这样我们就能更快地适应这种转变了。在十一人制的比赛中，梅西显得更加出众，因为他能获得更大的空间。他速度非常非常快，可以从极其狭小的缝隙中穿过去，简直是不可思议。

阿德里安·科里亚：我让他打前锋身后的位置，看起来像是一个自由人，或者人们常说的4-3-1-2阵型中的经典前腰。

基克·多明戈斯：对手们总是试图减小梅西带来的威胁，但是最终只能略带恐惧地眼睁睁地看着他杀个七进七出。根本无法用常理解释一个十一二岁的小孩怎么能拿出这样的表现。

迭戈·罗维拉：对方防守球员之间的对话总是很精彩：

"我们拦不住这孩子。"

"确实拦不住。"

"那么我们该怎么办？"

"你问我我问谁去啊？你不是刚说了他不可阻挡吗？"

他们说得一点都没错。有一次，在一堂训练课上，教练安排我去打后卫。

"妈妈，他们让我去打后卫，而且还让我去防梅西。"

那天晚上你一定会听到我诉苦。

"妈妈，我连梅西的球衣都拽不到，搞得我都有想踢他的冲动了。"

我可怜的母亲啊，她至今记得这件事。

"够了梅西，别他妈闹了，别再跑了。"

我一直和他说着类似的话，结果他更"嚣张"了，边笑边虐我。梅西就是这么欢乐，那段时光太有意思了。

基克·多明戈斯：有一次我们对阵启明星队，对方教练在中场休息的时候跑过来请求我下半场不要派梅西上。我当然是回绝了，因为梅西和门将莱吉萨蒙，都是我绝对不会换下的。

赫拉尔多·格里希尼：在一场比赛中，他把球挑向空中然后再接住球，这个动作他在一名防守队员面前连做了5次。结果那名球员把他推倒在地，并且抓住他的脚不放！ 连续5次，一次接着一次，再加上梅西只有1米4，而另一个男孩有1米7。这就是梅西享受足球的方式。他这么做并非是为了吹嘘……不不不，绝对不是。他从来不会说自己如何如何厉害，一次都没有过。在罗萨里奥的联赛中，东方队、内格罗河队……他们都是球风粗野、言语肮脏的球队……他们会辱骂梅西，对他说些不三不四的话。而梅西呢？他会默默用球技还以颜色。

基克·多明戈斯：我曾看过阿根廷的低年龄级别足球赛，简直就是一场战斗。你第一次过掉我没问题，但下一次我就会抓住你，把你摔倒在地，我也许会被罚出场，但是你再也不敢在我面前做同样的事了。这样的场景常常会发生。要是梅西在这里再待久一点，这就是他常常会享受到的待遇。我给梅西的为数不多的指令当中，就包括让他快速出球，因为一旦他拿到球，对手就会用尽一切手段拦截他。那些不顾一切拦截梅西的孩子，有时候是听从队中较大孩子的命令，而有时候则是球队后防球员要求他们这么做的。如果他们拦不住梅西，让他过掉一个人、两人、三个人……他们会开始肘击他，从背后踢他。所以我告诉梅西："一定要尽快把球传出去。" 但是，对于梅西来说，他当时踢球的方式就和你现在看到的一样，把球留在脚下是他的天性。顺便再说一下，当对方跑过来侵犯他的时候，他总是非常警觉。所以他们甚至常常不能靠近他。

阿德里安·科里亚：与预想结果相反，这种粗野的对待反而点燃了梅西的斗志；他们越是侵犯他，他越会和他们正面对决。

安赫尔·鲁阿尼：有一次，在阿迪乌尔球场，我们这帮教练和孩子们的家长真的是愤怒至极了，我们让教练加夫列尔把他换下来，因为对手不停地在踢他。而在另一场比赛中，在萨斯菲尔德的主场，他们拿出了非常凶狠的抢断动作，导致梅西重重地摔在了地上并且伤到了手臂。当时他母亲和我妻子一起把他送去了医院。

基克·多明戈斯：对于梅西来说，在场上最能保护他的人就是裁判。因为他从来不踢任何人，也从不抗议，更不会拉扯对方球衣或者嘲讽对手……所以当他们"轰炸"他的时候，他会给人一种想要保护他的冲动——小小的身躯上还架着一张带着淘气微笑的小脸……而且他还有百分百给力的球技和无与伦比的职业道德。他总是球场上跑动最多的人。

赫拉尔多·格里希尼：梅西也非常强硬。很多人会把自己甩向梅西，试图把他撞倒，但是他太强硬了，总能承受下来。摔倒以后，他会爬起来，然后再摔倒，再爬起来。太难以置信了。如果换作我们，一定会趴在地上，而且很可能会开始抱怨。但是他从来不这样，他摔倒了依然会继续控制住球。我不知道这种品质是从哪儿来的，但我知道它绝对是万中无一的。

基克·多明戈斯：他从不抱怨，尽管事实上……当其他男孩一起等着换衣服的时候，梅西会独自一人跑开，远离所有人的视线，然后脱下衣服换上红黑色的10号球衣。我认为这是因为他害怕尴尬。有一次我确实看到他的身子了，当时我非常震惊——他几乎没有胸廓，甚至有些凹陷，看着他的胸部让人有些恐惧。有一次他把手腕摔骨折了，骨头的问题可不是小事，说实话，他确实非常脆弱，容易受伤。但是我从未见他畏缩过，也没有见他表现出过痛苦。接下来的一场比赛他并没有参加，而在紧随其后的被我们称为"迷你世界杯"的锦标赛中，他第一天就背着个小包跑过来了。由于很好奇他带了些什么，我询问了一位球员的妈妈。她说梅西是带着球鞋和护腿过来的……所以他是想上场比赛，而此时距离他能够拆掉石膏还有15天。他对我说："我知道假如基克需要我，他就会让我上场。"想都别想！之后在这个锦标赛当中的某一天，我对他开玩笑，问他愿不愿意在下半场上场。当时他还打着石膏呢。他的回答当然是愿意，但我怎么可能让他在这种情况下上场。他是个外表脆弱的小男孩，但是内心非常坚强。

莱昂·梅西曾经说过："上次我感到压力，还是我8岁时在纽维尔斯当球员的时候。从那以后，我开始享受一切……"他说这话的时候23岁，并且已经参加了两次欧冠决赛、两次世界杯以及两次超级杯决赛。这些比赛他从未担心过——他把一切球场上的压力都留在了罗萨里奥。

加索（Gazzo，记者）：罗萨里奥中央和纽维尔斯老男孩在"宝贝进球"（Baby Gol）锦标赛的决赛中狭路相逢，这个锦标赛是以我的广播节目命名的。常规时间和加时赛最终以2：2结束，而在点球大战中，孩子们一直踢到了22：22。在这个关键时刻，罗萨里奥中央队的球员罚失点球，一切都取决于梅西的双脚了。如果他罚中，锦标赛冠军就是纽维尔斯的了。

基克·多明戈斯：有人曾问我，在梅西身上，我看到的什么品质最伟大。我回答说是他的自然。从他见到你和你打招呼的样子，到任何事情，尽管他看起来有些内敛，但一切都显得很自然。*12岁的时候，他比完赛以后常常会到他的朋友、安东内拉的表兄卢卡斯家中，并在那里度过周末。有时候在周三训练后，他也会过去。这段时间里，他大部分的闲暇时光都花在了卢卡斯家！不用说啦，肯定是他现在的妻子不想让他离开。现在和梅西一同生活并且生下一个儿子的女人，是梅西钟爱一生的。他完全不需要举办一场奢侈的婚礼，或者其他什么类似的事。在我眼中，梅西身上的事都是自然而然发生的，一切都在自然中发展。对于阿根廷的国家队而言，只有踢得自然，才能踢得出彩，因为一切唯梅西马首是瞻。我母亲3年前去世了，她曾对我说过："独裁者和领袖之间的区别就在于：独裁者只顾自己，而领袖则是你愿意去选择去跟随的人。"从不吼叫从不抱怨的梅西就是那种你会去追随的人。当他在"婴儿"比赛中打入进球的时候，所有人都会跑过来庆祝。同样地，其他人进球的时候，他也会跑过去拥抱他们。我们现在说的，是只有12岁的梅西，他此时在罗萨里奥已经是全民偶像，是闪耀明星，是青少年级别中的足球巨人。正常而言，一个12岁的孩子是不需要去面对这样的风险和压力的。对于梅西来说，那些进球、那些奔跑、那样的盘带，一切都是出于自然。*

加索：*最终纽维尔斯夺得了锦标赛冠军，梅西打进了致胜点球。*

1996年1月，梅西的球队参加了在利马举办的国际友谊杯锦标赛。此时9岁的他第一次出国。利用出色的技术和优秀的平衡能力，梅西控制足球的能力震惊了所有人，在这个年纪，他就已经对足球驾轻就熟了。比赛结果是肯定的，他们夺得了冠军，主办方发给了他们一座海豚形状的奖杯。但其实，为了在第一场比赛中出场，梅西承受了很多痛苦。

加夫列尔·迪格罗拉莫：当我们到达机场的时候，秘鲁球队的孩子们的家长已经在那儿等着了。我们把孩子分配下去，每个家庭负责照顾一个，有点类似于摸彩票。

凯文·门德斯（负责梅西的家庭的儿子）：有一天晚上，他吃了些烤鸡肉，结果就生病了。第二天，他几乎动弹不得，而再往后一天就是比赛日了。

加夫列尔·迪格罗拉莫：梅西当时流着泪，生着病，看起来都有些脱水的症状了。

凯文·门德斯：所以，当梅西到球场的时候，他晕晕乎乎的。教练看到这样的情况，马上说："你们比赛，我送梅西去医院。"听到这样的话，梅西突然清醒了。

加夫列尔·迪格罗拉莫：我们给他喝了一些等渗饮料，半小时之后，他就在球场上颠球了。

凯文·门德斯：他喝了一瓶佳得乐，之后便要求上场。纽维尔斯队10∶0取得了胜利，他一人打进8球。毫无疑问，他就是那次比赛中最出色的球员。走之前，他把球衣送给了我。

威廉·门德斯（凯文的父亲）：有一次吃晚餐的时候，我问他和另外一个来自罗萨里奥的男孩，他们的目标是什么。他回答说，我们是阿根廷人：走到哪儿，赢到哪儿，然后把荣誉带回家。

赫拉尔多·格里希尼：如果我们输了，他会在球场上闷闷不乐，我们确实也输过几场比赛；他真是一场都不想输，总是想赢，这种极度的渴求会带来争吵，有时甚至是在场上。如果我们比分落后，他会把自己的愤怒转化为取胜之道——他会更多地拿球，确保我们以胜利的姿态离开球场。我记得这种情况发生过很多次。

阿德里安·科里亚：他是一个内心非常骄傲的人。

赫拉尔多·格里希尼：我记得最清楚的就是一届在乡村举办的锦标

赛。在普加托，比赛才踢了*10*到*15*分钟，我们就*0：2*落后。梅西开始有些紧张了，非常紧张。而在比赛还有八九分钟的时候，他连续打入*3*球。有一天，我在看巴塞罗那的比赛，当时他们落后，我却说："狗娘养的，你们等着失望吧！"因为我认出了那种神情！与之前一模一样！一切如昨日重现，在离比赛结束还有三四分钟的时候，他断球成功，并且制造单刀机会，仿佛在说："他妈的，我能解决一切。"如果他输了，他会杀了我的，他无法容忍失败。

阿德里安·科里亚：他必须要牢牢掌控胜利，输球的时候，他会很受伤。在踢着玩的比赛中他喜欢挑选球队。每个达到顶级的球员都有对成功和荣誉的渴望。

赫拉尔多·格里希尼：我们丢掉过一个冠军——在阿特亚加锦标赛上，对于*11*岁的孩子而言，这比赛就相当于迷你世界杯——因为我的失误。我们以类似*8：0*、*9：1*的比分击败了所有人，并且一路杀进半决赛，对阵一支来自阿尔戴蒂联赛的球队，这个联赛是罗萨里奥当地一个有着八九支球队的小联赛。比赛开始后不久，对方门将大脚向前场解围——我当时在队里踢中后卫——他踢得比我想象中的要远一点，我的头蹭到了皮球，但刚好把它送向了跑在我身后的对方前锋。他得分了……之后他们就开始摆铁桶阵，这让扳平比分变成了不可能完成的任务。我们最终*0：1*倒在了半决赛。梅西非常愤怒。你能想象那场景吗？他几乎两三天没跟我说一句话。他不喜欢失败，决不允许输球，决不。

基克·多明戈斯：*1987*级的队伍——也是我们常说的"*87A*"队中，我对马齐亚也印象深刻，他是有时会和梅西搭档的另外一个前锋，并且有点个人英雄主义。以我对他的了解，我无法说他一定能够成为梅西的长期竞争对手，但是当时他的确有着能和梅西一较高下的技术和控球。不过，我始终是要以球队为先，打个不恰当的比方，就像是一篮子苹果，装太满难免导致苹果被压坏。我的想法是，让梅西扛起这支球队，而这个叫马齐亚的孩子，去另外一队做同样的事情。所以我把他放到了"87B"队，如果他成长了，看起来比得上梅西了，那么来年我就需要解决排兵布阵这个棘手的问题，因为他和梅西又会在十一人制的"87A"队中相聚。踢到这个水平，足球会变得更加残酷，更加艰难，大家都不会真正欢迎彼此，童年时代结束了。这种时候，你的父亲也不会跑过来保护你，为你争取机会。而且，如果有哪位父亲插手进来，那一定会遭人白眼。物竞天择——谁能存活下来，谁就能进入更高的级别。最终，梅西活了下来，而马齐亚没有。

赫拉尔多·格里希尼：比赛结束后，队里的其他前锋常常会和梅西起争执，因为梅西想多进几个球，他们也想多进几个球……梅西喜欢球在脚下。我觉得吧，如果可以的话，他甚至愿意场上有两个球，一个他自己踢，一个给其他人踢。所以要问梅西和我们一起踢球的时候是什么样子……他就是这个样子，这就是当时的情况。此外，有件让我们觉得糟糕透顶的事，那就是教练给我们的指令：阿德里安·科里亚告诉我们，梅西在场上可以做任何他想做的事。真是让人羡慕嫉妒恨啊！"为什么是他，为什么不是我们？"我们会问。"把球给他，这样他就能做任何想做的事了。"他会回答，"因为这是最轻松的得分选择。"

基克·多明戈斯：在马尔维纳斯，见了面我们会先问候："嗨，梅西，最近还好吗？"然后是拥抱、亲吻、握手。对梅西是这样，对其他孩子也是一样。训练结束以后，梅西总是不愿意离开。这一点让我非常高兴。有时候蚊子把我们叮得够呛，父亲们会三五成群地站在一起；还有时候梅西会一直踢到潮湿和多雾的深夜。他就是想多踢会儿足球。

克劳迪奥·维瓦斯（纽维尔斯老男孩队教练）：我们在踢周边地区的锦标赛的时候，他总是会来马尔维纳斯。在一号场地背后有一个quincho（一个小型室外棚屋，常常用来烧烤），紧挨着它的，是几张桌子，这是人们吃东西、聊天、喝酒的地方。"梅西，你不能在这里踢球，这儿有人吃东西，你可能会把东西踢坏的……"该告诉他的都会告诉他，可他就是无动于衷。比赛结束以后，他会继续踢球，我们完全没法让他停下。有时候他还会叫他爸爸带他到两块球场对面去，这样他就能继续和朋友们一起踢球了。

阿德里安·科里亚：他会对着墙面踢球，一次又一次地踢……他们总会对他说："我们爱这面墙，我们照料它，给它刷漆，我们不想让它变脏，你知道吗？你安静会儿吧，马上你就能踢球了，休息下行吗？"而梅西的回应是：砰！砰！砰！还有一个教练对我说过："根本没办法让他停下来，他一整天都在踢球，太阳都下山了还是想要踢，哪怕没有亮光，哪怕大家都已入睡。"

埃内斯托·韦基奥：如果他生病了，他还是会一如既往。有一天在阿迪乌尔球场，他生着病还跑来比赛。我一直把他摁在板凳上，直到比赛还有5分钟，我们0：1落后，所以我问他愿不愿意上场。他立马回答愿意，于是我对他说："好，那就上场去，把胜利带给我们。"不用说，最后我们赢了。

克劳迪奥·维瓦斯：他热爱足球，不论是观看还是自己踢。他们家离科尔多瓦中央的主场很近，而我妹夫效力于这支球队，我会经常跑过去看妹夫踢球。我常常在那里看到梅西。科尔多瓦中央是当地的一支小球队，属于二三级联赛，有点类似西班牙联赛的阿拉维斯队或者埃瓦尔队。

基克·多明戈斯：所以……青训营里其实有很多现象级的小孩，看起来都是天外来客，但他们最终在低级别联赛中停滞不前，没取得多大成就。而12岁就被认为不属于这个地球的梅西，在之后保持了自己的魔力。要做到这件事着实很难。上天待我不薄，让我有机会执教三位出色球员的少年时期：马克西·罗德里格斯、"比利"古斯塔沃·罗达斯还有莱昂·梅西这三人中，拥有最不可思议的天赋的其实是"比利"。

埃内斯托·韦基奥：梅西的父母总是陪伴在他的左右。你常常能在球门后面看到他的父亲。他一言不发，也不和其他父亲们混在一块儿。

基克·多明戈斯：梅西是所有父亲们的儿子，也是所有孩子们的兄弟。不只是在我的球队，在他待过的所有球队都是一样。梅西的妈妈是喜欢和大家待在一起的那种人，但一般情况下，他的父亲豪尔赫会选择独自站在场地一边。

埃内斯托·韦基奥：我们参加了坎托劳锦标赛。在1987级的队伍中，我们拥有梅西，而在1986级的队伍中，我们拥有"比利"古斯塔沃·罗达斯。罗达斯之后因为16岁就在甲级联赛中完成首秀而声名大噪。但是，好吧……他们俩的性格全然不同。每当我看到罗达斯身处何处，总是非常伤心。他现在应该是在秘鲁踢球吧，一想起他曾经拥有那么出色的天赋，本可能成为顶级球员，我就止不住悲伤。

基克·多明戈斯：我觉得我最厉害的地方——以后我也会常常靠这一点自夸——就在于保护并开发小球员们身上最自然的东西。梅西呢，就像是，我该怎么说……就像是一件注定会出名的艺术品，他一定会成功，失败是不可能的。确实有球员被酗酒、自我膨胀、与人不和等陋习所拖累，哪怕是史上最伟大的偶像马拉多纳也是反面教材之一……但是梅西不在其列。

第三场

黑暗中播放下面这段视频（http://www.youtube.com/watch?v=uBPnpziMFOQ）：

他当时10岁。他的队友正在球场上寻找他，他就是那个穿着红黑10号的孩子，那个号码盖住了他的整个后背。在球被对方门将解围之前，他通过一次接触就控制住了足球。他没有一脚怒射，而是把球留住。之后他把球传给了禁区外的队友，然后在禁区内接到了队友的回传球。这样的配合无论是在过去还是在未来都常常上演。之后，他又接到门将的开球，过掉了一个人，又过掉了一个人，再过掉第三个人，当他到达禁区线的时候，一脚射门。这次，球被守门员扑住了。再之后，球像砖头一样砸过来，但一经梅西左脚的触碰，它就再次变得乖巧。梅西展开身体，一脚斜射，球进网得分。接着，他又靠任意球打入两球，一球用左脚，一球用右脚。断球，过人，挑射，得分，又是一球。他进球后会跑过去拥抱队友，而当终场哨声响起时，谦逊的对手会走过来找他合影，或者让他表演颠球。当他颠到100个以上的时候，每个人都会驻足观看。

基克·多明戈斯：我们常常会在球场周围做足球热身，这样当他们上场比赛的时候，就能意识到摆在他们面前的是足球，而不是砖头。你知道我的意思吗？有时我需要做一些纸面工作，那么梅西就会负责带大家热身。我会对梅西说："把他们带出去。"他就会一路小跑到球场。梅西这么一动身，孩子们也会跟着动。他们跑上球场以后，梅西做什么，他们就会做同样的事。但这些并不是我强加的要求，也不是我对他们的命令；仅仅是因为梅西就是他们想要模仿的人，他就是可以参照的榜样。那梅西做什么他们就做什么也就是自然而然的事了。那画面就像是一群小鸭子紧紧跟随着母鸭子。

赫拉尔多·格里希尼：我们有不止一个领袖。这支球队大概有16人，但只有少数几个能称为决策者。梅西当然是其中之一，而我也有很强的话语权，莱昂德罗·贝尼特斯也是一样……梅西妻子的表兄卢卡斯，地位可能就没那么高了，他更多地是跟着我们三个。而另外一位球员胡安，他也想领导球队，但当你是孩子的时候，有些小冲突在所难免……好吧，总而言之，他不被允许成为领导者。梅西并非一个专制的领袖，不会把他的想法强加给我们，但是，他就是我们当中球踢得最好的，我们没有理由不跟随他。

阿德里安·科里亚：他会听从教练的安排。他很懂得尊重，把所有话都听进去了。他从不会说"把球都交给我"或者"我是最棒的"之类的话。他的队友都很爱他。但是……他就是不喜欢做练习。他只爱踢球。也是因为这个，我不得不在训练中批评了他。我并非那种魔鬼教头，但是我常常表现得非常严肃。我们当时正在进行抢圈训练，作为足球训练的开端。我叫他过来练习，一次、两次、三次，但他完全忽略我。最后，我忍不了了，对他说："把球给我，去换衣服，然后回家。"10分钟后，我看到他背着包靠在墙边，看着球场。他这么做我真的很伤心。"你走之前还没亲我呢。"我对他喊道。于是，他走回来，亲了我一下。我让他回到更衣室，重新为训练做准备。他是个害羞的孩子，但也很固执，那是我唯一一次不得不那样对他说话。

基克·多明戈斯： 你看过那些小球员做二过一的配合吗？尽管当球回到他们脚下的时候，他们更像是在踢砖头而非足球。梅西能处理好二过一，而对于其他人来说，如果没有以想要的方式接球，他们就会半路停下。

埃内斯托·韦基奥： 一个阳光明媚的周六下午，在马尔维纳斯，我们正在对阵巴勃罗六世队。梅西从守门员那里接到了球，然后从本方禁区开始加速，过掉一个又一个防守队员后来到了对方守门员面前。在试图拦下梅西的过程中，那孩子摔倒了并且扭到了脚踝。男孩疼得哭了起来，梅西显然听见了。他没有把球送入空门，而是停下来，转过身去帮助那男孩，并且向裁判示意，让医疗队进入球场。那一幕令我震惊。

基克·多明戈斯： 上述之外，他还很谨慎。他从来不会大喊大叫，也不会过多地表露情感，哪怕是在恶作剧的时候。有一次，纽维尔斯给了我们一批俱乐部的赛前训练服，全红的衣服带着点白边。梅西跑过来淡定地对我说："你干吗要穿得像个圣诞老人一样？真的很像。"我猜我周围的人当时都要失控了，笑得根本停不下来！厚脸皮的男孩！

迭戈·罗维拉： 那个时候我们逐渐养成了下午到我们家吃点心的习惯。斯卡利亚、贝尼特斯、梅西和我。我们会在一起打任天堂游戏机。那时候我们笑得可开心了。我妈妈制作点心的时候，我们也会做好准备：我们会打开卧室衣橱的抽屉，换上我的那些欧洲球衣。我父亲是个医生，他经常会去世界各地开会什么的，并且常常会给我带球衣回来：巴塞罗那、曼彻斯特联队、皇家马德里。我从来不会穿着它们踢球，我只是把它们当作纪念品。在我们开始打任天堂游戏机之前，我们会每人选一件球衣。比如说，格里希尼就会穿上皇家马德里的球衣，而梅西则会穿那件巴塞罗那的。那是一件为俱乐部百年专门推出的球衣，一半猩红色，一半蓝色，而且还是里瓦尔多的球衣。他总是会做一件事：跑到我家里来，找那件巴塞罗那的球衣。梅西穿我的衣服实在太好玩了——看上去就像是穿着睡衣一样。

"是的，我想要这件。"

所有人都把球衣放回我的抽屉里了，但梅西没有。

"把它给我吧。"他微笑着问我，"可以吗？"

这是我唯一一件巴塞罗那的球衣。我怎么可能给他！

赫拉尔多·格里希尼：梅西现在说自己是纽维尔斯的球迷，但我们还是孩子的时候，他可是河床球迷。我也是河床球迷，卢卡斯是纽维尔斯的死忠，而莱安德罗喜欢博卡。梅西很痴迷当时在河床踢球的艾马尔，我们常常会一起看他的比赛，并且最终成了河床的球迷。我们共度了很多时光。周末有比赛要踢的时候，我们都会住在球队的小旅馆里。

内斯托尔·罗赞：为了让孩子们有更好的表现，我们开了家小旅馆，给家离得远的孩子们住，以确保他们能吃得好睡得好。

赫拉尔多·格里希尼：梅西，像个小松鼠一样，喜欢睡在床铺的最高层，也就是第三层。我们非常开心，因为我们有共同的目的，拥有美好时光。那个时候，一瓶可口可乐要花1.25比索。2000年，阿特亚加迷你世界杯的时候，我们大概一起在那个旅馆里住了20天。某个雨后的一天，我们想喝可口可乐了，但是大家都身无分文。那个时候，阿根廷刚出现那种在红绿灯旁边等着、靠替人擦挡风玻璃赚钱的人。于是，我们也想试试。

"要不我们去擦挡风玻璃吧？""好啊，走吧。""至少我们能赚点零花钱。"梅西则决定跑到马路旁边的沟渠中滚一圈，裹一身泥，然后每当有人从超市出来的时候，他就会上前去问："女士，能给个硬币吗？"那位女士真就给了他两比索。"给点吧，女士。"就这样，一比索、半比索、两比索……我们最后买了56瓶可口可乐！！！未来，当我有了孩子以后，我会对他们说：你们的爸爸是世界上最优秀球员的朋友，我们有着很多美好的回忆。

基克·多明戈斯：我对我儿子塞巴斯蒂安说，当他完成职业生涯首秀的时候，哪怕是为博卡效力（我的心永远忠于河床），我会把我那辆福特 *Sierra* 给他。就在他首秀的那一天，由于太激动，我训练迟到了。训练课结束以后，我走出更衣室，突然发现承诺给儿子的 *Sierra* 的钥匙不在身上。我很焦急，返回更衣室四处寻找。也就是在那里，我看到孩子们围成一圈，梅西坐在他们中间，假装自己在驱车加速。而他手中攥着的，正是我那辆 *Sierra* 的钥匙。"你在找这个吗？圣诞老人。"梅西问。

赫拉尔多·格里希尼：那时候，我们还太小，不能去迪斯科舞厅玩。所以我们常常会安排一些聚会，并且邀请班上的女同学参加。比如说，我过生日的时候，我会邀请所有的队友和学校里的朋友到家里来，我们会进行配对。而卢卡斯的三个表姐妹也会受邀。安东内拉——梅西的妻子；卡拉——年纪最小；保拉——年纪最大。梅西一直——我跟你说，他那时候只有10岁还是11岁——深爱着安东内拉，一直都是。不过说实话，那时候可不是两相情愿。我估计是后来卢卡斯在中间牵线搭桥，两人才逐渐了解对方……开舞会的时候，梅西总是很害羞很矜持……我们常常对他说："去啊！去啊！为什么不和我们一样去和女生搭讪？伙计，踢球的时候你可勇敢多了。"但他还是很害羞，坐在那里不动。平常会怎么恶作剧呢？我们可都是好孩子，顶多是出去装装乞丐要点钱，就没有其他的了。大多数时候，我们会聚在某个男孩的家中打游戏。或者我们会去卢卡斯家，他家里有一个五人制足球场，我们在那里集合，然后开始踢球。

赫拉尔多·格里希尼：对那时候的我来说，莱昂德罗·贝尼特斯、卢卡斯和梅西具有一切踢甲级联赛的必备素质。但我没想到的是梅西能成为世界上最好的球员。"你的梦想是什么？"我们常常会问彼此；我们也常常会讨论这个问题。"进入甲级联赛"永远是他的第一个答案。他当时的梦想是为纽维尔斯踢球，但之后发生了那些事，他最终去了巴塞罗那。不过我认为他5年之内会回到纽维尔斯。当他30岁的时候，他会回来。一旦他赢得世界杯——上帝保佑，希望他拿下接下来的2014巴西世界杯——他会觉得他终于做到了。之后他就会返回家乡。不过，这些都是我个人的想法。

埃内斯托·韦基奥：我总是说他会有宽广的未来，事实证明我没有说错。如果罗达斯、德佩特里斯以及那些孩童时期就展现出非凡足球技巧的人都能达到那个等级，我会更加欣慰。但是……

阿德里安·科里亚：我需要时不时地去关注那些将要开始十一人制足球的孩子们。梅西的生长遇到了问题，没有人能为他所需的治疗募集到足够的钱。我曾对佩佩托（罗伯托·普波，纽维尔斯青少年队技术指导）说："你既有影响力又有人脉，为什么不试着帮帮他？当他比迭戈·马拉多纳还出色的时候，你会得到丰厚的回报。"我记得当时我们谈论的可是900比索一个月的注射费用。幸运的是，有人可以证明我当时真的在为梅西的事努力，并且认为他能成为像马拉多纳一样的巨星。我时不时地会向塔塔·马蒂诺和足球圈里其他重量级的朋友提梅西的事，而梅西需要让这些人眼见为实。

第二幕

第一场

黑暗的舞台上，放映下面一段视频，这是阿迪达斯的一段广告，配音的是梅西（http://www.youtube.com/watch?v=hidTAhkEwZw）。

"11岁的时候，我被诊断出来生长激素分泌不足，于是我不得不开始接受治疗，以帮助我正常生长。每天晚上，我都会把针管扎入我的腿中。日复一日，周复一周，一直持续了3年。

"我太矮小了，11岁的我就和八九岁的孩子体型差不多，甚至可能还更小一号。不论是在足球场上还是和朋友在街头，我的矮小都显而易见。

"他们总是说，不论是走上球场的时候，还是去学校的时候，抑或是吃午饭的时候，我都是最矮小的一个，和其他人非常不同。在我结束治疗之前，情况一直都是这样，之后我才开始正常生长。

"我认为，正是因为矮小，我才能比其他人更快更灵活。踢球的时候，这个特质能够帮助我。

"这段经历告诉了我一件事：有些事情，乍一看糟糕且丑陋，最终可能带来积极的影响，是它们帮助我取得了伟大的成就，当然我也是靠着不懈的努力才达到了今天的水准。"

大屏幕上放出这样的画面：短裤下面一双小腿，旁边放着个像铅笔盒一样的容器，事实上，里面全是注射器。他会把注射器放到一起，我们之后还会解释这件事。接着，他开始向腿上注射。视频暗调，舞台灯光重新亮起。他重复那个过程：两条腿、一个盒子、另外一条腿上的一次注射。同时，我们听到一个阿根廷男孩的声音，开始朗读下面采访中的一段：

莱昂·梅西接受《体育画报》采访："我那时候比其他人矮小一些，但在球场上，你是不会注意这件事的。看到我给自己注射的人都会非常吃惊并且感到不适。但是我却不担心，一点都不疼。不管去哪儿，我都会把注射器装在盒子里随身携带。比如说到朋友家，我会第一时间把那盒子放到冰箱里去。要注射的时候，我会把它取出来，然后直接插入我的股四头肌。每晚都是如此。第一天是这条腿；第二天，就是另一条腿。"

调整灯光，加深阴影。在马尔维纳斯，还有些人围着桌子坐着，现在已经很晚了。少数几个人正在享用最后一杯啤酒。

内斯托尔·罗赞：当从七人制足球转向十一人制足球的时候，我们注意到了差别。纽维尔斯在培养来自乡村的孩子方面可是出了名的，能保证每个人都营养充足体格健壮，但他却非常矮小。

赫拉尔多·格里希尼：他能够很淡定地驾驭注射过程，就像一切完全正常一样。他从来不会告诉我他为什么要注射。他总是带着一个像冰箱一样的小盒子，摸上去非常冷。盒子里面是装着液体的小瓶子，那瓶子就像是带着小针头的铅笔。注射器上有个洞，他会把那些小瓶子放进去，然后一针插在自己的腿上。一天又一天，一周又一周，每天睡觉之前他都会注射。七天这条腿，七天那条腿。他做这件事的时候非常自然，一气呵成！当他完成注射，就会把针拔出来；他是不会抬起头看着我们，然后等着我们问东问西的，绝对不会。当时我们都在那家旅馆（大概16个人，全部11岁左右），你能想象那场景吗……我们从不会拿这件事说笑。

胡安·克鲁斯·莱吉萨蒙：看他的腿，你能发现上面满是针孔，但我们也不知道是因为什么。那时候我们还是孩子，不会太在意这些事。我们只对玩有兴趣。

马蒂亚斯·梅西（莱昂·梅西的哥哥）：是的，说实话，当时家里有些困难；我们那时还小，所以没有太强烈的感觉，但是家里确实有些压力。

赫拉尔多·格里希尼：把他带到如今这个层次的是他的天赋——毫无疑问——以及他的自信。我不认为其他人在10岁或者11岁的时候会有如此强大的精神力去说："我要做这件事，因为它对我的未来有帮助。"一个人，睡觉前，把针头扎入大腿，独自完成注射。他知道这会帮助他实现未来踢甲级联赛的梦想。

卢卡斯·斯卡利亚（梅西最好的朋友，足球运动员）：他从来没有为注射哭过。

第二场

梅西家决定向专家咨询，因为他们发现，10岁的梅西和其他孩子体型有差距。体检已经安排好了。

我们看到舞台上有一幢老房子，里面有一间诊察室，它属于迭戈·施瓦岑施泰因医生，是多年以前他的父亲借给他的。来到房子的第一层，穿过一个颇具古风的优雅木制楼梯间，就是那间诊察室了。那是一个很小的房间，只有3平米。诊察室外面是一块小的等待区。我们看到施瓦岑施泰因医生穿着白大褂，在他的中型书桌的抽屉里翻找文件。他开始讲话，讲一些过去的事：

……所以，当时我被告知"我们有一个最出色的现象级足球运动员，但他需要生长"。有时候，当纽维尔斯的医疗人员在俱乐部遇到一些吸引他们注意力并且需要内分泌专家参与的事情，他们会给我打电话说："我们想让你看看这个病人。"这也就是为什么梅西和他妈妈会出现在我的诊察室。

说实话，这件事情我开始只记得一部分，有些细节是到后来我才回想起来的。原因不难想象，我曾多次为了回答提问，讲述他的医疗故事，也因为我自己也很好奇当时发生了些什么。他第一次来找我的时候刚好是我的生日。这是一个巧合，如果我没记错的话，刚好是在1997年1月31日。他和他妈妈一起来的，而且……与对所有前来就诊的男孩一样，我也向梅西解释了同样的事情：医生不可能帮得了所有想生长的人；我们只能帮助那些生长遇到问题、停止正常生长的人。所以我说，没有能促进正常人生长的治疗或者药物。我们尝试寻找，看看他身上是不是存在一些导致生长停滞的问题。一旦我们找到症结，才能对症下药。所以，不管怎样，我建议他先做检查。

如果一个孩子生来就应该长成这么高，那药物也无法改变现状，因为这是基因决定的。

我向他们解释这些，是因为有时候病人会期望医生给他们一些魔法药片，一种能让他们去打美职篮的药物。但是这东西根本就不存在。我事先解释清楚，这样他们就不会抱有任何错误的希望，之后我才能开始检查诊断。对于梅西，我最深刻的印象就是他是个非常矜持内向的男孩。我不知道该不该用害羞来形容他。但他给我的感觉并非害羞，而只是内向。我认为，害羞意味着一个人给人的感觉是拘谨不自在或者有些冷漠。我不相信梅西是这样的，他只是很矜持很谨慎而已。只有取得他的信任，他才会向你敞开心扉。他如此热爱足球，恰好我也一样，于是我们通过聊足球很快就打破了坚冰：谁是他的偶像，他喜欢谁，他在哪儿踢球等等。我们很快就建立了良好的关系。不久之后，我意识到他只在乎一件事——他想成为职业球员。

当我跟他解释，说我不得不进行一项激进的、可能会让人不适的检查的时候，我本以为他会紧张，但他却对我说："我想要踢球。"他关心的只有一件事：他体型要长得足够大，这样才能成为职业球员。

不管怎样，诊断过程总是烦琐枯燥的，虽然我们这次算是相对较快了。1990年代末期，我们没有先进的生化诊断技术，所以整个过程要相对较长的时间。而且在阿根廷，有时候这类检查想要通过国家医疗部门的审批非常困难。如果检查结果表明病人确实缺少生长激素，那么你需要再做新的检查。这次检查被称为确认检查，用来确保你的诊断结果正确。更要命的是，这类诊断的一个重要标准就是生长速度，而我们唯一观测这项指标的方法就是今天测一次，然后几个月以后再测一次。所以，整个诊断过程至少要花3个月。对于梅西，我没弄错的话，前前后后应该是花了6个月。

的确，他就是缺乏生长激素。通过基因工程你能确切地找到你缺什么，然后每天在皮下注射相应的东西。梅西的治疗方案中就包括往他身体里打入他所缺失的有机物。他的身体不能自行生产这种有机物，因此他只能通过外部摄取。这种治疗非常贵，一个月要花1500美元左右。"你必须要给自己注射。"我对他说。

医生从柜子里取出一个小盒子，边说话边打开它。

他当时什么反应？我不太记得了。我想他的反应就和周围所有人一样，因为我不记得有什么不寻常的事发生。

盒子里是一支笔，只不过生长激素代替了墨水，针头代替了笔尖。于是，我先把药水装进去，然后他自己给自己打针。针头很小很隐蔽，一下就完全扎进去了，就这样，他完成了注射。一般来说，第一次注射我都会亲自给病人打，或者在一旁帮助指导。等到他们知道如何自行完成注射，我就不再实行监管了。他们可以打在大腿上，可以打在腹部，也可以打在手臂上。这和注射胰岛素很像，你应该看过人们给自己打胰岛素吧。真的非常像，每个人都可以选择自己最舒服的地方注射，从而减轻疼痛。而梅西很明显更喜欢在腿上注射，而不是在其他部位。

当我把注射器给病人的时候，我会说："冷静冷静，这一点都不疼。"那他们就会问你了："真的吗？真的不疼吗？"我会接着说："如果我给你注射的时候你盯着其他地方，你甚至不会感觉到我给你扎针了。"蚊子咬你一下可能都比这疼。注射使用的针头几乎小到看不见，它们每天都需要更换一次，非常短并且从不会断。现如今，这种针头已经不超过3毫米长了。

这种病人你或多或少会定期见面。在诊断阶段，我可能在6个月中见了梅西四五次。之后可能就是每3个月见他一次了。只有建立起良好的关系，我们才能聊一些治疗以外的事。关键就在于足球，我们都爱足球，他为纽维尔斯效力，而我就是纽维尔斯的支持者。我一开始会问他：训练是怎样的？谁在训练你？你看过一队训练吗？都是这类问题。但过了一段时间以后，我们之间的关系越来越好，问题就超出足球和医疗层面了。所以，我会进一步问：还好吗？最近在干吗？他和他爸爸一起过来的时候，我就会问他妈妈怎么没来，而下一次，他和他妈妈一起来，我也会问问他爸爸的情况。然后他就会跟我说，他爸爸没来是因为有这样那样的事。我们就这样继续聊天，从而建立了友谊。这就是我对待病人的风格。

而他总是在说："我想要的就是踢球。"

我常常会向他或者其他病人解释，这项治疗对于你能不能成为职业球员没有任何影响；它能影响的只有生长。事实上，如果我想成为一名出租车司机，我也需要接受这种治疗，除非我想当一个十分矮小的出租车司机……差别就在于，如果你很矮很矮，你依旧可以顺利地成为一名出租车司机，但是要成为职业球员则会异常困难。可是，帮助你成功的不只有这项治疗，甚至可以说，它和足球的关系并不那么直接。治疗帮助你生长，而生长帮助你更好地踢球，他很清楚，这就是他要选择的路。

我从不记得我见他哭过。在我的诊察室？没有过。关于梅西哭泣，我一点回忆都没有。而且，我很确信，如果你直接问他最痛苦、最难以忍受的时刻是什么，我相信他在一分钟之内想不起那段治疗的过程。我不记得治疗给梅西带来了什么特别的创伤。很明显，对于所有青少年来说，当被告知自己身体有问题，并且需要通过注射解决的时候，往往会产生两个效果。第一，当你告诉他们问题能轻松解决的时候，他们会很高兴。或者说不很轻松，但至少能解决。生长的困难会消失，然后他们就能正常地长高，从而克服一些强加在他们身上的限制。这会让他们感到非常高兴。但是，当你告诉他们解决方案就是在接下来的2000天中——或者……我也不清楚……可能是三四年吧——每天注射的时候，他们就不那么想接受治疗了。但我不记得梅西当时的反应是哭泣。当然了，我对他说"你要给自己注射"的时候，他根本不喜欢这事。话说回来，谁又会喜欢呢？

如果你注意到了，那些职业球员中……很少能找到像克里斯蒂亚诺·罗纳尔多（可简称C罗）这样既有天赋又身材高大的。一般来说，有天赋的足球运动员都很矮小。在阿根廷，效力过巴伦西亚的奥尔特加，还有马拉多纳，他们都不是高大的球员，巴西的内马尔也是一样。我觉得，对于这项运动来说，要想拥有好的盘带技术，就要有相对低的重心，而出于机动性的考量……所以身材矮小反而有所帮助，不是吗？但是，话虽这么说，光靠在踢球上的天赋，梅西就能达到今天的水准吗？

医生继续整理办公桌上的文件。他脱下白大褂，问诊过程即将结束。

换个角度说，梅西的治疗过程没有对他的情绪发展产生任何的影响。但是，同作为身材矮小的人（我很矮，只有5英尺7英寸，1米70，就和孩子差不多），我得告诉你，很明显，个子矮有时候意味着你处于劣势。尤其是和比你高的小伙伴在一起的时候，你也知道，孩子们打架是常有的事。这里我不是针对梅西在说，而是说一种普遍的情况。由于小孩们很容易因为非常可笑的理由打起来，所以如果你很矮小，那你就得挨打。如果你很高，那你就占尽优势。吸引女生这方面，也完全一样：女孩子们喜欢高个子小伙。你要是很矮小，而且特别矮小，那可就不太容易了。事实上，梅西的矮小是由疾病引起的：他缺乏生长激素。他比正常身高要矮，这会让他产生性格缺陷，心理抑郁并且缺乏安全感。换句话说，当身体允许——或者至少没给你带来太多限制——你的性格就能正常发展。但如果一个本来就内向的人还总是长不高，这无疑会让他更加感到不安。

注射生长激素算是打兴奋剂吗？对于不再需要它的成年人来说，生长激素是一种补充，目的是为了获得竞技上的优势。但是你得分清楚，为了使身体短暂受益——他们使用的剂量很大，会产生很严重的副作用——而注射生长激素的成年人和为了弥补体制差异而接受治疗的小孩子，这两者之间千差万别。我要说的第一件事就是，梅西当时只是个9岁的男孩，我不认为他能预料到今天的景象。而且，如果你问他："9~11岁的时候，你的梦想是什么？"我也不认为他会回答他梦想成为世界上最好的球员。我觉得这超出了任何人的梦想。你看，当我还是小男孩的时候，我曾幻想着穿上纽维尔斯的9号球衣，然后在比赛还有5分钟的时候上场，为球队打入夺取联赛冠军的进球。我也幻想过他们把阿根廷国家队的9号给我，而我为阿根廷打入赢得世界杯决赛的进球。但如果你做到了这些，你必须承认它们超越了你的梦想。达成梦想并非梅西接受治疗的原因。他当时就是一个热爱足球的男孩，和阿根廷99%的9岁孩童一样。如果这项治疗真有那么神奇，你可以想象一下纽维尔斯找来100个8~10岁的孩子接受治疗——他们会拥有100个梅西。更别说无论是联赛水准还是经济实力都远超我们的巴塞罗那拉玛西亚青训营了，他们一年能生产10~12个梅西！

我有个孩子，当我在1997年开始给梅西治疗的时候，我的儿子3岁。如果给一个男孩进行这项治疗能让他变成世界上最好的球员，我早就给我儿子用了，不会是梅西。而且，我没记错的话，梅西在15岁或者接近15岁的时候就停止了这项治疗。那时候他已经在巴塞罗那了。有人说依靠注射生长激素会使得身体绷紧，导致青少年遭遇肌肉发育的问题，但其实两者之间没有关系，因为缺乏生长激素的孩子本来就会比正常孩子瘦削。当治疗消除了缺陷，男孩就不再缺乏生长激素，他开始以与同龄人一样的速率正常生长。你明白我的意思吗？我想解释的是为什么治疗不等同于打兴奋剂：因为缺乏生长激素的人本来就是处于劣势的，而通过治疗弥补之后，他们也不会获得优势。再换个说法，他虽然通过注射生长激素变得不那么矮小，但还是远远比不上同龄人与生俱来的体型。

这项治疗非常烧钱是肯定的，但长时间以来，慈善机构和医疗保险都足以帮助豪尔赫分担费用。2000—2001年是一个分水岭，整个社会保障系统崩塌了，这类治疗因此中断的例子屡见不鲜，并且产生了很多的不确定性。整个国家都处于水深火热当中，纽维尔斯本可以为梅西做更多的事。

我从没见过他穿着纽维尔斯的球衣踢球，但我希望有那么一天。我在电视上看过他踢球，也看过他身披阿根廷国家队战袍。也许某一天，我能看到他穿着红黑色球衣，我真的希望如此。回顾往事，当他对成为职业球员疑虑重重的时候，我会对他说："保持镇定，在未来，你会献给我一粒进球。我会告诉你我坐在哪儿，你会跑过来，然后把进球献给我。"现在，每当我看到他的时候，我都会对他说："你欠我一个进球。"哈哈哈！穿着纽维尔斯的球衣，在科洛索，在我们的主场。

医生关掉所有的灯光，只留下一束照亮自己，他站在一扇门前，而前方就是个狭小的出口。他戴上帽子；医生肯定是常常戴着帽子的。

曾经有段时间里，他看我的眼神就像是在说："这就是帮助我生长的医生啊。"而且可能还非常尊敬我。我对那时候的他来说肯定有很强的存在感。而如今，我是千千万万个敬畏他的人之一，我也是那种常常会说"他是世界上最好的足球运动员"的人。

（一个孩子的声音）：我能长高吗？

"你将会比马拉多纳高。我不知道你能不能踢球比他好，但你肯定能比他长得高。"这就是我当时对他说的话。

第三场

一个阿根廷电台评论员的声音出现了，也许是加索的声音，他正在谈论纽维尔斯的"婴儿"足球。墙上投影出一些很大的字母，一开始是零散的，后来有序地排列了起来，下面一句话出现：

10岁的时候，在1997年的第一个月，梅西的身高是1米27，大大落后于同龄人。刚满11岁，他测量的身高是1米32，体重30公斤。12岁，梅西身高1米48，体重39公斤。而现在，他1米69，比马拉多纳高两公分。

三个儿子以及一个女儿（年纪最小），和他们的爸爸妈妈围着餐厅的圆桌坐着，正在进行家庭会谈。父亲主导，其余人补充。

这是在2000年，那种笨重的电视机还在使用，上面满是阿根廷当时萧条的画面。

突然间，所有灯光散开，唯留一束。这唯一一束光打向这个家庭中的父亲，他转身面向观众，带着德国口音，大声回答记者对他的提问。下面一段是《踢球者》对于豪尔赫·梅西的采访。

《踢球者》：你有很多顾虑，而且对未来充满未知和恐惧。

豪尔赫·梅西：是的，毕竟我在阿辛达有工作，而且一切都很不错。那是"uno a uno"（一比索等价一美元）的时代，而我当时的工资是1600比索一个月，并不算差。不过那项治疗每个月要花去我900比索，超过了我收入的一半。而我的社会保障只能帮我分担两年的治疗费用，这意味着第三年将会非常困难。

《踢球者》：而正如负责这次治疗的内分泌专家迭戈·施瓦岑施泰因所说，他至少还需要一年的注射。

豪尔赫·梅西：是的。人们常说，不管怎么样，国家都会承担医疗费用。但这不是真的。政府从来没给我打过电话，我也没有找他们索求过任何东西。如果我能和高官说上话……但我就是个普通公民，没人认识我。

《踢球者》：你曾经说过，放到今天，你不可能再做到同样的事。

豪尔赫·梅西：确实太冒险了。尽管工作方面他们愿意给我留着岗位，等待我们最后的结果。但是来来去去的事情太多，一切都是未知的，实在是太不容易了。

《踢球者》：（你们当时去和河床谈的时候）纽维尔斯怎么说？

豪尔赫·梅西：当我们从河床回到纽维尔斯以后，他们说："我们会为治疗付钱，别担心。"但之后什么也没发生，于是我们又谈了一次。那场面就像我在乞讨一般，他们只给了我300比索，之后就没有再给了。并非纽维尔斯这家俱乐部让我们失望，关键在于当时负责俱乐部的人。

《踢球者》：简言之，假如有阿根廷俱乐部为莱昂支付了治疗费用，那他就不会离开阿根廷？

豪尔赫·梅西：如果他们付了钱，我们肯定会留在纽维尔斯，这很自然。

《踢球者》：莱昂当时是什么想法呢？

豪尔赫·梅西：他非常想离开。

灯光全暗。

第四场

塞尔吉奥·莱温斯基，作者、社会学家、记者，出现在观众面前。他背后的一块幕布上放映着1999—2001年阿根廷的景象：在踢球的青少年，向关闭着的银行讨钱的老人，愤怒的球迷……这些都与塞尔吉奥要讲述的事情有关。

正如桑德拉·科米索和卡洛斯·贝尼特斯在他们的书《足球始于童年》（*La infancia hecha pelota*）中所说的："拥有一个热爱足球并且踢得很好的男孩是一回事，而培养一名足球巨星是另一回事。"一切都不是巧合，无论是这本书面世的年份，还是为书作序的人。序言的作者正是后来声名大噪的天才幽默作家罗伯托·丰塔纳罗萨，对于真实的阿根廷生活，他是最伟大的叙述者之一。和莱昂内尔·梅西一样，他也出生于罗萨里奥。这本书总共7章，其中包含了如何组织和指导青少年足球训练，如何避免犯错以及如何让孩子保持健康。同时，书中还传达了这样一个观点：哪怕是对于孩子来说，足球也已经变成了一场生意，他们会受到来自父母、教练和经纪人的压力，踢球不再是纯粹的快乐，其中充满了准职业化的色彩。

在他的序中，丰塔纳罗萨做了一些争辩："没有人有权力夺走一个孩子的梦想。"书中也提到了这样一个问题：让一个未满10岁的孩子靠着踢球扛起养家糊口的重担是否道德。

多年以来，尤其是在21世纪，阿根廷的社会经济状况使很大一部分人感到失望（根据2011年的人口普查结果，4000万总人口中大约有四分之一有这样的感受），这驱使他们想要追逐职业化的足球生涯，并把它当作拯救生活的唯一出路。

我们为什么要说这个？一方面来说，读者有必要了解，1999—2001年的阿根廷正处在持续了25年之久的经济政策的最后几年；这是一项由经济寡头和教会人员所支持的恶政。在1976年3月24日开始实行这项政策之前，阿根廷发生了一场血腥的政变，导致3万人丧命。

这项经济政策中就包括以非常高的利率从北美的银行借钱，这一点和其他南美国家一样。阿根廷也最终因为负债累累而导致破产，与此同时，不断增长的利率也意味着整个国家都要被诸如国际货币基金组织（IMF）之类的机构所控制。最终，在2001年的最后一周，费尔南多·德拉鲁阿的左派政府垮台。经历了多年财政缺失的阿根廷人民，要求所有官员全部下台，这也就导致了在一周之内，出现了5个政府领袖。随后，在2002年初，统治阶级决定插手，庇隆党成员爱德华多·杜阿尔德上台。阿根廷就这样从"围栏"走向"牢笼"。危机爆发之前，很多大型的外国银行从这个国家撤离，这使得阿根廷人民无法兑换他们更青睐的美元（他们不信任比索）；更糟糕的是，政府为取款设定了一个非常低的上限，提款机常常无法工作（围栏）。

在无休止的动乱中，政府宣布银行进入休假状态。那一天，比索还近乎和美元等值。而几天之后，当银行重新开张的时候，换1美元要花3比索。突然之间，很多人发现自己的存款贬值了三分之二，但他们什么都做不了。（牢笼）

换句话说，银行抢劫了民众。这使得银行（依旧处于关闭状态）外出现了大量的示威游行，退休的老人用锤子和棍子猛敲银行的窗户，民众对阿根廷银行系统仅存的一点信任就此消散。

也就是在这段时间，由于缺乏货币流通，政府推行了一种印刷"画纸"的政策。这些"画纸"作为货币凭证在不同的省份有不同的名字（比如说，在图库曼省就叫"图库曼美元"）；它们的价格要低于比索，并且有些商家宣布，与美元、比索以及所有信用支付形式一样，他们会大量接收这种货币凭证。很多人依然记得杜阿尔德当时空洞的承诺：拥有美元凭证的人最终"会收到美元"，拥有比索凭证的人最终"会收到比索"。

也就是在这段时期，21世纪初，整个阿根廷都笼罩在前所未有的危机当中的时候，本就是人们第一运动选择的足球，作为一种商业形式，有了更深层次的意味。对于那些每天经历挫折、被一次又一次失败所打垮的人们来说，阿根廷的球队取得胜利是那几年中少数几件能让他们体会到成就感的事。而且，对于很多人来说，那段动荡时期里的唯一的希望就是家里有人能成为职业球员，从而把整个家庭从经济灾难中"拯救"出来。那时候有句话广为流传："*yo soy yo y mi tío de América*"，意思是"我就是我，而我叔叔来自美国。"那些足够幸运在国外取得成功并且赚到钱的人帮助了当时的阿根廷人民。

很难想象，当时在甲级联赛的看台上，一大群失业或者陷入绝望的民众会对着一个球员不停地喊"失败者，失败者"，仅仅是因为他没能在欧洲取得成功。不过，你得记住，这里面是有时代背景的。在20世纪90年代，我们在孩子们的身上播撒下了贪婪的种子。当时的总统卡洛斯·梅内姆传达了这样的信息：力量是获取安宁生活的通行证。这个观点广为人们所接受，并且最终转化到了足球上，体现在了比赛当中。在2000年，我们能看到，训练和比赛的时候，小球员们都非常顺从地踢着球，同时忍受着来自父母的怒骂。此外，耐克这样的品牌会追逐他们，试图签下他们的第一份合同。经纪人也相继出现，期待发掘出明日之星。有些还很小的球员，更是被这样的大环境冲昏了头脑，摆出一副傲慢的姿态。

这也就是为什么在"婴儿"足球中，父亲们会追打裁判和教练，俱乐部会争抢球员，比赛有时会需要警察出现，而老板们会利用家长们的焦急心态。

在这种大环境下，孩子或者青少年通过大型机构的资助成为家庭的经济来源也就很常见了。这也导致了他们会受到来自家里的巨大压力。

只有少数的孩子们足够幸运，能跟着第一考虑是球员福利的优秀教练踢球。卡洛斯·蒂莫特奥·格里戈尔便是那些教练之一，正是他打造了20世纪80年代颇具统治力的西部铁路队以及90年代的拉普拉塔体操队。"他建议我们，赚那么多钱，首先应该买房子。每次他看到我们买新款跑车的时候，都会发疯。"之前他手下的球员总会这么说。格里戈尔还坚持，作为留在队中踢球的前提，球员们需要在学习上取得好成绩。这个要求非常少见，格里戈尔是一位先驱者。此外，基克·多明戈斯和埃内斯托·韦基奥也是那种关心球员、判断敏锐的教练。

20世纪80年代初，对于那些一人肩负起养家糊口重担的年轻人，迭戈·马拉多纳是最佳范例。他效力的阿根廷青年人队给他买了幢房子，这样他就可以远离费奥里托（贫民窟）了。1982年，他在巴塞罗那租了房子，并搬了过去，当时他和未婚妻克劳迪娅以及一大帮朋友住在那里。他也会定期给家里很多钱。

在这样的背景下，我们再来看2000年的梅西家，面对他的生长激素缺乏，全家人陷入了困境。很明显，如果没有足够的钱支付治疗费用，梅西就会永远长不高。他们对于梅西的能力完全有信心，但是纽维尔斯不肯付钱，他们只能自己解决问题。就和这个国家千千万万个家庭一样，他们最终意识到，为了确保儿子能在他深爱的运动中走得更远，承担一切风险都是值得的。

梅西一家就这样下定决心，带着强大的精神力量，开始了一场大冒险。

第五场

21世纪初见证了阿根廷球员开始背井离乡到大西洋彼岸寻找足球梦想的开端。经济危机进一步恶化，培养人才的足球学校遍布全国各地。球员被转化成了财富，很多时候，他们变成了俱乐部的主要收入来源，而这些机构往往都是由剥削无度的老板和顾问操控的。所以足球运动员离开祖国的情况变得越来越普遍，而且数目在21世纪前10年内不断地增长。2009—2010年之间，阿根廷共出口了2000名球员，比巴西还要多，成为世界上第一的球员"贩卖国"。

我们在天花板很高的咖啡厅里头。人们坐在桌子周围喝着咖啡。角落里是一台电视机，2000年的款式，上面放着刚才那段家庭会谈的场景，只不过没有声音。咖啡厅的一边是很大的玻璃窗。外面正下着雨。

施瓦岑施泰因医生（内分泌专家）：*整个这段时间里，阿根廷就是个放逐之国。事实上，从2000年到2003年，到西班牙工作的阿根廷人的数量疯狂增长，简直让人瞠目结舌。*

利利亚娜·格拉宾（阿根廷著名体育心理学家）：*我们真的是被"甩出"了这个国家。甚至我的女儿都选择离开，前往美国。这是一场巨大的崩塌。*

塞尔吉奥·莱温斯基（社会学家）：豪尔赫·梅西为阿辛达工作，那是一家国有企业。而当国家处于这种状况下的时候，工人们肯定会为未来而担忧。考虑到这些，虽然梅西身上确实有让人看到成为职业球员的天赋，我还是觉得他爸爸给予了他很大的信任。

利利亚娜·格拉宾：梅西家所做的一切代表着一个巨大的挑战。他们挑战了现有的生活，也挑战了多数人会做的选择。他们说："我们可以在其他地方构建更美好的未来。"而大部分人则会说："我不会从这里搬走，我很害怕，留下来更安全。"很多人带着对未来的畅想和自己的能力与天赋选择了离开，并且最终取得了成功，但不是每个人都能做到这一点。

塞尔吉奥·莱温斯基：过去几十年中，阿根廷的"放逐"分为三种。第一种，是在"警棍之夜"（1966），那一次，大部分科学家离开了这个国家，他们也被统称为"米尔斯坦"们。这个名字来自于1984年获得诺贝尔医学奖的塞萨尔·米尔斯坦。当政府允许他回归祖国的时候，他已在伦敦定居，一切都已经太晚了。第二种，大多是出于政治原因，发生在1976年的军事专政时期。比如说，记者埃内斯托·埃凯泽。第三种，就是我们刚刚谈论的，2000—2001年间，因为经济而移民，这其中就包括梅西一家。

利利亚娜·格拉宾：阿根廷每过10~15年就会赶走一批人。这片当年我们的祖辈漂洋过海前来寻找财富的土地，现在变成了名副其实的"放逐之城"，连续两三代人都遇上了糟糕的政府，这使得很多人想要回到欧洲。

费德里科·瓦伊罗（河床队试训负责人）：我经常会去寻找出色的年轻球员，而罗萨里奥就有很多。有个朋友曾带我去看过梅西踢球。我当时觉得他太矮小了。他的父亲跟我说梅西希望我能试训他；他当时只有12岁左右，而我负责的是16岁球员的试训。我向他解释了这一点，但是这位父亲说他的儿子常常会和年龄较大的孩子同场竞技。

爱德华多·亚伯拉罕米安（前河床队主管，现已过世）：那是在2000年，梅西12岁，他的父母把他和另外一个叫希门尼斯的男孩一起带来河床，这俩孩子在纽维尔斯是锋线搭档。我第一次看到梅西踢球的时候很震惊，我还把青少年队的技术指导德勒姆叫了过来。

莱安德罗·希门尼斯（前球员）：我们一同前往河床试训。我们乘坐的是费德里科·瓦伊罗的车，而我们的父母则在豪尔赫（梅西的父亲）的车中。我们都很紧张。这可是要去河床试训啊！我已经紧张到把球鞋忘在家中了，还好我爸爸他们是随后到的，所以他可以把它们带给我。当我们听到河床的体能教练对球员喊叫的时候，我们立马被震撼了："这帮傻瓜是来抢你们的位子的，你们得确保自己能干掉他们。"

电视屏幕上放着有关梅西的《罗宾逊报告》。有人突然叫道："看，那是豪尔赫·梅西。"其余人转向屏幕，开始听豪尔赫说话。

豪尔赫·梅西（在《罗宾逊报告》中）：他站在了一排前来试训的球员中间，教练看了看他，感觉他实在太矮小了，就跟他说："站过去。"于是他便到队尾去了。男孩们一个一个上场接受试训，他站在最后一个，一直没有被叫到。我站在铁丝栅栏旁，对他说："想办法让他们派你上场，试训快要结束了。"但很显然，什么都没有发生，直到有一个负责试训的人转过身来，看着他说："你打什么位置？"他回答说："前锋身后的位置（经典前腰）。"那个负责人接着说："好吧，轮到你上场了，去踢球吧。"当时的情况大概就是这样，他完全没有获得重视。两分钟过去了，第3分钟的时候，他才第一次接球，而当他触球以后，做了两三个我们早就习以为常的动作，和他往常一样。

莱安德罗·希门尼斯：他做第一个动作的时候就穿裆过掉了对方身高两米的中后卫，而下一个动作他又做了同样的事。

豪尔赫·梅西：那个负责人当时看着他的表情就像这样（震惊），并说："谁是他的父亲？"于是我走过去对他说："我是。"他说："我们想要他，就是这样！"他当时仅仅触球两次！只是因为他过掉了几个人并且一脚射向球门，迫使门将进行扑救。他们问我能不能把他带来河床，而我说："还不行……事实上他现在效力于纽维尔斯队，不过如果你们愿意和纽维尔斯洽谈，并且完成转会事宜，那就没问题了。"可他却说："不，我们不会这么做，因为他们会找我们要钱，或者要这要那。"于是，对话就这样戛然而止了。

莱安德罗·希门尼斯：亚伯拉罕米安让我们周二再来试训，那一天，他把我们俩同时派上了场。我们的对手也是一组前来试训的男孩……

费德里科·瓦伊罗：*10分钟以后，我把梅西叫到身边。他以为我要斥责他，因为当时他只专注于过人。但我对他说："别把球给任何人，如果我站在你面前，那也把我过掉。"*

莱安德罗·希门尼斯：我们最终以*15：0*获胜。梅西大概进了*10*个球。亚伯拉罕米安说他很想签下我们。

费德里科·瓦伊罗：就球场上的表现，小梅西足以确保自己获得成为河床球员的机会。但当时青少年队那边认为他太矮小了。而且我们需要解决他的食宿问题，这对于青少年球员是没有先例的。

莱安德罗·希门尼斯：在我们回罗萨里奥之前，在我们最终得知自己能否成为河床球员之前，梅西非常担心：他当时*12*岁，但球队只给*13*岁以上的球员提供河床的宿舍。"我能和你住在一起吗？"他问我。我们家当时已经决定，如果我到布宜诺斯艾利斯为河床效力，那就搬去和祖父母住。但是梅西在首都没有亲戚。我跟他说到时候他可以过来和我一起住。有一次在车上，我们吵了起来：当时瓦伊罗和他的助手坐在前排，而我、梅西还有另外一个来自罗萨里奥的男孩坐在后排。我不知道那孩子叫什么，之后我再也没有见过他。而我和梅西都不想坐在中间，不过最终他成功抢到了靠窗的位置。我当时坐得很不舒服，便对他说："好啊，你就靠窗坐吧，不过以后你自己在布宜诺斯艾利斯找住处。"于是梅西看了那男

孩一眼——尽管还不认识他——直接对他说："以后在布宜诺斯艾利斯我和你住，怎么样？"几天之后，我改变了主意，但是梅西却再也没有出现过。我通过我父亲得到了消息，豪尔赫告诉他梅西不会去河床踢球了，而且他不说原因。

费德里科·瓦伊罗：我（向青少年队）坚持，但他们告诉我河床每年试训如此多的青少年，少一个不少。我跟他们说梅西不一样，他是西沃里和马拉多纳的融合，可他们对此毫不理睬。我觉得，事情弄成这样，是因为部分前河床球员对雷纳托·塞萨里尼俱乐部更感兴趣，所以他们招入了很多那里的球员，而纽维尔斯队的的确招了很少。我认为这也就是为什么梅西没能留下来。

豪尔赫·梅西带莱昂·梅西去试训是为了给纽维尔斯压力，他们那时已经承诺支付治疗费用。但是他不得不一次又一次地跑到纽维尔斯要钱，而且需要的是900比索，可他们只给400。这简直就是一种羞辱。于是他决定去布宜诺斯艾利斯，看看会发生什么，看看纽维尔斯会怎么说。有报道称"小烟枪"伊瓜因也参加了那一系列试训，可这并非事实。

纽维尔斯的主管们发现了他们的首都之行以后，当时在马尔维纳斯负责"婴儿"足球的主管阿尔米伦带着一名教练来到了梅西家。他们来，是不想让豪尔赫把梅西带离纽维尔斯，同时也保证会解决梅西的治疗费用。这一刻，他们是真心实意的，所以梅西又回到了马尔维纳斯。可是，情况没有改观，豪尔赫还是需要日复一日地讨要俱乐部承诺给他们的东西，有时候他们根本找不到阿尔米伦，而有时候阿尔米伦身上又没有现金。为什么还要和这样的球队纠缠下去？梅西一家不禁要问。

第六场

舞台上只能看见一张小桌和一部电话，而舞台左侧是梅西的父亲豪尔赫。他看上去就像是被炸弹炸过一样：他终于意识到自己无法逃避这个家庭所面对的困境。他的儿子，一名极具天赋的足球运动员，不能继续在自己的祖国踢球了。

他已经和妻子塞莉亚还有儿子们讨论好几周了，但是一直没有做出决定。离开的理由有两方面：一是帮助梅西，二是改善生活。阿根廷严重的经济危机已经大大削减了他们的收入。可他就是不敢下最终决定，一餐又一餐，一次讨论接着一次讨论。但离开不可避免：发生的一切都迫使他们远离家乡。如果有俱乐部能承担梅西的医疗费用，并细心照料他，那么梅西就会为他们踢接下来的比赛，而且未来几年都会待在那儿。他们和意大利球队有过接触（但是，一位极具想象力的意大利球队主管透露，梅西从未去科莫试训过）。"我们要去意大利吗？"全家人讨论了这件事的可能性。

河床的试训结束以后，有些中介联系了在西班牙颇具名望的何塞普·马里亚·明格利亚，这位和巴塞罗那关系密切的经纪人，联系上了这位父亲。

豪尔赫看着那些名片。

他拿起了电话。

3　再见，梅西

板凳席上坐着很多负责跟进这场比赛的巴塞罗那青训营教练，一段悠闲的饭后散步之后，沙利·雷克萨奇终于走了过来。"那是谁？"他问道。明知故问！这个把球牢牢控制在脚下、速度奇快而且拥有高超盘带技巧的少年肯定就是那个阿根廷男孩啊，那个与更高更大的球员竞争对抗的男孩。米盖利和里费目不转睛地看着球场，异口同声地回答沙利："梅西。"

"该死，我们早就该签他了。现在签！"

沙利想要立即签下梅西："他来这里已经15天了，其中后14天毫无必要。哪怕是火星人路过并且看到他踢球，都会觉得他非同凡响。"这是在2000年10月2日。

第二天豪尔赫和梅西返回了阿根廷。"别担心，我们会把一切处理好，赛季一开始你们就可以过来了。"沙利许下了承诺。

但是梅西是个外国人，没有资格参加国家级的比赛。

而且他矮小得跟桌上足球里的小人一样。

而且他只有13岁。

而且巴塞罗那还要遵守国际足联条例，为他父亲找到一份工作。

而且那时候俱乐部一队正处于低谷，他们才是动荡之中巴塞罗那的重中之重。

而且他们要给他一份超出一般青少年的合同。

而且有一位主管说："等到他成为超级巨星的时候，我们可能已经不在这儿了。"

而且……几乎没人做好了承担风险的准备。情况就是这样。

"你觉得他真的值得我们如此重视吗，沙利？"俱乐部主席霍安·加斯帕特问。

与此同时，几周之后，梅西一家还在罗萨里奥等待答复。

等待答复的是再次为纽维尔斯青少年队上场踢球的那个小男孩。

等待答复的是工作前景扑朔迷离的父亲。

等待答复的是一个不确定是否要打上包裹、离开祖国、离开朋友、离开学校、离开原有生活的家庭。

一个月过去了。

梅西一家下定决心，不管去哪儿，都要让这孩子早早展露出的天赋在最完美的培养环境中绽放。二十四小时过去了，又是一天；七天过去了，又是一周。每个人都紧盯着时间……等待。

又是一个月过去了。现在已经12月了。

梅西一家坐立不安。是他们不喜欢梅西吗？他们不是给过承诺吗？那个年代电子邮件和传真还不像今天这么普及，而家里的电话又几乎从未响过。

于是，反倒是巴塞罗那被下了最后通牒：要么现在签下他，要么这男孩会去其他地方寻找未来。在意大利，AC米兰的办公桌上放着一份颇具吸引力的报价。马德里竞技也对梅西有兴趣。还有皇家马德里，他们在数月之前刚刚从巴塞罗那手中夺走了球队灵魂及西甲招牌球员路易斯·菲戈，这绝对是巴塞罗那不可触碰的伤口。皇马的体育主管豪尔赫·巴尔达诺一直在盯着梅西。

雷克萨奇向所有人坚持签下梅西是值得的，而正如现在所看到的，他最终解决了所有的问题。沙利绞尽脑汁找理由去说服那些持怀疑态度的人。"告诉豪尔赫，我们正在很严肃地处理这件事。"这就是雷克萨奇向梅西家传达的信息。但这远远不够。

"去打场网球吧，沙利？"邀请来自于何塞普·马里亚·明格利亚，这位加泰罗尼亚的经纪人因为把马拉多纳带到巴塞罗那而出名，他和俱乐部董事会关系密切，同时也是俱乐部的成员之一，也正是他承担了梅西来试训的旅费。这两人常常会在明格利亚自己经营的庞佩亚网球俱乐部里碰面，有时候，曾经带着梅西游览巴塞罗那的奥拉西奥·加焦利也会加入。

这是在12月14日，距离梅西和豪尔赫的巴塞罗那之行已经10周了。

比完赛以后，他们在一起喝了杯啤酒。时间已经从下午转到傍晚，当他们呆呆地盯着俱乐部的网球场的时候，是明格利亚先说到了那个话题："沙利，我们理应给那家人打电话；我们不断地给他们肯定的答复，告诉他们一切进展顺利，但却给不出任何实质性的东西，我们应该先签份合同什么的。"

奥拉西奥也坚持："沙利，我们都已经付出这么多努力了。你是俱乐部的技术总监，你今天就要承诺签下梅西。如果你不这么做，不管这件事，那好吧，我们分道扬镳，就这样。"

梅西一家不希望在河床发生的事重演，口头承诺永远比不上白纸黑字。走到这一步，他们已不能回头。巴塞罗那正要失去梅西。

不耐烦的沙利其实对合同该怎么写所知甚少，他说："让我们看看，给我一张纸。"

"服务员，拿张纸拿支笔。"

服务员拿着支圆珠笔走过来但是没有纸，这时候俱乐部的办公室已经关了。

"给您。"

于是，他从吧台上的小铁盒子里抽出了一张餐巾纸。

"你能看到我对这事有多严肃了吧。"

他在餐巾纸上写道："2000年12月14日，当着明格利亚先生和奥拉西

115

奥·加焦利的面，巴塞罗那足球俱乐部的技术总监沙利·雷克萨奇承诺，只要先前同意签约的内部人员值得信任，哪怕还有部分反对的声音，我们都会签下莱昂内尔·梅西。"

简洁明了，这就是明格利亚想要的。奥拉西奥也是一样，在把那张餐巾纸锁入保险柜之前，他还非常正规地找了个公证人。这也符合雷克萨奇的风格，不论是在足球方面还是在生活中，他都是个决策迅速的人。这是几位好友之间达成的君子协定。在那个年代，一次握手就足够了。

对有些人来说，那张餐巾纸是巴塞罗那足球俱乐部近几年中最重要的文件。

对于其他人，比如说雷克萨奇，这张纸没什么重大意义，不过是安抚豪尔赫和梅西的一种手段，也不过是几年后最广为流传的签约轶事。但从那一刻开始，"签下梅西的人"就成了整个世界对于雷克萨奇的认识。

其实梅西一家从来没见过那张纸。

那么，从餐巾纸上的文字到实实在在的签约，这个过程中巴塞罗那发生了什么呢？

"当一个球员踢出优秀表现的时候，每个人都会上来插几句：我早就说过、我早料到、要不是我……而当结果不好的时候，没人愿意承担任何责任。"沙利·雷克萨奇如是说。他是巴塞罗那最具资历的元老之一，12岁便进入了这家俱乐部，球员、约翰·克鲁伊夫的副手、教练、多届主席的左右手，他以各种身份在这里工作了40多年。沙利无法找到任何他亲手写的有关梅西的报告，但他也没有为此心烦："我确实没写过类似的东西，我只是告诉他们梅西有多出色。"不过，豪尔赫·梅西的言论可以凸显出雷克萨奇的贡献。在最初几个月，他根本不认识雷克萨奇，但是他常常说，梅西今天能为巴塞罗那踢球有两个原因：1.雷克萨奇的坚持；2.在女儿由于水土不服不得不返回阿根廷的时候，他和梅西选择留在巴塞罗那。

豪尔赫和沙利现在是相互认识的。2011年，在温布利球场举行的欧冠决赛上，他们碰巧相遇。偌大个球场，结果雷克萨奇发现自己刚好坐在豪尔赫旁边。"有时候我听到那些话真的很尴尬，当他们跑过来对我说是我发现了梅西的时候。这不会让我生气，但是我总是想，踢了那么多年的足球，到头来大家只记得我发现了梅西。我说过很多次，是梅西自己发现了自己。当时我对豪尔赫也是这么说的。"豪尔赫一边笑一边听着沙利不断重复："那男孩太有胆识了，你也太有胆识了，特别是那男孩！"

"我要说的就是'去他妈的'。梅西的成功属于他自己，也只属于他自己。"雷克萨奇坚持说。但是在一切成功、一切庆祝之前，需要付出更多的代价。所以我们回到2000年12月，那时豪尔赫和雷克萨奇还不认识对方，而梅西家的电话响了。"沙利已经签了一份文件。"豪尔赫被告知。那张餐巾纸足以安抚梅西一家，虽然当他们得知文件竟然写在这种东西上的时候吃惊不小，毕竟这家俱乐部常常鼓吹自己清晰的青少年足球哲学以及严密的组织架构。但事实上，巴塞罗那当时的情况并不明朗，是时候带着所有的未知数、所有的承诺以及所有让人心烦的意外去达成一致了。

次年1月，纽维尔斯想要梅西到阿根廷的政府机构注册，因为这是绑住他的关键，但此时，"小跳蚤"还没有注册加盟这家罗萨里奥的俱乐部。在阿根廷，球员十三四岁的时候，俱乐部才需要这项手续。假如当时纽维尔斯完成了这一步，那么情况就会很复杂了：这家罗萨里奥的俱乐部可以坚持索要转会费。因此，确认签约梅西，这是当务之急。

巴塞罗那必须要满足梅西一家的要求，而这些要求已经被雷克萨奇所接受：一幢住房、旅途花费以及帮豪尔赫·梅西找份工作，部分原因是他不得不离开阿辛达，部分原因是需要满足国际足联的要求：禁止18岁以下球员进行国际转会，除非他们有父母陪伴。

拉玛西亚是非巴塞罗那籍的青少年居住的地方，外地来的人们还在那里建造了一个安全网，但是梅西不会住在那里。这又是一个罕见的、从未听过的要求。"一开始，他的父母——我很能理解这一点——希望和他住在一起，想要近距离照顾他们的儿子。从来没有其他球员会说：我要和我的家人一起过来，我们要在巴塞罗那安家……"俱乐部主席霍安·加斯帕特说。他最终拍板了这次签约，尽管当时没有人能够向他担保。这只是国际足坛上演的千千万万个戏剧当中的一个：当了22年副主席之后，加斯帕特成为了球队主席，可是在两年半的任期内却没有收获任何冠军，当时的巴塞罗那正处于严重的认同危机当中，这使得加斯帕特失去了球队的信任。

在一队，不讨人喜欢的主教练路易斯·范加尔四处与质疑他的人树敌。但因为他的幕后工作，因为他的大胆实践，因为他在青训上的赌博，也因为他对于阵地战的坚持（很多追随他的教练因此受益），这位从不知道如何把心中的未来规划解释给他人的荷兰教练，依然是俱乐部取得进步的关键。对很多人来说，范加尔毫无魅力可言，而且他也并非总能做出最好的签约：胡安·罗曼·里克尔梅始终无法融入球队，哈维尔·萨维奥拉也是一样，例子还有很多。那是巴塞罗那队史上异常混乱的一段时期，豪尔赫·巴尔达诺甚至把它形容成"历史性的危急时刻"：2000年夏天从巴塞罗那签走路易斯·菲戈的皇马，以菲戈为球队核心赢得了一切。"有很多被我带到巴塞罗那的球员最终没有起到应有的效果：乔瓦尼、罗申巴克。一旦一次引援失败，那就是主席的错，尽管根本不是主席要签谁。主席只是听从教练的建议而已，教练才是真正做决定的人。可每当新签的球员不给力的时候，教练就跑没影了。"加斯帕特说。

有关梅西的信息清晰明了："有着出色的盘带能力，带球奔跑的速度非常快，超低的重心让他在做动作时能很好地保持平衡。相较于同年龄的球员，他技术出众、充满活力并且有着很强的恢复能力——每场比赛他能做8~10次冲刺。他很喜欢射门，是一个优秀的得分手。他也很聪明，脑子转得很快。他偶尔会踢得过于贪心，不过以他在各个进攻位置上的出众嗅觉和全面技术，这更像是一个优点。"报告上只记录了一个缺点："他很矮小，不过他正在接受生长激素治疗。"这是巴塞罗那需要支付的另一笔花销——治疗费用。

引进这孩子可不便宜——这也是球队主席对青训营总监华金·里费所说的。当时青训营的预算只有1300万欧元，需要精打细算，每个年龄组别都只能分配到特定数额的费用，而梅西让他们超支了。这也就是为什么不论是"餐巾纸神话"发生前还是发生后，会有来来回回那么多次激烈的讨论，当时俱乐部上下处于一种非常紧张的状态。"为什么要开那么多次会？"里费问。雷克萨奇也支持里费。也许其他人只是想拖延做决定的时间吧。豪尔赫·梅西曾对里费说过："我儿子将会在巴塞罗那成长为一位伟大的球员，最终你们会发现这笔钱花得太值了。"

在那些教练与董事之间的会议中，球队主席原本一直坚持他不会去考虑一个13岁的孩子；他要做的是签下两三个能击败皇马的球员。当时没人会想到仅仅3年之后，梅西就为巴萨一队首次登场。"如果你签下他，你就拥有了未来。"雷克萨奇极力主张。也正是这句颇为震撼的话打动了在场的大多数主管。

然而，加斯帕特对于这件事的解释却是另一番模样："沙利和我很熟，他是我信任的人，因为他是个既懂足球又懂球员的家伙。我们定期会在俱乐部碰面，在我的办公室里。那一次我们不只谈论了梅西，还说了很多其他的事。在某个时刻，沙利跟我说我们可能会错过一个杰出的球员。'这事容易——你什么都不用说了，去做就好。'我是这么说的。然后他接着说：'你同意为他安排特殊住宿？'我说：'你认为他与众不同吗？''当然。''那就行了，去做吧。'"

"有些教练的确建议我不要签约，但这不是重点，主要是有一部分董事会成员不想要他。"青训系统的主管霍安·拉库埃瓦可能是董事会里仅有的强烈支持签约的人。他相信雷克萨奇，所以他开始为梅西准备被雷克萨奇称为"量身定制"的一系列事情，为那张餐巾纸上的合约寻找一系列合法化支持。

从巴塞罗那返回罗萨里奥之后，梅西为纽维尔斯十队（12~13岁少年队的别名）踢球，指导他的是现在和塔塔·马蒂诺一同担任巴塞罗那比赛分析员的阿德里安·科里亚。梅西赢得了十级联盟的半程冠军，并且位居射手榜头名。

大多数"小跳蚤"身边的人当时都无法想象接下来要发生的事，但是有些人确实曾感到不对劲。罗萨里奥的商人内斯托尔·卡萨尔记得有一天和豪尔赫·梅西吃饭的时候，豪尔赫告诉他，在某次梅西拿出超凡表现之后，一个自称巴塞罗那代表的人走过来说想和他聊两句。那一天，豪尔赫留下了那个人的名片。

没过多久，这位父亲就兴高采烈地对他儿子说："嘿！你能相信吗？你即将拥有一个类似马拉多纳的足球之旅！想想你先去巴塞罗那踢球，几年后再回到纽维尔斯结束职业生涯！"这个梦想越来越近了。

基克·多明戈斯：

2000年10月的一天，我正在等待孩子们的到来，结果却看到常常与人保持距离的豪尔赫·梅西走了过来。我向他打招呼："你好，豪尔赫，最近怎么样？"我记得当时他的原话，他说这话的时候我也着实吃惊："好好享受未来的两个月吧，因为我就要把他带走了。""把他带去哪儿？你不会带他去任何地方的！"我激动地说。"不，我就要带他走了。"他重复道。"那好吧，不管怎样，"我开玩笑地说，"只要你不把他带到中央队就好（因为这样就是十足的叛徒了）。"训练结束后，我四处寻找他，想要问更多的事，不过他已然离开了。接下来的一个周六，我们去打客场，我一看到豪尔赫就把他拦了下来："你确定你那天跟我说要把梅西带走？""是的，"他回答我说，"我就是要把他带走。过去两年中，通过我在阿辛达的医疗保险和ASIMRA（金属加工工业管理者协会）的帮助，

我们得以支付梅西的治疗费用，但是现在我的医疗保险没了，他们也不再付钱给我，所以我再也无法负担这项医疗费用了。""这就是你带他走的原因？"他接着对我说："不，我去和普波谈过，结果他说球队没有这方面的预算。"普波是纽维尔斯青少年队的技术总监。"普波真是这么说的？"我问，"那你又怎么说呢？""我说：'如果是这样的话，那我就带他走。'结果他对我说：'随你便好了。'"

　　有时候，促成某些决定的就是那些并不明显但依然重要的原因。整个罗萨里奥都在说：普波和豪尔赫素来不和。一切都始于梅西的大哥罗德里戈，一位颇具能力的8号位球员，他失去了为那家后来由于犯下重大错误而被阿根廷联邦重整的俱乐部（纽维尔斯）效力的机会。他极不情愿地被转会到了科尔多瓦中央队——他不能再为他挚爱的纽维尔斯踢球了。两个梦想就这么被毁了。为什么普波不给梅西家多一点支持？也许他不想承担梅西留下给他带来的压力？有时候就是这样，某些负责人总以为自己懂的比谁都多，能够掌控一切。但事实往往并非如此，总有人不愿意被动接受，一味妥协。这很可能就是事情的原因，但没人能够证实这一点。

　　"纽维尔斯把罗德里戈送到了一个鬼都不知道的地方，一家训练体系完全不同的俱乐部。"如今的多明戈斯说，"我印象很深，普波对豪尔赫说没有用于那项治疗的预算的时候，完全是出于个人原因。当纽维尔斯的人知道这件事以后，他们完全不敢相信，他们会说：'他就是个白痴！一个疯子！'"

　　豪尔赫花了6个月的时间权衡各种选择，思考完完全全地改变生活是否值得，他还和家中的每位成员都谈过话。有一天，他把所有人都召集在餐厅的桌子旁。当时罗德里戈20岁，马蒂亚斯18岁，梅西13岁，而玛丽亚·索尔只有5岁。在回复巴塞罗那之前，他要看到所有人都赞成这件事。意大利依然是一个选择，但是去西班牙顾虑更少，更吸引人：自从梅西收到了巴萨的答复，他就没有考虑过其他球队。豪尔赫一个一个问他们，甚至包括他的小女儿。还有很多事情不得不讨论，不只是梅西的事。

事情不只是关乎梅西有足够的天赋在一家能够提供最大保障和更好财政支持的俱乐部取得成功，还有其他事情需要考虑：梅西一家希望罗德里戈继续踢足球。那个时候科尔多瓦中央正为升甲而战斗，豪尔赫相信罗德里戈有足够的能力在西班牙通过踢球谋生。此外，马蒂亚斯和玛丽亚·索尔将在一个看上去更稳定的国家里长大，在那里他们能得到比在祖国更好的机会。他们谈论的可是迁往欧洲，很多人想做而没有机会做的事。那段时间里，梅西常常和罗德里戈说他想赢得金球奖。"没有这种疯狂的想法作为取得进步的动力，他的超级天赋也会变得毫无意义。"现在的罗德里戈说。这个家里没有人想阻碍他进步。去还是不去？

去！他们要前往欧洲，每个人都会去巴塞罗那。没有足球，就没有荣耀！

万事俱备，只差一份来自巴塞罗那的最终合同。

2001年1月8日，决定性的一步迈出了。在加泰罗尼亚首府巴塞罗那的一个晚宴上，霍安·拉库埃瓦和里费出席，俱乐部最终确定了合同细节：这位球员每年可以赚到1亿比塞塔（约合60万欧元），同时还能获得肖像权付费（青少年球员合同里的一个新概念）。此外，他们会付给梅西一家人租房子的钱，大约每年700万比塞塔（4.2万欧元），而对于豪尔赫，他将为巴塞罗那下属的安保公司（Barna Porters）工作。

只要梅西签署这份合同，俱乐部就会开始为生长激素治疗付钱。据计算，这项治疗能让梅西长到1米67，而他最终的身高是1米69。

7天之后，沙利·雷克萨奇写了一封官方书信，并盖上了俱乐部的公章：他以自己在巴塞罗那的名誉做担保，向豪尔赫·梅西承诺，一切谈妥的条件都会兑现。3天之后，霍安·拉库埃瓦又寄了一封信以确认经济上的协定。

巴塞罗那点头，梅西一家也点头，那就没有什么能够阻止这份合同生效了。很明显，罗萨里奥已经成为过去。但是，还有一件事需要办。

签约的事尘埃落定，豪尔赫和一个朋友走了75公里，到圣尼古拉斯的神像前致谢。他们从早上5点出发，用时14个小时到达目的地。光着脚的梅西在最后800米的时候加入了他们。最终，他们乘车返回，车上准备着一大瓶水。他们几乎死于炎热和疲劳。

2001年1月15日，经过数周的紧张准备，迅速解决好护照和旅行授权，收拾好行李，梅西一家踏上了前往巴塞罗那的旅途。

基克·多明戈斯回忆说："在冠军联赛的末尾，梅西突然消失了。当时其中一位教练埃内斯托·博查给我打电话，问有关梅西的事，但是我根本不知道他去哪儿了。没人知道任何事，我发誓，没有人知道哪怕一丁点儿消息！我对埃内斯托说有很多人给我打电话问梅西，但是我对于他身上发生了什么毫不知情。于是埃内斯托接着说，梅西肯定不在罗萨里奥了，因为我和他的一些亲戚朋友交流过，没人知道这一家人去哪儿了，只知道他们不在家。四五个月后，埃内斯托又给我打电话，他说：'你猜梅西去哪儿了？他去巴塞罗那了。'我的第一反应是厄瓜多尔的巴塞罗那，离我们最近的那个，因为我完全想不到他会去欧洲的巴塞罗那。对我们来说，欧洲依然是个遥远的地方，这种距离感不只是物理上的。之后埃内斯托很明确地对我说：'不是，是西班牙的巴塞罗那。''你是认真的吗？他在那里做什么？'他告诉我：'他即将加盟巴塞罗那足球俱乐部，他们会为他支付医疗费用。'

"嗨，聪明人，要我说，这可好多了。这消息让我非常非常高兴。我们知道他现在在哪儿了，我们也知道他现在不在一家只把他当工具使的俱乐部，虽然这在足球圈很常见——他们给你一份合同，然后使用你。巴塞罗那和我们简直是天差地别，他们是那种给你一切但是从不会把你当工具使的俱乐部：'你有你的信仰，你的梦想，你做事的方式，我们会支付你的医疗费用，我们会保护你。'这就是梅西将要得到的东西。我们还被告知他爸爸也得到了一份工作，但是他们很可能会对他说：'好吧，你可以等段时间再来上班，看是不是真的还需要工作。'双方一同种植灌溉了这棵树苗，现在就是他们分享成果的时候了。感谢上帝，让他去了正确的地方。

"我猜，纽维尔斯的主席以后一定会这么说：'什么？莱昂·梅西曾为纽维尔斯踢过球？我们去问问普波。普波！是你干的吗？是吗？你给我出去！你怎么能让这样一位球员走掉？'并非普波没看过梅西踢球，他可是常常会去观看训练课的！他是青少年队的技术总监，决定球员去向的人是他，而非教练；他就是做决定的人。主席在顶级联赛的事务就足够多了，我敢肯定他并不知道梅西。"

事实上，纽维尔斯的主席爱德华多·洛佩斯对于梅西的离去未加阻止，这件事在罗萨里奥被人们说了一遍又一遍。"没问题，梅西可以走。我们只要留住最好的：古斯塔沃·罗达斯。"罗达斯16岁的时候就为纽维尔斯首次出战，并且在17岁以下国家队中身披10号球衣，还随阿根廷队在玻利维亚夺得了南美U17足球锦标赛的冠军。之后，他再次被国字号球队征召但是没有选择加入。再之后，他难以适应纽维尔斯，只能前往费德雷尔、埃尔波韦尼尔、库库塔（都是很小的半职业俱乐部）碰碰运气。最终，他去了秘鲁，为胡安奥里希踢球。没人知道他现在在哪里。其实，罗达斯的天赋可能还超出梅西一筹，但是，过高的天赋是否也是个问题呢？

与马塞洛·贝尔萨的兄弟拉斐尔·贝尔萨一同著有《红黑军百年》（*Cien años de vida en rojo y negro*）的记者爱德华多·范德库依给出了更多内幕："梅西之所以离开纽维尔斯，是因为那个时期控制俱乐部的黑帮成员不相信如此矮小的体格能承载得了伟大与出众。他离开也是因为在他的身体最需要物质和精神支持的时候，俱乐部放弃了他。但是纽维尔斯一直把梅西当作他们的球员，而梅西也觉得这是他所属的俱乐部。哦，也许有一天他会回来，尽管已有少许白发。"

　　纽维尔斯是一家历史悠久的俱乐部，依靠出色的青训壮大球队是他们的传统，这也是他们引以为傲的地方。但是，他们也是出口商，总是把那些他们曾经悉心照料的青训球员卖掉。1988年，纽维尔斯取得了联赛冠军，而那个赛季开始的时候，队中每个球员、每个替补甚至每个教练都是俱乐部自己培养的，这也是阿根廷足球历史上唯一一次出现这种情况。"而从那一刻起，这家俱乐部就走向了为期14年的毁灭之路，这完全是某人一手造成的，他在司法机构和部分社会人士的帮助下毁掉了球队。"这件事其实很有名，只不过这里说得很隐晦。那个罗萨里奥人就是爱德华多·洛佩斯，他既是纽维尔斯的主席，也是罗萨里奥当地赌博集团的首脑。那个集团不仅开办赌场，还做一些其他买卖，正是这些生意使得警方注意到了他。

　　有人透露了促使梅西离开的直接责任人：比如说，塞尔吉奥·阿尔米龙，前纽维尔斯的左翼球员，与球队一道赢得过1986年世界杯，当时是俱乐部的体育总监。豪尔赫·梅西打电话向他寻求帮助的时候，他要么不在，要么在最后时刻取消见面。有时他会付给豪尔赫40比索，但这只是治疗费用的二十五分之一，而且只在阿尔米龙慷慨的时候才能拿到。又是一个这家阿根廷俱乐部里从未支持过梅西的人。

　　2008年的主席选举给了这家俱乐部更换掌舵人的机会。洛佩斯一度作为赢家连任两届主席，但14年之后，他终究是输掉了选举。在任期间，他推迟选举时间，质疑候选人名单，甚至让司法部门无法认证投票结果。从2008年起，这家俱乐部努力回归原来的轨道：2013年，在塔塔·马蒂诺的带领下，他们再次捧得冠军。随后，马蒂诺便去了巴塞罗那。2010年的时候，梅西的妈妈塞莉亚声称："这话是为我自己说的，而不是为我丈夫：对我来说，纽维尔斯根本不存在。"她指的是过去的纽维尔斯。现在俱乐部的董事会和豪尔赫还有梅西非常亲近，因此梅西一家也对他们进行了投资，据说在这座体育之城里，一座新的体育馆将会建成，并且还有一些其他项目将会实施。有人预测，豪尔赫未来会成为这家俱乐部的主管，而梅西将身披红黑战袍。

梅西的离去在很多人的心里留下了疤痕，正如赖特·汤普森在网站上所写："多年以来，他（埃内斯托·韦基奥）一直为自己的爱徒感到愤怒。这家足球学校里发生了一些事，而韦基奥也在里面起到了作用。还有很多人也是一样，他们应当被感谢。然而，他们却被世人当作让传奇白白溜走的目光短浅的白痴。负责支付梅西生长激素治疗费用的球队官员一直保留着当时的收据，想要证明他没有做出职业体育历史上最愚蠢的决定，只可惜那收据看上去是伪造的。"

那么梅西呢？2009年的时候他被问及对纽维尔斯是什么感觉，他选择使用外交辞令："感到愤怒？不会，因为我不喜欢这样。我对这家俱乐部充满了爱。我小时候常常会去他们的主场看球，那时的我梦想着有一天能为他们效力。"

在罗萨里奥，梅西身边围绕着认可他、保护他、鼓励他、帮助他的人。他们都希望看到梅西走向顶级。只是在他效力的俱乐部有少数阻碍。"当我们发现那家俱乐部不准备支付他的治疗费用的时候，我们非常伤心。"钦蒂亚·阿雷拉诺回忆说，"当附近的男孩来道别的时候，我和他在一起。他抱着我说'不要哭，不要哭'。"

熟识梅西的人都想送别他。他们就要走了，而且肯定不会再回来了。"我们一直都会在这里。"他的亲戚朋友们说，"你们很勇敢，祝你们好运。"

"我们离开拉斯埃拉斯的时候，所有的朋友，所有我们认识的人，都跑来道别。"2005年梅西对加泰罗尼亚报刊《世界体育报》（*El Mundo Deportivo*）的克里斯蒂娜·库贝洛说，"大家都汇聚在那条街道上。一家人都要离开了，我的父母豪尔赫和塞莉亚，我的哥哥罗德里戈和马蒂亚斯，还有我那时只有5岁的小妹妹玛丽亚·索尔。那一天，我们都非常伤心，马蒂亚斯和我都哭了，而且哭得很厉害。这是一次非常悲伤的旅程；我们舍不得亲朋好友，舍不得叔叔阿姨，舍不得所有人。"

现如今，十多年过去了，他回想起那次旅行仍然觉得是一场梦，当时的感觉太糟糕了——他们近乎是要前往地球的另一端，那个在故事中才听说过的他们的根源。任何的离别都会是这样，有过类似经历的人都会产生强烈的共鸣。

"他离开了，但是一天又一天过去，我们对真相一无所知。"赫拉尔多·格里希尼回忆说，"也许他的邻居知道发生了什么。他是个矜持的人，不是那种知道点什么事就到处去说的孩子。也许他的父母告诉他不要向任何人透露任何事。而且，他刚去过河床，在那里待了一个星期，之后又去了巴塞罗那，可我们根本不知道他在这两个地方试训过。他到了西班牙以后，我们才逐渐了解了这些事。"

"当他和国家队一起来罗萨里奥与巴西队踢比赛的时候，我跑去酒店欢迎他归来，但他当时没办法接待我。"韦基奥回忆说，"不过他的父母过来了，我和他们聊了很久。我唯一做到的事就是在他坐在一组人中间的时候向他打了个招呼，他看到了我并且冲我微笑……这是我珍藏的回忆。"

安赫尔·鲁阿尼，梅西好友"luli"的父亲，说出了下面的回忆："我上一次见到他还是他和我儿子以及一帮朋友在一起，那是在2005年的新年夜，他们凌晨5点才到家。他们把我叫醒然后祝我新年快乐。多么慷慨的祝福，不是吗？"

内斯托尔·罗赞说："他当时所有精彩的表现，我都印象深刻。我不得不离开俱乐部的时候，还帮了他点儿小忙，不过这事估计只有一两个人记得了。"

"2007年委内瑞拉美洲杯上我见到了他，我们已经很久没见过面了。他走过来和我打招呼。这是一种回报，他还是那个在我手下为纽维尔斯九队、十队踢球的孩子。他过来，给了我一个拥抱……你一定要记得：他和我认识的那个小男孩是同一个人。"这段话来自阿德里安·科里亚。这次深情的重逢之后，在2010年南非世界杯上，科里亚作为马蒂诺的助手为巴拉圭国家队效力，他在那里再次遇见了梅西。科里亚走向训练场的时候阿根廷队刚好离开。梅西远远就看到了科里亚，并把球衣脱下来送给了他。现在，科里亚把这件球衣珍藏在他罗萨里奥的办公室里。

那个和梅西一同前往河床试训的男孩莱安德罗·希门尼斯，自从梅西离开阿根廷就再也没见过他本人了，也再也没有和他说过话。"他去巴塞罗那的时候给我留了电话，但是我从未给他打过。我也不知道为什么。上届世界杯开始之前我在脸书上给他留了一条信息。我告诉他，他是所有阿根廷人骄傲的源泉。他当然感谢所有收到的回复，不过他特意给我点了个赞。"希门尼斯笑着说。现在，24岁的希门尼斯生活在布宜诺斯艾利斯，为一家外国的贸易公司工作。他不想再踢球了，除了周六和朋友们一起玩玩。他的足球梦想早就破灭了。

格里希尼在意大利待了6年，并且去看了一场国际米兰对巴塞罗那的比赛，但是他并没有找梅西要票，也没有索要球衣。更早些时候，他在机场和梅西见过面。他回忆道："那时候他还不像现在这么有名。我们相隔这么远，也没有经常交流，这让他又变回了那个害羞的男孩。他只会回答：'是的，一切顺利。你知道吗，在巴塞罗那……'我现在所说的是年仅16岁刚刚步入职业生涯的梅西。对我来说，也许我们要先唠唠家常，或者花几个小时找找过去的感觉，这样才会聊到'你记得那时候……'之类的趣事。但是一开始，如果你有段时间没见过他，他又会变得矜持，有距离感。当然啦，他是我的偶像，但我对待球衣的态度和常人不同，我对那不感兴趣，我更感兴趣的是我们一起吃个饭逛一逛。"

"2005年6月，我去了英格兰，加盟了埃弗顿。"格里希尼继续说，"但是那之后我的运气就不大好了：我遭遇了一场严重的车祸，我们撞上了两辆卡车。我倒还好，只是腓骨骨折，而我的好友，球员胡莱昂·冈萨雷斯，则差点丢掉了性命。他全身多处骨折，医生还对他的左臂进行了截肢。但他在不久之后重回球场，实在是太厉害了！再后来，我连续3次十字韧带撕裂，这使我远离球场长达3年半的时间。后来我完全康复了，不过有时候命运会给你打上标签，如果它们告诉你足球与你并不适合，那你的生活就该朝着其他方向前进。"

迭戈·罗维拉说："我必须告诉我的父母这件事，所以晚饭过后，我这么做了。其实这也不算什么大新闻——我只是确认了他们一直以来的猜测而已。妈妈，爸爸，我要离开足球了。那是在2011年3月，是的，我要退出了。他们曾经那么支持我踢球，为我提供资金。我爸爸说了一些非常直接的话：'这太遗憾了，我的儿子。'确实，真的很遗憾。他知道我有多努力，在纽维尔斯和梅西一起踢的几百场比赛里，他是那个一直关注着我的人……他们依然把我称作'梅西身边的9号'。但是想要在职业足坛取得成功实在是太难了。"

最后的告别来自基克·多明戈斯："不久之前，我们要踢2014年世界杯预选赛，在门多萨阿根廷主场迎战乌拉圭，之后又在客场对阵智利。我的大儿子塞巴斯蒂安、'野兽'马克西·罗德里格斯以及梅西均被征召。他们3个人在同一支球队！现在，他们就要齐聚一堂了！不过由于伤病原因，马克西不得不离开球队返回罗萨里奥，我的儿子塞巴斯蒂安跑过来对我说：'野兽马上就会回来，别忘了找他，他有东西给你。我也不知道是什么，但是他告诉我要先跟你说一声，因为他准备了礼物。'距离我上次执教野兽已经过去20年了，而上次训练梅西是在13年前。最终，马克西给了我一件球衣，梅西和他自己都在上面签了名。曾经有些人对我说：'他们太不知感恩了，连封信也没给你写过。'但我不这么想，当他们有所感觉的时候，事情自然而然会发生。而那一天，他们觉得送我件球衣是个好主意，我非常感激。

"我的感觉是，梅西每场比赛流淌的汗水中，有一滴也仅有一滴属于我，它让我觉得我对梅西的生活有所影响，但我不求任何回报，我不会给他打电话，我什么都不需要。有一天我看到一档致敬梅西的节目，而我也出现在了画面里，当时我正跟他打招呼。如果梅西闭上眼睛，你对他说'回忆你生命中的所有人'……一个名字接着一个名字……希望基克·多明戈斯也在其中，哪怕一闪而过……对我来说这比任何球衣的价值都要大……

"不，我不再是一名教练了。"

多明戈斯、格里希尼、罗维拉等人口中的梅西是不是真正的他呢？他们现在看到的梅西是否又和期望中的一样？阿根廷是个崇尚救世主的地方，要讲述这么一个具有特殊天赋的人，是很难把现在的形象与过去的现实分开的，特别是当这个国家仍处于动荡的时候。现在正是需要英雄挺身而出的危急时刻！这段生活对于梅西来说已经接近尾声，但对于曾经陪伴在他周围的人来说，它永远不会终结。梅西一直和他们在一起，在他们心里，在他们的脑海里。顺便说一下，豪尔赫从来没有去领他在阿辛达最后的薪水。

第二部分　在巴塞罗那

1　降临巴萨

在从罗萨里奥飞往布宜诺斯艾利斯的航班上，莱昂内尔·梅西啜泣不已，就好像他再也不会回来了似的。这是沉默的眼泪，行行泪珠从他脸上不住地滑落。到最后，这个迷失的少年深吸一口气，发出了一声长长的叹息。在去往联邦首都的50分钟旅途中，他就这样大哭了一场。

那是2001年2月15日。在抵达埃塞萨机场之后、登上飞往巴塞罗那的航班之前，随行人员围坐在桌边交谈，努力不再去想即将发生的大事件，梅西也镇静了下来。在前往西班牙的路上，梅西伴着大气湍流引发的阵阵恶心艰难地入睡了。用豪尔赫·路易斯·博尔赫斯的话说最恰当不过：渐渐地，随着他离家乡越来越远，"大海的魔力生效了，离家的悲痛紧随其后"。

这是寒冷的一天，梅西一行人在下午3点左右抵达巴塞罗那，乘出租车来到了球场路上诺坎普正对面的莱利酒店。几天之后，俱乐部召集他们举行了一次会晤，打算把所有合同都签好；但奇怪的是，至今为止还没有人提出要为梅西在罗萨里奥开始接受的治疗支付费用。

最后，时任俱乐部董事霍安·拉库埃瓦同意自掏腰包拿出2000欧元，让梅西得以服用他所需的第一剂药。

就这样，他们在酒店和训练场上待了15天，热情饱满地想让一片混乱的新生活变得井然有序起来。

2001年3月1日，在酒店餐厅里的饭桌上，年轻的梅西在拉库埃瓦的密切监督下签订了他与巴萨的第一张两年合约。拉库埃瓦坚持称俱乐部里的一切官僚作风已经不复存在，并担保梅西最终会成为一名巴萨球员，可他却因此遭到了其他董事的嘲讽。同僚们深信此举绝对是在浪费金钱。然而时间终会给拉库埃瓦的努力带来回报，雷克萨奇、里费和明格利亚的付出也绝非白费。

但事情并没有完：一名不愿公开姓名的董事愤怒地发现，未经董事会批准他们便达成了协议，此前也没有针对此事进行任何商议。一个小毛孩怎么能让俱乐部出这么多钱呢？！这位董事不仅拒绝签署文件——尽管文件已由双方律师和一位副主席签好了——他还雷霆大作，一把将其撕碎。

虽然如此，俱乐部还是承认了这份合约。

"我如果听到有人说：'是我签了这个人或那个人……'那肯定是在瞎扯；你谁也没签，是巴萨签下了他。"当时执掌大权的俱乐部主席霍安·加斯帕特这样说道，"是你出的钱，你掏的口袋吗？你没有，不是吗？所以，签下他的是巴塞罗那俱乐部。也许你是当时的中间人……但你谁也没签。还有人们说梅西是在一张餐巾纸上签的合同。呵，那当然不是真的。这个故事挺有意思，当作花边轶事也还不错，但梅西的合同是由时任巴塞罗那俱乐部副主席弗朗西斯科·克洛萨签署的。他之所以签署，是因为有我的授权。"

最困难的部分还在后头——那就是梅西的适应情况。俱乐部为梅西一家在诺坎普球场附近的卡洛斯三世大街上找好了一套公寓，梅西一家人在3月初搬了进去，此时距离他们抵达巴塞罗那已过去了两周。这间公寓面积很大，有四间卧室、两间盥洗室、一个厨房和一个阳台。从阳台可通往一处内庭，庭中有一个公用泳池，池边紧邻着另一幢楼房，四处树木林立，一片安静祥和。即便在训练开始前15分钟起床，梅西也能够准时赶到球场。这样一来他就可以多睡会儿觉了。路易斯·马丁是《国家报》记者，此人素以爱提一些别人都想不到的问题而著称。据他透露，梅西公寓的看门人5年来都不曾意识到，那个每天清晨和他打招呼的小伙子竟然在为巴塞罗那踢球。"很令人吃惊，不是吗？只不过我不大看足球。我不喜欢足球。"他告诉马丁。

在罗萨里奥，全省的人都会特意来看梅西踢球。但在巴塞罗那，连他的看门人都不知道他是谁。

从一开始，所有的事情都不尽如人意。他真的想成为一名足球运动员吗？让我们瞧瞧他到底有什么过人之处吧。前方的路，崎岖异常。

"我一个字也听不懂。他们都说加泰罗尼亚语！"来到巴塞罗那几年后，梅西回顾他在这里度过的最初时光，言语中既有兴奋，也有恼怒。就像每一个刚加入一群孩子中的新成员都会经历的那样，梅西感到局促不安，怯于张口说话；而他当时得到的理解则比如今人们所承认的要少许多。在头几场训练赛中，他没怎么拿到球，队友们并不会特意鼓励他，这让他觉得自己完全是个局外人。虽然他还只有13岁，但他已经明白，想要被接受就得付出代价——他来到这里，就很可能要替换掉那些一起踢球的朋友中的一个。

一些队友向梅西透露，在头几个星期观察梅西水平的几位教练中，有个人让几个孩子同梅西进行激烈的对抗；他不想让梅西留在巴塞罗那。后来梅西在阿根廷电视节目《罪盒》（*Sin Cassette*）中解释说，此人正是"让我在比赛中一脚出球，不要盘带太多的那位教练。但老实说，我不怎么在意他说的话，我还是做着我习惯的事情"。

世间万事皆如此。一旦门敞开了，人们确认了你会继续留在团队里，你就会被接受，队友的态度也就随之转变。但是梅西永远也不会忘记最初的那几周，那些日子是如何让他意识到自己作为局外人的地位。他感觉到，他终于在俱乐部里赢得了自己的位置。

作为一个外国人，梅西不能跟随与他年龄相符的巴萨12~13岁少年A队（Infantiles A）一起参加正式比赛，只被允许在加泰罗尼亚地区联赛和友谊赛中出场。更重要的是，队内的小伙子们状态极佳，还剩7场比赛时就已锁定了冠军。球队里有个不成文的规定：在一帆风顺的赛季中不要轻易更换未尝败绩的阵容。有鉴于此，球队教练鲁道夫·博雷利对梅西的使用颇为保守。无论如何，这位阿根廷小将身体上的弱点太过明显，以至于博雷利会在训练课上提醒队员们，同梅西拼抢时要小心一些。"别踢到他了，"梅西第一次踏上绿茵场训练时，教练这样要求后卫球员，"他太快了，而且还太轻了，你很容易不小心弄伤他。"他可能看起来一无是处，但却非常难以阻止。他不断寻找着二次、三次带球推进的机会，疾步如飞。一天下午，梅西又在炫耀他的球技，塞斯克·法布雷加斯怎么也无法将球从他脚下抢过来；梅西让他颇有些难堪。"塞斯克，冷静点，他还只是个刚来的，你想怎么样？"鲁道夫再次提醒队员们小心一些。为了缓和气氛，皮克喊道："我们能怎么小心？我们根本没法靠近他！"

"他太不可思议了，他接到球后就开始过掉每一个人，每堂训练课他都是这么度过的，带球过掉每一个人然后射门得分，不论对手是谁。"维克托·巴斯克斯回忆道，他曾同梅西一起在低级梯队中征战过数年，"我们此前从未见过这样的打法，因为我们的球队更注重传球；而他则是接到球就开始盘带。我们曾在私底下说，他踢球很个人主义，但那是刚开始的时候。很快我们就意识到，我们应该为队中拥有一名如他一样的球员而感到庆幸。"

博雷利厌倦了动辄以六七个球肆虐对手的大胜，他想让这支球队同一些年龄较大的球队踢一次锦标赛，好让球员们"感受到压力"。巴萨接受了他的建议，把小伙子们送去了葡萄牙，参加由庞蒂尼亚俱乐部主办的锦标赛。在这里，包括皮克、法布雷加斯、巴斯克斯、马克·佩德拉萨、拉斐尔·布拉斯克斯等人和刚刚加盟的梅西在内的传奇一代，将面对比自己年长两岁的对手，同数支葡萄牙球队、一支法国球队和一支德国球队争相角逐。由于这并不是正规赛事，梅西才得以出战。最终，他们在8支球队中以第3名的成绩收官，梅西也感到舒服而自在。

又一场测验通过了。

3月6日，由于纽维尔斯仍未寄送出国际转会文件，梅西从加泰罗尼亚联邦处获取了一张临时许可证。俱乐部很清楚博雷利这支少年A队的实力，他们决定：如果梅西降到哈维·略伦斯执教的少年B队（Infantiles B），他可以得到更多固定出场时间——这也是"小跳蚤"梅西职业生涯中唯一一次成为队中年龄最大的球员。

在纽维尔斯时，梅西甚至还要在教练无暇抽身时做热身活动；而在巴塞罗那，他还没有完全进入他的舒适状态。

尽管当时俱乐部正值革故立新之际，形势对于新人而言颇为复杂，但从未有人怀疑过梅西的天赋。他每周随略伦斯训练4次，从早上6点练到晚上9点。梅西通常在6点前到达，领取俱乐部为他准备的装备，更换好衣物，然后开始训练。他也从来不会在训练结束后急匆匆地赶回家。

"你从哪儿来？你踢什么位置？"在少年B队的第一堂训练课上，孩子们朝梅西问长问短。他比同伴们都大一岁，但身板却比他们小得多。"经典前腰。"他回答说。没人知道这个词儿到底什么意思；这是一种阿根廷风格的表达方式。但是第一周结束后，一个男孩跑到略伦斯跟前问道："他会一直替我们踢球吗？"这问题变成了一个反问句。男孩希望得到肯定的答案，但却未能如愿——教练宁可对此避而不谈。很明显，梅西太出色了，绝不属于这个级别。

"我清楚地记得我们在训练时踢的一场比赛。"少年B队的助理教练说，"我们队得到了一个角球，梅西遵循指示跑到禁区边缘防守。球落向了他，他便开始向对方球门奔袭，一路纵贯整个绿茵场，就是在迷你球场对面、我们称作三号的那个球场，过掉了一名队员，两名队员——对方球员都在球场另一端忙于进攻，所以后场没有几个防守者。他来到了对方禁区，又带了两步，然后祭出了当年马拉多纳对阵贝尔格莱德红星队时使出的动作：在假动作的掩护下打进了一记小吊射。不可思议。他进球后就回到了中圈，好像什么也没发生一样。你只能看着他，不自禁地想……我的天啊！他往回走时都没朝板凳席看一眼，直接来到中场同队友拥抱了一下。如果其他球员完成了类似的动作，他们都会望向板凳席来吸引你的目光，确认他们做得好还是不好。但他不那样。他就用他自己的方式完成了这件事。这是我毕生难忘的一件小事。就好像什么都没发生一样。"

不久之后，哈维·略伦斯应华金·里费的要求撰写了一份报告，证实身高1米47、性情内敛的莱昂内尔·梅西就是一位"小马拉多纳"，身形虽小，但速度与技巧上佳。

梅西符合了加泰罗尼亚地区联赛的参赛条件，在阿姆博斯塔的球场上，他身披9号球衣，完成了其巴萨生涯的首场正规比赛。当场比赛，少年B队共打入3粒进球，梅西贡献了其中之一。自然而然，他被选中出战4月21日对阵埃布罗河学校竞技的比赛。

下一场比赛当天，两支球队的队员们一起用过了早餐，然后在球场上合了影。照片中，对方的10号球员马克·贝热站在瘦骨嶙峋的梅西身后。但其实，巴萨这边的球星并不是刚刚入队的梅西，而是身体素质极佳的射手门迪。

比赛开始了。这是个好消息。

梅西代表巴萨12~13岁少年队完成了他的第2场正式比赛，从而达到了西班牙足协的要求，今后可以出战国家级比赛。这一规定是青年教练阿尔伯特·贝奈赫斯几乎在偶然间发现的：这件事也进一步证明，巴萨当时对于梅西的将来毫无准备，一无所知。作为外国人，如果梅西没有踢这两场比赛，他就不得不跳到下一级梯队——也就是Cadetes级（青训营中球员年龄在14~15岁之间的梯队），然后直接进入巴萨B队参加乙级联赛；如此一来他就不能获准进入巴塞罗那体系的两个中级阶段，而其他球员往往都会在这两个阶段中得到历练，以确保球员可在各级梯队中循序渐进。

由于不知道外国球员必须在少年梯队踢至少两场比赛，俱乐部在无意间影响了许多其他球员的职业生涯。多亏了贝奈赫斯无意间的发现，梅西才没有偏离正轨，但一位名叫吉尔伯托的巴西少年则没有那么好运。他没有参加过少年级比赛，正常的升级过程因而受阻，于是俱乐部决定将他租借出去。然而，离开巴萨后，吉尔伯特并没有适应半途而来的改变，最后在小联赛中泯然众人。有时候，成功与失败之间只差毫厘。

接下来的就是坏消息了。

比赛哨响后不久，球传到了左翼的梅西脚下，但他却没能控制住。边线球掷出，球队合影中站在梅西身后的贝热准备将球开向前场，却没想到这位阿根廷少年抬腿阻碍了他。结果？梅西左腓骨骨折。这是梅西职业生涯遭受的首次重大伤病，接下来的两个月里他都因此远离赛场。"你说是我踢断的？我的圣母玛利亚啊！"许多年后，《自由人》杂志同贝热说起当天发生的事情，后者这样惊叹道，"并不是我不知道我伤了梅西的腿，而是我根本不知道我伤了任何人的腿。"事实上，这都不是个犯规。

"他就在替补席前受的伤。"哈维·劳伦斯回忆道，"我们察觉到发生了严重的事情，然后就把他送去了医院做检查。起初他痛苦地扭动着身体，但很快就平静下来了。他说他把自己伤着了，但并没有呻吟或是怎样。他的父亲在医院里陪他。我当时不能过去，因为我们还没踢完比赛。一位董事陪他去了。然后这孩子就问：'我怎么了？我要停赛多久？'如果一名球员受伤了，他会想：'明天我想去跑跑，但现在我不能了。过几天我有一场比赛，但现在我踢不了啦……'这就是他脑子里想的。"

梅西不得不在腿上打起石膏。他偶尔也会撑着拐杖去训练，在这个13岁孩子的身上，一股令人惊异的力量引起了训练师的注意："我们并不需要鼓励他，你看得到他很坚强。"然而，他身边的人们却记得他当时"糟透了"的情景。不用别人提醒，他的妹妹玛丽亚·索尔就非常清楚，想把梅西从训练场带走、让他远离足球是多么困难。有那么几个下午，一天的训练太冗长乏味，她便会一言不发地握住梅西的手。

到了6月，离复出还有一个星期，他的左踝韧带又不幸拉伤。下楼时受的伤！又是3周不能踢球。他的身体并不是太小了，而是太脆弱了。到这段不幸时期的末尾，此时距离他来到巴塞罗那已过了6个月，可他才踢了两场正式比赛和一个友谊锦标赛。

梅西/库奇蒂尼一家回到罗萨里奥度过了夏天，结束了这短暂而颇不正式的第一个赛季。在这之前，母亲塞莉亚就已经飞回家去陪伴她那要做肾脏手术的妹妹马塞拉。

但是情况发生了变化，他们在西班牙的头几个月里，一盏灯逐渐黯淡下来。此时已经14岁的梅西是否还会回归他的新球队？这个夏天过后，他是会选择留在家乡还是举家回到巴塞罗那？一切都悬而未决。

据说早在全家人离开罗萨里奥之前，豪尔赫就曾向他母亲的表亲寻求过帮助，后者就住在离巴塞罗那76英里远的列伊达。但其实，直到梅西一家在西班牙安顿下来数个月之后，双方才得以见面。在没有任何安全保障的情况下，梅西一家开始了这场未知之旅，他们甚至连件救生衣都没有，没有任何家人的支持，有的只是他们5人在卡洛斯三世大街的公寓里为彼此加油打气。

在巴塞罗那的头几个月里，所有这些，还有对失败的恐惧，让他们更加紧密了：他们的自由时间都在一起度过，一起享用餐点，也一起承受失落。梅西想去看看大海，于是他们就一起步行去了海边。"我们去了海滩。我以前生活在一座沿河的城市，那里没有海，所以沙滩对我们而言很有吸引力。海边很冷，这有点儿让人感到悲伤，但我喜欢那儿。"2005年，梅西对《世界体育报》的克里斯蒂娜·库贝洛吐露说。

豪尔赫试图确保家人之间的和谐不受这些挫折的影响，但梅西不能踢球，这是他们走到这一步的主要原因。此外，巴萨并没有兑现诺言，他们也没抓紧完成必要的文书工作。9月份的考验过后，你已经可以看出些许敷衍而不紧不慢的态度；而今所有文件都已签字盖章，一些质疑声便开始浮出水面，这也证明了梅西并未得到真正的关怀。更有甚者，豪尔赫的工作问题还没解决，最后他只得写信给俱乐部主席霍安·加斯帕特，述说这种被遗弃的感觉："我和我家人的处境令人感到绝望。我所有的必要紧急预算仅可供到本月为止，我们之间签署的合约应已生效，可如今我仍未收到任何新付款项的通知，也没有任何人和我沟通我接下来应该怎么做。"这封孤注一掷的信写于2001年7月9日，许多年后由《体育画报》杂志公开发布。

　　怨愤之情赫然纸上，洋洋洒洒，字字深沉。梅西一家感到被人欺骗了。倒并不是被巴萨作为一家俱乐部所欺骗，而是被那些信誓旦旦地说会照料好他们一家的人所欺骗，这其中还包括一些球员代表。梅西是巴塞罗那俱乐部主要的——或者用更准确的话说——唯一的担忧：他们想让梅西去学校，去训练，想确保他进食妥善，想监督他的身体成长和荷尔蒙动态。梅西和他的父亲是一家人中仅有的两位拥有外国人身份证号码（Número de Identidad de Extranjero，在西班牙的非西籍临时居民必须拥有的一种身份识别号码）的人。正是为此，罗德里戈不能继续踢球，玛丽亚·索尔也只能上一所州立学校，在那里她因为其外国人身份而遭到了不少歧视，而把女友留在罗萨里奥的马蒂亚斯则因背井离乡而感到孤独落寞。家庭生活的根基慢慢在其接合处分裂开来。

　　巴萨一队屡屡尝试冲冠失败，整个俱乐部也因而陷入了雾霾之中，而梅西则被俱乐部内外一致看作实验品。人们都在想："让我们瞧瞧他能带来些什么吧。"他只不过是个数字，或许算是一笔不错的财政投资。但问题变得愈发明显：在如何运用梅西这件事上，巴萨董事会既没有经验，也不够精明，而且还缺乏理解。

　　与此同时，同所有的巴萨年轻人一样，梅西要去列奥十三世学校上课。他并不喜欢这所学校，所以他的成绩也不太好。他并不懒，只是没什么兴趣；和很多人一样，他会打开一本书的某一页，眼睛盯着书本却并没有阅读，这样一直保持到课堂结束。他上课了，但心不在此，只不过是为了遵守规定——但就是这样：他知道，想要成为一名职业足球运动员就得如此。他也照做了，尽管并非心甘情愿。

有时候，在拉玛西亚校门前接送男孩们的校车等不到梅西就开走了。训练，是的。休息，没错。还有索尼游戏机，一天中的任何时候都有可能。其他的一切：不是很多。梅西在罗萨里奥读完了中学第一年，但在巴塞罗那，他在只剩两门课程就可以升入大学之际辍学而去。他在体育方面仍然出类拔萃，可是却很快抛弃了当一名体育老师的童年梦想。塞莉亚希望他能用功一点，以防他的足球生涯真的遭遇失败；然而，虽然家人经常讨论梅西在课堂上不专心的表现，但这个问题很快就被忘记了。2004年，年仅17岁的梅西升入巴萨B队时，他已没有多少时间可以花在课堂上；他全身心投入到训练场上和健身房中，专注于增加肌肉。他有了无懈可击的借口。以后再也不用上学了；成为职业球员的目标似乎越来越近了，课堂也就失去了吸引力。

但是让课堂显得不那么吸引人的还有其他的东西。在巴塞罗那，在列奥十三世学校，梅西是个"异类"——他来自异国他乡，说话有口音，衣着习惯与众不同，沉默寡言，还发育缓慢；他是同学们嘲讽的对象。同拉斯埃拉斯的情况不同，光靠炫耀足球技巧来赢得所有人的赞赏和无条件的尊重没法克服这些问题，因为在这所加泰罗尼亚学校，这里还有其他人，还有同他一样优秀的队友。

所以他必须迅速强壮起来。在公共场合，梅西变得比在阿根廷时更加缄默了，有了一副大男孩们才有的姿态，神情严肃，郁郁寡欢。他更喜欢倾听，喜欢静坐着，喜欢观察。在被年龄比他大的人包围、远离足球的时候，他看起来不像个正常的男孩，总是沉闷迟钝且心不在焉。父亲说，对于这件事问题更多在他身上而非梅西本人，而母亲则认为梅西很坚强，只是生性安静。他们都是对的，但最重要的是，梅西毕竟是个身处异国他乡的孩子。

在罗萨里奥，他过着一个孩子应有的健康的生活，整日梦想着走上十一人制的绿茵场参加比赛；梦想着升到纽维尔斯的第一梯队。他想和他的父亲还有哥哥们一样，成为一名足球运动员。后来他开始训练，开始踢比赛，开始面对教练们敦促的十一人制比赛的重要问题，开始必须对自己的行为举止认真负责，还要面对那个经久不消的问题："你想成为一名职业足球运动员，是吗？"因为有了移居国外的机会，年仅12岁的他就不得不直截了当地做出回应。自此，足球再也不是简单的比赛了。

突然之间，所有的事情都变成了黑白两色。是或否？他想不想成为职业球员？他会尽一切必要的努力来实现这一目标。他不介意远赴异国。即使年纪尚幼，他也必须给出正确的回答。"是"就是唯一的答案，他绝不能答错。这些压力并非来自于他的导师教练，而是来自于失败将给他的家庭带来的悲惨后果。他的父亲放弃了工作，他的母亲与家人告别，他的哥哥们把自己的朋友抛在身后。如果没能成功，接下来该怎么办？许多同龄的孩子也感受过同样的压力，担心他们的未来会被永远扼杀。

总有那么一颗种子，几乎是主人在潜意识中种下，在这些少年的内心深处生根萌芽。自从为少年梯队参加比赛时起，梅西就常听人说有朝一日他定会在甲级联赛里踢球。11岁时，梅西对哥哥罗德里戈说他想要赢得金球奖。这不再是一个七八岁男孩的天真幻想；这是一种坚定的拒绝，坚决不让那种最遥远的可能性——他不能完成目标，故事最后会以彻底的失败告终——飘进他的脑海里。

从为了乐趣踢球到想要以此谋生，绝大多数迈出了第一步的男孩都曾经历过这些。但是，对于那些将一切抛在身后，破釜沉舟追随梦想的人们尤为如此：失败不在他们的选择之列。假使失败可以被纳入考虑范围（当然它永远都不会），他们的整个世界就会分崩离析。梅西和其他许多12、

13、14岁的男孩们每周的每一天都会用一种大人才有的确定的姿态告诉自己，一切都会有好结果的。但现实是，很多事情——尤其是在那种程度的期望之下——很难有好的结果。

这种不同寻常的心态不仅要将失败的可能性拒于千里之外，还伴随着情绪上的压抑。人的情感会因此变得迟钝起来。

莱昂内尔·梅西来巴塞罗那时，正是普约尔主义的鼎盛时期。这是由前加泰罗尼亚总统霍尔迪·普约尔于1980年提出的一项政治纲领。这一纲领深得加泰罗尼亚地区中产阶级、教会和知识界的拥护，至今仍然存在。作为一种意识形态，它力求创造一种加泰罗尼亚式的理想，旨在为后佛朗哥时代的加泰罗尼亚民族带来凝聚力。

该纲领最初的几个指示之一就是恢复一个于每年9月11日举行的国家假日。这个日子在加泰罗尼亚民族主义者们心中留下了深深的烙印，他们会回想起1714年的这一天，西班牙波旁王朝征服了他们的国家，加泰罗尼亚从此失去了其国家身份。显而易见，这是有人刻意利用人们心中一种被排斥、被迫害的感觉，正因为此，保守国家主义的意识形态才得以如此盛行。利用并宣传马德里中央政府（公正而言，此处既指历史上的马德里政府，也指当今的马德里政府）的歧视行为正是普约尔主义及其政治分支——团结统一党（CiU）的标志性特征。此事常常在国际上引起误解，因为许多观察者都会把加泰罗尼亚和自举加泰罗尼亚旗帜的保守民族主义意识形态弄混淆。"普约尔主义"特意曲解了这样一个事实：你有很多种方法可以成为一个"加泰罗尼亚人"，而这些方法都是合法的。

然而，地区当局却听从了普约尔的幻想，实施了诸多进一步满足公众情绪的激进改革措施，结果一项提倡积极区别对待的纲领在人们心中根深蒂固。影响最为深远的一项措施是强制要求所有州立学校使用加泰罗尼亚语授课。这一措施来源于教师亚历山大·希利所拥护的信条，此人以自己在魁北克和美国教书的经历为基础，提出不应让语言将学生们分隔开来。他的理念最终被庄严地载入《1983年语言政策法案》中，为人们所铭记。

巴塞罗那俱乐部变成了普约尔主义政策实施的中心地。巴萨被当地人视为加泰罗尼亚国家队，常被政客们用来煽动并输出民族主义情绪，同时以此团结近期迁入的人口，让他们"成为"加泰罗尼亚人。民族主义者利用了巴萨，而俱乐部也迫于压力弯下了腰。其结果就是——至今仍是——这样一种反常的观念：要想成为真正的加泰罗尼亚人，你就必须支持巴萨。

在2001年春的巴塞罗那，有着"梅西"这样的姓氏并不会带来什么压力——梅西一家只是许许多多南美移民中的几个人而已。他们从罗萨里奥迁来时，该学年仅剩4个月，而梅西的妹妹玛丽亚·索尔则不得不学习一门全新的语言，才能迅速融入到州立教育体系当中去。由于钱款一直拖欠，巴塞罗那各项政策又颇难通融，她无法去私立学校就读；在那里，语言上的障碍不再是问题，一切都会得到妥善的解决。

她马上就要迎来6周岁的生日了。

州立学校有义务欢迎并帮助新来的学生，但绝大多数的教学活动是以加泰罗尼亚语进行的。卡斯蒂利亚西班牙语也在逐渐引进。一个移民来的孩子适应情况如何，这要取决于许多因素：其他学生的出身和社会背景，其他移民儿童的比例（在玛丽亚·索尔就读的学校比例偏低），当然还有该学生迅速学习与适应的意愿。或许索尔纯属运气不好，才入读了这所父母被迫为她选择的学校。但总体而言，这也事关加泰罗尼亚社会内部的冲突：虽然当局鼓吹民族自豪感，但那些不会说加泰罗尼亚语的人们仍时常遭受社会歧视和经济歧视。"Sudaca"（一个颇具轻蔑意味的词语，用来指代拉丁美洲籍移民，即英语中的"Spic"，中文的"南美佬"）从来不会得到北欧白人所享受的同等善意与认可。学校方面曾自发地尝试消除歧视，也确实做出了一些努力，但在街头巷尾，在商店里，在邻里之间，仇外情绪仍如幽灵一般挥之不去。

梅西一家感到被孤立了，用阿根廷话说，就好像是"另一口井里来的臭虫"。西克·罗德里格斯在他的书中也这样叙述了拉玛西亚青训营球员父母的情况。豪尔赫·梅西在书中说："这是一个非常艰难的改变。着装打扮、行为习性、价值观念、饮食习惯……所有的东西都不一样。我们必须从头开始，完完全全从零开始。甚至连语言都不一样。我们不得不适应加泰罗尼亚语。"

阿根廷是个自豪的民族，阿根廷人对其传统充满了敬意，并渴望着将其传承下去。或许没人曾想过要让他们在加泰罗尼亚留下一小段历史。这是一个深受歧视与压抑之苦、如今正试图通过推广本民族语言来显示自身权威地位的地区，也许来自阿根廷的人们早已认识到了这一点，并为此感到深深的同情。阿根廷人对压迫并不陌生，虽然他们花费了远多于预料的时间才能融入这个令人沮丧的新社会。除了情感上的剧变和久未解决的经济问题，他们也认识到巴萨对于任何问题都一如既往地缺乏敏感，这便意味着梅西一家在卡洛斯三世公寓里的晚餐也变得越来越紧张了。

事态继续恶化，玛丽亚·索尔也度过了她的6岁生日。全家人鼓起勇气想让她度过一个特别的生日，但很明显，这孩子并不开心，因为她那幼小的心灵已幡然领悟，这个世界原来是一个充满恶意、冷酷无情的地方。到了必须上学的时候，索尔哭闹不止，塞莉亚和豪尔赫都为此苦恼万分。为求安慰，塞莉亚参加了学校里的家长会；在会上，她问老师们能否使用卡斯蒂利亚语授课，却只被生硬地告知："等散会了我们会跟你解释清楚的。"他们已经达到忍耐极限了，或者说似乎达到极限了。在2005年6月接受阿根廷杂志《为了你》（*Para ti*）采访时，梅西回想起这段时光说："（玛丽亚·索尔）既没有适应学校，也没有学会加泰罗尼亚语。"

很久之后的2009年，"小跳蚤"在阿根廷TVR电视台接受了一次采访。采访中，有人问他学习加泰罗尼亚语进展如何。梅西承认在初学时遇到了不少困难，但也说他觉得在学校里已经学得够好了。"现在很简单了。"他说。主持人请他用加泰罗尼亚语说"晚上好，我是莱昂内尔·梅西"，可他却因受到密切注视而颇不自在，他做出了尝试，却只支支吾吾地说出了"Bona nit……y"（晚上好）。看到他连这个词儿也说不完整，观众们捧腹大笑。

奇怪的是，梅西公开发表的第一份政治声明就是对加泰罗尼亚语的忠实捍卫。2012年12月6日，他参加了赞助商土耳其航空公司举办的一个活动，在活动中这家公司任命梅西为其国际代言人。这次活动正是由笔者主持的。和许多类似活动的情况一样，在媒体提问之前，梅西的新闻负责人和巴萨媒体部门的代表已经制定好了会场规则和提问范围。谁都没想到，现场的一位记者竟问到了教育部长何塞·伊格纳西奥·沃特试图对其教育法案做出调整的问题，这在加泰罗尼亚人看来是对加泰罗尼亚语的抨击。针对这件事，巴萨曾发布一则消息，证实他们在其教育系统中使用了加泰罗尼亚语："加泰罗尼亚语及其在课堂教学中的使用是我们个人身份的一部分，也是我们的社会凝聚团结、人民和睦相处的一大要素。"

听到这一问题，我看了看梅西的新闻负责人和巴萨的代表。他们隔着一段距离，互相望向对方。在梅西回答之前，他们有一两秒钟可以做出回应。梅西的媒体负责人朝我点了点头。没关系，让他说吧。梅西最擅长的是回避形形色色的问题，他并没有做好回答的准备。他说自他来到加泰罗尼亚时起，他就"在加泰罗尼亚语环境中成长、钻研、学习加泰罗尼亚语"，称他从未在这方面遇到过"任何问题"，因为"一个男孩懂的语言越多，他得到的益处就越多"。他身边的人将这个回答引为典范。

然而，11年前，那种强烈的疏远感、面对新环境时普遍产生的陌生感缠绕着他们，梅西家中一半的成员都想回到阿根廷去（并留在那里）。

于是，如我们看到的一样，在那个艰难的赛季临近尾声之际，梅西和他的家人回到了罗萨里奥度过了暑假。他们在拉斯埃拉斯的家中集会，此时这个大问题已经无可避免：索尔要留在阿根廷。谁都不想再看见她哭泣了。梅西不得不决定他接下来想怎么做。

豪尔赫在《罗宾逊报告》（*Informe Robinson*）中回忆道："有一天我问莱昂：'你打算怎么办？因为这是你的决定，如果你想回阿根廷，那我们就回去。'"豪尔赫为他的儿子提供了无条件的爱，给予了他全部的支持。他们的目标很明确：梅西想成为一名足球运动员，而豪尔赫则希望儿子的这个决定——不论是什么——不要成为一次失败的选择，而是朝终点线和美好结局迈出的新的一步。梅西必定也清楚，没有人能担保他一定会成功。谁都不行。然而他发现自己正处于一个十字路口，虽然他才刚满14周岁，却不得不做出抉择：要么大家一起回阿根廷，要么全家人天各一方。

"莱昂看着我，"豪尔赫继续回忆，"然后说：'不，我想留下来，我想在巴塞罗那踢球，我想为巴萨征战西甲。'那是莱昂的决定，是他自己的决定。没有人强迫他做任何事。这就是我为什么要留下来陪他。塞莉亚则和其他孩子一起留在了罗萨里奥。"

梅西一家即将分道扬镳。

他们心底里希望这只是一次短暂的分离。他们一定也想象过不久之后一家人团聚的情景。如果人们意识到某些事只是暂时的，他们的精神动力就会在坚定的信念中变得强大起来。豪尔赫和塞莉亚的意大利籍祖父母离开欧洲时，只知道他们将同家人永远分别，再也不回来。而21世纪初移民到欧洲的这个阿根廷家庭再度分离时，则坚信他们一定会竭尽所能与深爱的家人重聚。梅西一家人清楚地知道，他们一定可以想办法做到的。你必须得试图理解他们决定彼此分离时的心路历程：像他们这样的人有着我们中绝大多数人所没有的远见。仅为了让一个孩子在一项吞噬了无数人梦想的竞技体育中获得成功的机会，有多少人甘心就此与自己的爱侣和3个孩子分居异国？

豪尔赫在《罗宾逊报告》中承认，他的妻子更希望他们能一起回家，因为在巴塞罗那，"对孩子们而言，他们就像是换乘了一艘船，一心想回家。真相是，在一个至关重要的时刻，诸多负面因素都凑到了一起"。

别忘了梅西一家的意大利血统，在这样的家庭中，一切都是围绕着母亲建立起来的。而梅西即将与母亲分离，每年只能见两次面，平日只能通过电话和互联网联络。豪尔赫留在巴塞罗那照看梅西。几个月后，罗德里戈也加入了他们之中；但目前而言，卡洛斯三世大街上的四居室公寓里就只有梅西父子二人。

梅西很敬爱他的母亲，但他的父亲才是那个告诉他对或不对的人。两人之间的关系非比寻常，因为父亲还要负责梅西的各项事宜。梅西的父亲是一个管理者，一个当了父亲的管理者，事无巨细他都会一一过问。但梅西永远也不会忘记，正是他的父亲，为了他牺牲了自己的生活。

塞莉亚、罗德里戈、马蒂亚斯和索尔将要回到罗萨里奥生活。回罗萨里奥？倒不如这样想：就仿佛是拿破仑遭遇滑铁卢时一样，他们并非是撤退，只不过是朝另一个方向前进罢了。罗萨里奥是目的地还是始航点？不论它是什么，回到拉斯埃拉斯后，他们终于重新感受到了家乡的感觉。

"我们两兄弟都有女朋友，所以我们留在了阿根廷。"马蒂亚斯在《罗宾逊报告》上回忆道，"其实我们都知道……是我们留下了他孤身一人……而他一直在说，家庭是他拥有的最重要的东西，说我们一直在帮助他，这话也许是真的；但在那时，尤其是从我的角度看，我觉得是我把他一个人留在了那儿，你知道吗？这就是为什么我不愿回想起那段时光……"说到最后，他支吾了很久。请把您自己放到马蒂亚斯的位置上想一想：其实他也是被抛下的，远离了他最崇拜的父亲和最疼爱的弟弟。

罗德里戈的话一样发自肺腑："我们适应得非常不好。这是个问题，我们一家很团结，但其中一人在忙忙碌碌，而其他人则无所事事。因此我们都以不同的方式承受着苦痛。不幸的是，我们最后还是分开了，但我们一直在两地间奔波往返。我们每年都要跋涉两次。"

罗德里戈放弃了成为职业足球运动员的想法，在某种程度上是因为没有机会，但也是因为缺乏成功路上所必需的雄厚野心。他梦想着成为一名厨师。罗德里戈带着女友弗洛伦西亚一起回到了巴塞罗那协助梅西父子，同时报名参加了一套烹饪课程。最终他还是回到了这座城市，这给梅西带来了莫大的家的慰藉。让人有些困惑的是，后来的罗德里戈有时就像是梅西的父亲，而梅西则像是他的儿子一样。他们的角色改变了。

豪尔赫·梅西后来承认，如果他可以再做一次决定，从头再来一遍，他绝不会再让一家人分开。

大约就是在那个时候，梅西险些就去了皇家马德里。

就在2001年的那个夏天，巴萨换了一位新的总经理——哈维尔·佩雷斯·法盖尔。8月，健康的梅西从罗萨里奥归来，做好了征战下赛季的准备，可巴萨通过球员身份委员会向国际足联表达不满，称纽维尔斯仍未发来梅西的转会文件，没有这些文件梅西上场比赛的机会将严重受阻。与此同时，法盖尔草草翻阅了于几个月前拟定的梅西的第一份合同，却困惑地发现俱乐部竟保证每个赛季要付给他1亿比塞塔，这个数目对于一名还不能完全派上用场的球员来说实在是太大了。这一决定并非出自他手，现今他认为应该撤销这份合约才合适。

双方重新协商了一份金额更少的新合约：俱乐部每个赛季将付给梅西2000万比塞塔（12万欧元）。平心而论，过去巴萨一直因类似的问题而深受其苦，他们为年轻球员支付了巨额薪水——尤其是哈鲁纳·巴班吉达，此人年仅15岁就完成了他的一队处子秀，但4年之后却被租借给了乙级联赛的塔拉萨，从此便与高水平足球赛事失之交臂；还有边锋纳诺，两人都拿着与巴萨B队球员水平相当的薪水。可以理解，俱乐部当然不愿再次犯下同样的错误。豪尔赫得到的解释是，青训营中年轻球员的薪水有上限规定，他们不能越过这些限制。但在此前的谈判中，从没有人提过什么工资帽或薪水上限。

　　双方试图达成共识，紧接着又进行了几次会面，但是想要弥补新旧合约之间的差距是不可能的。俱乐部提议召集所有跟进梅西事宜的相关的负责人，让他们和所有董事围坐在一起研讨解决方案。这些人包括了明格利亚、霍安·拉库埃瓦、巴萨人力资源部的豪梅·罗德里格斯、华金·里费、球员联络人卡雷斯·纳瓦尔、董事总经理安东·帕雷拉、各经纪人和律师。双方都不肯妥协，谈判不可避免地陷入了僵局。一位董事不理解为何豪尔赫和梅西不肯接受俱乐部的出价，问道："他以为他是谁，马拉多纳？这事儿不用谈了，他可以回阿根廷了。"

　　这一言论概括了许多俱乐部成员的态度，也完美说明了此前几个月以来巴萨方面明显没有付出足够的关心与重视。显然，俱乐部丝毫没有被梅西一家所做的牺牲打动。如今看来，继续把所有赌注都押在同一张牌上就太愚蠢了。

　　谈判已经破裂，似乎没有任何挽回的余地。

　　一通电话打来，电话的那一头是时任皇家马德里体育总监豪尔赫·巴尔达诺，他确认"白衣军团"打算每个赛季付给梅西2000万比塞塔或更多。但巴尔达诺并不想同巴萨正面交锋。如果梅西愿意以自由球员的身份加盟，他会欢迎之至。

　　皇家马德里并未给出正式报价，但也没人需要正式报价；每个人都很清楚当时的情况。"我觉得我们该去马德里。"房间里有人喃喃地说。

　　最后，梅西父子做出了让步，他们与巴萨达成了协议，但在此过程中他们与一些人的关系破裂了。豪尔赫·梅西发现他被一些自己深深信任的人欺骗了，此事的揭露带来了糟糕的后果。作家罗伯托·马丁内斯在他的著作《巴塞罗那的阿根廷球员》（*Barçargentinos*）中写道："豪尔赫·梅西受够了等待俱乐部那迟迟未来的消息，他首先要求尽快改善自己和他的家人的待遇。久等之下，他并没得到任何回应，于是他同新任总经理进行了会面，讨论他是应该留在巴塞罗那还是回布宜诺斯艾利斯。结果让他大吃一惊。佩雷斯·法盖尔告诉他，那些为梅西筹划西班牙之旅的人中，有人向巴萨开出了数额巨大的报价，而俱乐部不可能为一个12岁的孩子付这么多钱。惊愕之余，莱昂的父亲向他解释，他想要的不过只是一份工作、一个可以同家人一起生活的住处和莱昂的治疗费用。"

梅西的代表告诉豪尔赫，称梅西每年可以挣1亿比塞塔，而豪尔赫本人也将得到一份带薪工作。然而，第一件事从未实现，第二件事也花了好几个月才有眉目。豪尔赫发现，是他们委任的代理人出了问题，这才致使双方陷入难以挽救的信任危机。从此以后，梅西的父亲全权接管梅西的一切事务。这一决定也导致那些至此已经完全多余的中介机构之一向梅西父子提出了法律诉讼，时至今日这一诉讼仍未结束，但法官已两次做出对梅西有利的裁决。

罗伯托·马丁内斯继续写道："于是佩雷斯·法盖尔同意了梅西一家的要求，并正式拟定了一份新的协议。豪尔赫·梅西透露称'其实每月3900欧元是给我的工作定的工资。莱昂内尔得到的薪水总数是个变量，要取决于他何时开始参加比赛，以及他能否帮助俱乐部赢球或与对手战平。薪水数额会随着他的竞技状态而上下浮动'。"双方于2001年12月5日签订了新的合同，此时距离签署第一份合同已经过去了9个月。至此，仍未拿到国际转会文件的梅西迈进了前所未有的一步，获得了一份巴萨B队球员级别的薪水，而豪尔赫也申请到了一项贷款，可以用来为他们在巴塞罗那的公寓添砖加瓦，用他精巧的手艺来为他的家庭做些补偿。

终于，球场外的所有事情似乎都解决了。他们也不必给巴尔达诺回电话了。

许多年后，在《画报》杂志上，梅西这样解释当年14岁的他与父亲两人单独留在巴塞罗那时的感受："离家的时候，我大哭了一场，我是为了我即将远离的阿根廷的一切而哭泣，但同时我也有一个梦想，我知道事情会有好转的。"有时，他会静静地躲在自己的卧室里。"我把自己锁在房间里，独自哭泣。我不想让我父亲看见我在哭。"

巴塞罗那的年轻球员们每天都要完成一些例行事务，这些惯例沿袭至今：清早，一辆大巴会在拉玛西亚训练营门口接他们去学校，他们一起吃饭，一起训练，然后其中一些人回到宿舍休息，而大部分人则回到体育场对面的乡间别墅，直到2011年新修的玛西亚酒店落成之前，数百个孩子都住在这些别墅里。有时，放学后梅西会回家享用父亲为他烹制的食物，看一会儿电视，玩玩索尼游戏机，或者打个小盹然后步行去训练。通常他都是独自一人。

几年过去了，他与队友相处得越来越融洽，后来就在拉玛西亚吃早饭了；由于比赛外出或大量训练，球员们都不常去列奥十三世学校，在拉玛西亚有一名老师专门辅导他们，梅西也因此受益良多。尽管如此，他们还是有许多自由时间可以随意打发。

一半的家庭成员都回了阿根廷，从此以后，一旦梅西的脚离开了足球，他就会觉得百无聊赖，难以消磨时间。豪尔赫用尽办法想让他开心起来。他会在索尼游戏机上和儿子对战，他们还经常离开公寓去英格列斯百货或勒克尔茨闲逛，后者是一片住宅与商务区，那条长长的对角线大道就横跨其中。这里既没有足球场也没有多少公园，没法踢即兴足球赛。豪尔赫成了随梅西漫游全城的同伴、他在任何比赛中的队友、没有好朋友时的暂时替代者、他的精神支柱及其巴塞罗那生活的支柱。在这一阶段，大部分十来岁的青少年都会想尽借口反抗他们的父母，但是有着成年人的责任心和阅历的"小大人"梅西，却在父亲的羽翼下找到了庇护。

像这样的情况发生时，如果一位父亲不得不同时扮演父母两人的角色，孩子可能会对身份的辨认产生混淆，其自然成长与成熟也会因此而受阻：这是许多有雄心壮志的职业足球运动员不得不做出的另一种牺牲。如果这两种角色变得模糊不清，那便只有一件事能防止这种身份辨认危机，即把注意力集中到你为什么要做这些事情上来。正是这个问题的答案，以及孩子身边的人所给予的无条件的爱，像绳索一样把这一切束在一起，让这一切有了意义。

自愿成为单身父亲的豪尔赫致力于为梅西树立一套严格的行为准则，尤其是对权威的尊重以及对他的根源的重视。在这一方面，豪尔赫是成功的。对于任何单身父母而言，如何避免对孩子保护过度，是他们面对家庭成员相互分离时必须解决的问题。然而，这种过度的保护是不可避免的，因为他们得防止遭人控诉未给予孩子足够的关爱。

但是，在某些场合，豪尔赫不得不提醒他的儿子："别忘了那些找你签名的人等了你几个小时！"这话该由经纪人来说，还是该由父亲来说呢？最坏的情况是，如果父亲无法把这两种角色区分清楚，就会发生一种许多体育心理学家都甄别过的情形：父亲扮演起经纪人角色之时，孩子就成了孤儿。于是，孩子就会到其他地方寻找一个父亲的角色。最糟糕的是，据专家们称，如果父亲仍然健在——或者说父亲仍在身边——而孩子却成为了孤儿，这个孩子的心中就很可能会充满怨忿。到了那个时候，父亲则会感到无法控制自己的生活，会觉得在受人支配。专家们称，人一旦无法控制自己的生活，他们就想要控制周边的一切事物。

那么足球运动员该怎样处理这一情况呢？到头来，他才是为家庭的激变承担责任的人。每一名功成名就的球员都不光知道自己的牺牲，还对他们的父亲、母亲和兄弟姐妹付出的一切铭记于心并感到无以为报，因为没有这些人的付出，他们就不可能取得今时今日的成就。但更重要的是：有时他们还怀揣着一种强烈的愧疚感，因为他们破坏了身边最亲近的人的生活。所以，作为补偿，儿子替父母购买了住房，以这种方式成为付出者。在这个过程中，房屋便是证明他们的生活开始好转的切实证据。

最后，兄弟们怎么办呢？矛盾心理仍在继续——大部分时间他们都会想：太好了，如果不是因为你，弟弟，我们是不会过上这样的生活的。但另一方面，你也许从不知道，你已经把我们的生活压扁了，我们生活中的一切都是以你为中心的。谁会愿意做莱昂内尔·梅西或克里斯蒂亚诺·罗纳尔多的兄弟呢？

也许正是因为身在一个破裂的家庭中所面临的这些困难，豪尔赫后来承认，他很后悔拆散了一家人。但抛开这些不谈，这样做有一样好处，正如他向《踢球者》杂志所吐露的："比索币和美元之间'一对一'的国家财政政策改变之时，我们的好运就来了。当时我的妻子和其他的孩子返回了阿根廷，而我陪莱昂留在巴塞罗那；仅靠我在西班牙的薪水的一半即可维持我们在巴塞罗那的生活，我因此得以将另一半寄往阿根廷。这就意味着，货币贬值之后不久，我的妻子和孩子们就可以依靠我们送回去的那一半钱过上舒服的日子。那真是太走运了。"

回到家乡后，马蒂亚斯向妈妈展示如何使用网络摄像头，好让她跟梅西保持联系，不管发生什么情况，两人都会坚持每天在互联网上聊天，每3天通一次电话。每当和儿子通话，每当在电视上看见儿子的身影，塞莉亚总忍不住要哭泣。

克劳迪奥·维瓦斯是马塞洛·贝尔萨在毕尔巴鄂竞技队时的助理教练，同样也是一名涉足世界足坛的阿根廷人。回想起分离与远方的话题时，他说："所有的一切都是一种牺牲。那些和你走得最近的人知道情况好还是不好；实际上，就社会生活和经济状况而言，我们的情况很好，但在情感方面却很糟糕。我明白梅西父亲或母亲的感觉，因为，一方面他们很高兴能来到这里，来到欧洲；但另一方面，他们也不得不做出许多牺牲。"奇怪的是，在训练场上很少能见到这些问题的踪迹，球员们往往会把所有弱点都掩藏起来。英国球员乔伊·巴顿在《足球24/7》（*Football 24/7*）杂志上对这一行为背后的原因做出了很好的解释："每个周六，球员们走上绿茵场前的情形都是一样的。开球前一两个小时，他们都在酒店房间或自己家里，那就是他们脑海里想的事情。大部分球员都会感到非常脆弱，并非所有球员都是如此，但许多人都不例外。因为没有人愿意表现糟糕，每个人都想把球踢好……如果把这样的想法表露出来，那就成了软弱的标志。但我所了解到的其实并非如此，我当然是从我的个人尝试和我作为人类曾经历的苦难中学到的。开口说出'你知道吗？我感到有点紧张，有点脆弱'其实是个很大的优点。一旦你向同伴们开口倾诉了，这些压力就释放出来了，它就会渐渐消散。有人会对此予以反驳，并大声嚷嚷：'我一点也不紧张。我不在乎。'我能理解他们，我会对他们说'但你就是紧张了'。"

如果去看看梅西在西班牙接受的第一次公开采访，你会看到一个激动难抑但就其年龄而言已相当成熟的少年。当年他才14岁，加泰罗尼亚TV3电视台造访了梅西位于卡洛斯三世大街上的公寓，就他的到来和他在俱乐部的初步打算做了访谈，而梅西竟好似经常接受采访一般对答无误。是的，他说，他过得很不错，很舒服，很平静。他们问梅西最喜欢哪位阿根廷球员，他说："我希望能同艾马尔一起踢球。"当时哈维尔·萨维奥拉正在为巴萨效力，梅西话锋一转，补充道："但我也很喜欢萨维奥拉。"梅西做了许许多多这样密不透风的访谈。关于这一家人将要面临的压力，他从未表露出任何情绪。

在拉玛西亚，不论是球员们还是教练都不知道梅西曾在夜里躲进卧室大哭。"看起来他好像把所有事都处理得很好。"梅西的青训教练之一亚历克斯·加西亚回忆道，"我认为有一件事情他非常明确：他知道自己做了什么：'我和我的妈妈和兄弟分隔异地，因为我想成为一名足球运动员；我不知道我能走多远，或者能坚持多久，但我知道这是我想要的。'他知道这个过程需要很大牺牲，将造成诸多痛苦。我曾问他感觉如何，因为毕竟他离他的家人那么远，可他却对我说：'挺好的，我妈妈要和我的哥哥们一起过来了。'"在公众面前，他从不显露弱点。

但这个孩子也曾留下一些蛛丝马迹：训练了3个小时后，如果你算一下他花在这儿的时间，算上更衣、热身、练习和结束后的淋浴，你会发现梅西总是喜欢在球场上多待一会儿。

对于一名还未能升入一队的年轻球员而言，这就是孤独的意义所在：某个星期天的下午6点，如果是冬季，此时天已经黑了，上午的比赛已经结束几个小时，你待在自己的住宅里，离家却千里之遥。剩下的夜晚在你面前蔓延开来。没人可以一块儿出门，没有地方可以去，吃过晚饭就蜷进了被窝，房间里只有电视机的声音，或者在梅西的故事中，还有他父亲的"晚安"声……非常艰辛。

为了度过那些漫长的下午，有时梅西会去当地的几家阿根廷餐馆的其中一家，在午餐上花费许多时间。或者他会同某支青年队里的某位队友或其他俱乐部的某个阿根廷朋友一起分享新买的Xbox游戏机。他会看阿根廷电视台，关注阿根廷联赛。他最爱的电影是《新娘之子》（*El hijo de la novia*）和《九个皇后》（*Nueve reinas*），均为阿根廷片；而他最喜欢的男演员朋友则是乡下人里卡杜·达林。梅西从未忘掉他的阿根廷口音，也从未改变祖国的衣着习惯。最后，他在巴塞罗那重新创造出了一种罗萨里奥的感觉。"我一直说，他是我认识的最具阿根廷特点的阿根廷球员。"克里斯蒂娜·库贝洛如是说。梅西初到巴萨之时，他与库贝洛的关系非常亲近。

但在现实生活中，保持自我身份的唯一方法，就是让自己与周围的陌生世界隔绝。人们总是说，融入全新的社会是任何新来者最好的做法，但这样做的同时你也否认了你自己和一切你珍视的东西——你的一小部分死去了。来自南美洲的足球运动员们，除了几个著名的例外，都感到他们必须要来欧洲挣钱淘金并积累名声，但一般都会回到他们的根之所在地结束职业生涯。同所有人一样，他们也想要落叶归根。

梅西并不是人们眼中典型的阿根廷人（本书后面部分将对此进行探讨），但毫无疑问他具有鲜明的阿根廷特征。如果让一名阿根廷人描述自己，他大概会说：我是一位会说西班牙语的豪爽意大利人，有着法国人的思维方式，愿意成为英国人（在罗萨里奥的某间酒吧里常常能听到这个词）。但梅西只不过是一个生性缄默而对阿根廷有着深深眷恋的个体。他在足球方面的天赋帮助他很好地适应了新环境（在外国，如果你能把你做的事情做好，你就更容易被别人接受），但在他的战斗中，不论他意识到与否，他要依赖着他周围的环境（他的家人）、他的球队和巴塞罗那的阿根廷人社区才能保持他的本我身份。巴萨方面虽然拥护加泰罗尼亚语，但却从未强迫梅西使用它；而当地的阿根廷人社区则对所有的新来者表示欢迎，他们都同梅西一样，为自己的着装、口音和饮食习惯感到自豪。

"小跳蚤"经常去一家名为"四行诗"（La Cuartetas）的餐厅，这座餐厅位于桑塔洛大街上，是他在当地发现的第一家阿根廷餐厅。梅西非常喜欢这里，他频频造访该店，而且几乎总是最后离开。还有一次，他出城溜达时无意间在一座名为奥斯塔尔里克的小镇上发现了另一家阿根廷餐厅，这里离巴塞罗那并不远。他也很喜欢那家店，到那里去过好几次。"到奥斯塔尔里克去怎么样"就是"让我们到小阿根廷去待会儿吧"的另一种说法。

当时，巴萨曾要求梅西有规律地在拉玛西亚吃早餐，这是俱乐部对他和其他球员实行的内分泌计划的一部分，也与球员们的日常饮食息息相关。与此同时，俱乐部队医何塞普·博雷利决定逐步停止对梅西的生长激素治疗。队医认为，严格控制的饮食和适当的健身计划可以帮助他尽可能地长高，而无需进一步接受生长激素治疗。"在西班牙，他以一种不可思议的方式成长着。"豪尔赫在《画报》杂志上回忆道。事实上，他在29个月里长高了29厘米。不过，他经常不按要求进食，而是改去阿根廷朋友们的餐厅，在那里他能吃到分量巨大的米兰生煎土豆牛肉，最后再来点儿牛奶布丁。

在罗萨里奥待了几个月之后，梅西的哥哥罗德里戈和他的新婚妻子弗洛伦西亚一起回到了巴塞罗那，并从此长久地留了下来；两人还带来了他们的幼子阿古斯丁，梅西花了不少时间照看这个小家伙。2005年，梅西告诉克里斯蒂娜·库贝洛说："我一直和他们在一起。我嫂子掌勺做饭的时候，我就帮他们照顾儿子。到了晚上，总是我把他抱上床。最开始我还常常给他哼摇篮曲，但我哥哥、我嫂子甚至是小宝宝都会笑出声来，所以现在我就只怀抱着小阿古斯丁在屋里走来走去，但不唱歌了，只是走走。他很快就会入睡。有一天，我也会有孩子……"

梅西的哥哥在莱利酒店和英格列斯百货当厨师，他甚至还接触过斗牛犬餐厅的所有者、传奇大厨费兰·阿德里亚，后者在巴塞罗那有一间工作坊。罗德里戈本有机会与阿德里亚共事，但相比之下他更愿意照顾他的弟弟。

梅西依赖着别人来照料他，当他的保护者。巴勃罗·萨瓦莱塔就是一个这样的人。萨瓦莱塔是阿根廷U20队的队长，梅西就是在这支球队中完成了他的国际赛场处子秀。踢边后卫的萨瓦莱塔曾为巴塞罗那的另一支球队西班牙人队效力，就是在那时两人建立起了友谊。萨瓦莱塔心甘情愿担当梅西的庇护者，在梅西开始被人们认出来时将他从餐馆里解救出来，给他忠告与指引，帮他避开不可靠的伙伴。

2005年，梅西签下了一份新合约，之后他便与父亲搬去了卡斯特利德费尔斯，和队友罗纳尔迪尼奥成了邻居，而罗德里戈则同他的妻儿一起留在巴塞罗那。豪尔赫开始在阿根廷和巴塞罗那之间来回穿梭，所以萨瓦莱塔常常去梅西家与他作伴。梅西孤身一人的时候，那所大房子总让梅西显得异常矮小。天气热时两人会去游泳池里游泳。天色不好或温度较低的时候，梅西会提议说："来玩玩我的PlayStation游戏机吧。"于是，时常和其他朋友一起的萨瓦莱塔便会坐到电视屏幕前，一玩就是4个小时。梅西总能以一条街的优势击败他们。有一次，萨瓦莱塔来到梅西家的海景房，他透过前门就瞧见了8箱生产商刚给梅西送来的新款Xbox游戏机。"拿一个去吧！"梅西对他的朋友说。梅西的家里总是堆满了其他生产商给他送来的盒子，里面装着各种各样的物件，他也乐于和他的朋友们一起分享这一切。

"快过来，我们一起吃烧烤吧。"某一天，他对萨瓦莱塔说。没过多久，梅西家里的所有人都发觉，他根本不知道盘子、餐具或其他任何东西放在哪儿，但他们还是享用了美妙的烤肉，感到其乐无穷。又或者，如果他们不想把家里弄得一团糟，他们就会去当地另一家名为"大草原"（La Pampa）的阿根廷餐厅待上一下午。

"我们一起分享很多东西。"如今萨瓦莱塔这样说道。后来他们被召集进入国家队的时候，两人也结伴一起飞回阿根廷。不久之后，梅西便开始经常为国家队往返奔波，而这样的旅途也让他得以保持与祖国的联系。"我一直住在巴塞罗那；而他就住在30公里远的地方。有一次我们从一间酒吧出来，我开着车，他在车里睡着了。当时我想我得把他送回家。太棒了。但半个小时后，我们到他家了，他却说要去我家隔壁的他哥哥家。我真想杀了他来着。然后我们就调头返回了。"阿根廷前锋马丁·波塞回忆道。马丁·波塞来自巴萨的对头西班牙人，萨瓦莱塔常和他一起去诺坎普看望梅西，三人经常一起共进晚餐。"我和梅西一起踢球的时候，经常告诉他冷静下来，这样他就不会像无头苍蝇一样到处乱跑。"萨瓦莱塔回忆道，"有时候，你可以看到他自个儿恼火起来。跟所有人一样，有时某场比赛的进展不如他意，他常常就会生起气来。"

梅西买了条拳师犬，给它取名叫法沙。他以前经常带着法沙到卡斯特利德费尔斯附近溜达，法沙成了他的新伙伴。

奥斯卡·尤纳里是梅西的另一个朋友，他效力于阿尔梅里亚俱乐部，他同我们分享了许多关于梅西的秘密："如果要问有什么他不愿提起的事儿，一件会伤害到他的事情，那就是他的背井离乡。对我来说也一样。我来自一个小城镇，比罗萨里奥小得多，那儿只有15000个居民，13岁时我就开始自己闯荡，父母亲都不在身边，独自到布宜诺斯艾利斯安身立命。从一个15000人的小城镇到一座水泥森林。"

和许许多多其他人一样，哈维尔·马斯切拉诺也深知这种体会："我曾听梅西说，他还小的时候曾经历过不同的阶段，训练结束后，他会回到自己的房间里，喃喃地说'我再也受不了啦'。这样的情况合乎情理，它也曾发生在我身上，我也离开了罗萨里奥的家，来到布宜诺斯艾利斯追寻梦想。你的心中充满了不确定性，不清楚将会发生什么，不知道你到底是不是在浪费时间。你会想：'我到这儿来，我错失了体验许多事的机会，我还不知道明天收获的一切是否值得。'如今一切终于实现了，现在的生活很美好……你去追寻你的梦想，最重要的是要去尝试。感觉糟糕的时候为何要坚持忍耐？答案是显而易见的。梅西的生命就是足球，在训练场上，他接到球的时候，是他感到最快乐的时候……其实，激励着我们的正是我们对这项运动的热爱。所以我们必须克制住放弃的诱惑。"

"你感到绝望，你放声哭泣。"巴萨边锋佩德罗说，16岁那年，他离开了家乡加那利群岛加入拉玛西亚训练营，"这很艰难，因为你身边谁都没有，没有'亲近的人'听你倾诉问题。不错，你身边是有很多人，有很多人为俱乐部效力，有队友可以帮助你，但此时你需要的是更加亲近的人，你的家人，你的父母。可每当你和他们通电话时，却很难跟他们述说这些事情，那种感觉十分冷漠。另外，你还不能跟其他不踢足球的同龄男孩一起交往，因为那些他们感兴趣的事情已经不再与你有关。对于我们来说，所有的事情都发生得很快。足球运动员在很小的时候就有了未婚妻，他们很早就有了孩子，他们也成熟得更早，他们以不正常的速率和强度经历着生活。"

"我总是说，我们在为梅西、皮克、法布雷加斯……这些人写书撰文的时候，总是太过自吹自播。"鲁道夫·博雷利教练说道，"那些故事很

161

美妙，但他们都是例外。你肯定听过许多关于足球运动员的痛心故事，他们在12岁的时候就离开家乡，结果到了17岁的时候又返回来，在学业上一事无成，在足球上遭遇失败，整个家庭一塌糊涂，长达5年的离家时间很可能还让他们失去了朋友。"

在成为足坛领袖之前，梅西也经历过许许多多身体上和心理上的苦痛。在足球场上，你必须有那样的实力才能达到终点线，此外你还要有做出牺牲的勇气，以及不屈不挠的决心。

但是，很多年之后，梅西才不再在电话里对妈妈哭泣。

2　一往直前

鲁道夫·博雷利（梅西在巴萨的第一任教练）：

他或许曾经经受着痛苦，而我们并没有察觉。作为教练，我们看到的只是一个小伙子在享受着球场上的纯粹的紧张感。从事后看来，那是他唯一可以尽情享受自己的时间。他一直很出众，然而，他的肩上负着极其沉重的责任，这对于一个他这样的年轻球员而言是不正常的。对于一个13岁的年轻小伙子来说，这可是巨大的负担，这些压力本有可能毁了他，但在梅西身上却起到了相反的效果。他有着无条件的信念，坚信自己能成功，而这种信念，对自身命运的全部信念，让他得以应对并克服他所面临的一切考验。

此外，他有着非同寻常的热爱。我从未见过哪名球员身上有如此大的热情。他极度渴望训练，渴望在球场上奔跑，渴望做教练要求他做的任何事情。训练结束后，他总会问我们可不可以踢几个任意球。其他人都走了，而他还想要继续！在他的休息日里，他也会突然出现，观看其他球队的录像，我敢发誓如果我们要他加入训练，他一定会同意的！老天啊，那可是他的休息日啊！其他的每一位球员都会享受他们的休息日，去看场电影或会会朋友，诸如此类。但梅西不是。也许他观念中的休息和消遣就是这样，就是踢足球。也许他没有别的事可以做。

我还清楚地记得一个特别的场景，当时我来到了迷你球馆的健身房，他的球队即将开始一堂训练课。他在一两年前已经离开了少年A队，我已经不再是他的教练了。和其他的教练一样，我常在这儿一待就是几个小时，跟人们谈论有潜力的年轻球员。毕竟，那也是我们在俱乐部中所扮演角色的一部分——观察。那件事发生的那天，孩子们被允许在训练馆里多待一会儿。梅西当时的教练还没有赶到，那个场景深深印刻在我的记忆里。当时在场的有维克托·巴斯克斯和皮克，其他人我记不清了。他们在一张垫子上做伸展活动，拿着一个网球扔来扔去，而梅西那个小混蛋却在那自顾自地练习着，就好像教练在场一样。我并不是说他那些练习都是正确的，也许他做得并不对，但我深深记得那个场景，太不寻常了。

几个小时后，我在迷你球场对面碰见了他，我拦下他说："以你的态度，你有可能进入一队，也有可能进不了。但你一定能成为一名职业球员，因为你所拥有的那种热爱，是非同寻常的。"

我不记得他有没有回答了。

梅西正在接受加泰罗尼亚TV3电视台的采访。他在巴塞罗那的头几个月过得相当失意。最开始，他只能踢踢友谊赛，在加入少年B队的第二场正式比赛里他就不幸受伤。在返回巴塞罗那从头开始之前，他回了罗萨里奥进行疗养，努力让职业生涯回到正轨。在新赛季里，他有了更加规律的出场机会，也开始打入进球。

采访者：现在我们将对话莱昂·梅西，一位来自巴萨低级梯队的球员，他在最近的一场比赛中攻入了两粒进球。由于受伤，上赛季他几乎没有踢过球。能够回来和队友们一起比赛并打入进球，我想你一定很高兴吧？

梅西（他还没有变声——他还是个孩子）：是的，上赛季我就踢了一场比赛，第二场比赛只踢了几分钟我就受伤了，但现在我回来了，而且……非常高兴。

采访者：上赛季，你并没有真正得到成长，也没能享受为新球队效力的机会。也正因此，我们的观众才认识了你，你来自纽维尔斯老男孩。

梅西：没错，我来自阿根廷罗萨里奥的纽维尔斯老男孩队。

采访者：纽维尔斯产出了不少出色的球员。我正好想到了毛里西奥·波切蒂诺。他现今在巴黎圣日耳曼踢球，以前曾效力于西班牙人。

梅西：圣西尼和巴蒂斯图塔也是从那儿出来的，许多伟大球员都是从那儿出来的。

采访者：对于那些不了解你的人而言，他们只知道你踢10号位，一名传统的阿根廷10号，也就是在你的国家里人们说的"经典前腰"。作为一名足球运动员，你怎样描述你自己？

梅西（望向远处，犹豫不定）：呃……好吧，我不知道。不该由我来描述我自己。

采访者：但我们清楚的是你的位置在前锋后面，在球场中端，有更多的活动空间来发挥你的特点。

梅西：没错。

采访者：那在本赛季，你的目标是什么？在巴萨站稳脚跟？找回你在这里还没找到的，在阿根廷时的状态和节奏？

梅西：是的，现在还没找到，伤愈之后我还需要寻找我的节奏。

采访者：以上这些就是莱昂·梅西的话，一位未来之星，巴塞罗那俱乐部的一支优质潜力股。

值得补充的是，梅西一直不知如何解释，究竟是什么成就了如今的他。

2001/2002赛季：起飞

伤病痊愈后，梅西在阿尔伯特·贝奈赫斯执教的青年B队中开始了2001/2002赛季。有着重要历史意义的拉玛西亚87一代——包括塞斯克·法布雷加斯和杰拉德·皮克两人在内——在同一个更衣室中共度了两个半赛季。这支球队通常都使用球员们在青训营中被日夜灌输的3-4-3阵型，作为拉玛西亚有史以来培养出的最伟大的几代球员之代表，这支球队配得上人们的格外关注。在新赛季之初，球队的阵容通常是这样的：

达尼·普朗切里亚；马克·巴连特、杰拉德·皮克、卡洛斯·阿尔加；塞斯克·法布雷加斯、拉法·布拉斯克斯、罗伯特·吉里伯特、马克·佩德拉萨；托尼·卡尔沃、维克托·巴斯克斯和胡安霍·克劳西。

那梅西呢？

梅西的转会问题仍未得到解决，他仍没有资格参加任何国家级的比赛，所以他将频繁地在贝奈赫斯的球队里进进出出，而当他终于上场时，他总被安排在左翼边路。"他爱踢经典前腰，穿梭于对方后卫和中场之间的空当，喜欢突入禁区。"青年B队教练回忆道，"我们把他放到边路，是因为我们采用的体系更加适合球队。但他更倾向于在对方的空当之间穿插，那才是他真正想踢的位置。他知道只要上演一两段迷踪步，他就能杀到球门跟前。"因此，梅西花了不少时间才习惯并适应教练的训导。维克托·巴斯克斯身后的经典前腰位置由马克·佩德拉萨出任，直到佩德拉萨加盟西班牙人之后，这个角色才属于法布雷加斯，偶尔也会落到梅西头上。"他是个非常沉默而冷静的孩子，但你可以从他的表情中读到很多东西。甚至当你看到他同队友在一起的时候，他仍显得非常孤独，这是事实。"贝奈赫斯回忆道。

巴萨的青年级别分为两支球队：巴萨的青年A队（17周岁）和西班牙人的青年B队同处一个联盟，而巴萨的青年B队（16周岁）与西班牙人的青年A队互为对手①。这是加泰罗尼亚两大巨头之间相互默许的协议，这样两支A队就都有机会捧得冠军了。因此，87一代将与西班牙人的青年A队在联赛中角逐，也就是说要同比他们大一岁的孩子们对抗，这些对手中许多人将

---

① 这里应该是原文出错了，按照理解应该是两队的青年AB队交叉参赛。

进入西甲，例如现在效力于马拉加的塞尔吉奥·桑切斯和现役桑坦德的马克·托雷洪。

但是这一次，一支青年B队竟击败了一支A队成为了联赛冠军，这是加泰罗尼亚联赛有史以来的第一次——在该赛季的第23场比赛中，距离赛季结束还剩7场比赛，87一代的"小屁股"①们即在达姆球场提前锁定了冠军。在对阵同城对头的最后一场比赛中，法布雷加斯、皮克和拉斐尔·布拉斯克斯（巴萨青训营的又一颗明珠，一次惨烈的车祸毁了他的职业生涯）先后进球，巴萨3：0轻松取胜。此外，这支青年B队还赢得了加泰罗尼亚杯，事实上他们赢得了几乎所有可以赢得的杯赛，只在耐克杯中输给了马德里竞技，止步四分之一决赛。

在他们战胜西班牙人青年A队的联赛中，教练席上恰好也发生了变动，贝奈赫斯将帅位交付给了前巴塞罗那球员蒂托·比拉诺瓦，比拉诺瓦的球员生涯在一支高不成低不就的俱乐部——格拉门内特俱乐部中草草收尾：他饱受膝伤的折磨，因而无法再踢出高水平比赛。退役之后，巴萨青训营向他承诺将让他在一支球队中执掌帅鞭。2002年初，赛季过半之时，他开始出任教练一职。与此同时，颇为凑巧的是，巴萨终于收到了国际足联发来的一封公报。此时的纽维尔斯仍不愿接受梅西的转会费，除非巴萨同意支付补偿金；而这封公报的到来也表明，巴萨在两队的争端中得到了支持：国际足联同意，如果一个13岁的孩子如此渴望踢球，那他就应该得到成为职业球员的机会。

2月15日，梅西正式注册加入了西班牙足球协会。终于，在来到巴塞罗那一年之后，再也没有什么能阻止他参加任何比赛，进行任何角逐。他又

---

① 萨迷被统称为Culés：在西班牙语里Culé跟屁股Culo的写法相似。历史来源是：20世纪中叶，巴萨经常在一个小球场踢球，球场四周是一个不到2米高的围墙，每到比赛，都会有很多萨迷坐在围墙上观看。从外面望去，看到的是一排整齐划一的屁股。故此Culés是由屁股Culos转变而来。

少了一个要越过的障碍。

"孩子们，"第二天的训练课结束后，比拉诺瓦一脸严肃地对他的小伙子们说道，"我们有了一名新队员。"球员们你看看我，我看看你，可是并没有陌生的面孔出现……"莱昂·梅西。莱昂是我们的正式球员了。"队员们围着这位年轻的阿根廷人欢呼雀跃，击掌相庆。

2月17日，坎维达莱特球场。对手：埃斯普卢格斯·德略夫雷加特队。梅西坐在板凳席上开始了这场比赛。他在下半场被换上，完成了他的国家级锦标赛处子秀。当场比赛，梅西轰入了3粒进球；最后比分定格在14：1。

比拉诺瓦开始让梅西踢中锋，出任9号位。这是他有生以来第一次担任伪中锋（False Number 9），这是一个在对方后卫线和中场的空当之间穿梭的位置，一个让他找不准目标的难以捉摸的位置。而通常在后卫前方出任4号位的法布雷加斯则移动到了梅西的后方担任组织者。

有人说，87一代的真正的球星其实是维克托·巴斯克斯，这个年轻人身上充满着闪光点，且极具射门天赋。后来，他曾经同梅西一起代表巴萨一队在对阵喀山红宝石队的一场比赛中登场亮相。但是最终他遭遇了伤病，而令人扼腕的是，重伤之后他就再未披上过巴萨的战袍。

"比拉诺瓦来之前，在3-4-3阵型中梅西踢的是边路，但是新教练上任后，我和梅西就开始出任中锋，或者紧随中锋之后活跃于对方中场和后防之间的影子前锋①。慢慢地，我们培养出了默契。"巴斯克斯解释道，"我们合作得很棒。如果我们需要在前场提速，我们就会让梅西踢中锋，因为他是速度最快的，你可以大胆地传球给他。如果另一场比赛中防守球员踢得较有侵略性，我就会提到前场，梅西则往后移。我们俩后面还有塞斯克！太疯狂了！"

---

① 梅西在巴萨的位置一直是非常灵活机动的，这里也说明了他在比拉诺瓦手下担任9号中锋和9号半影子前锋两种角色，对于未来他在巴萨无锋阵型中扮演的重要角色是个启蒙。

"蒂托是第一个让梅西长期出任某一特定位置的教练。"沙利·雷克萨奇回忆道，"他来找我，说他的队里有一个天赋异禀的小伙子，一名现象级球员。'噢，是的，我知道你说的是谁。'我说。有时候，人们会认为一支充分协调的球队是在不经意间组成的，但那支球队中满满的都是非常优秀的球员，而蒂托对足球有着深刻的见解。那是他作为一名足球运动员所拥有的卓越的战术头脑，而他也将这种头脑带到了其教练生涯中。从那时起，梅西的一切才真正开始走上正轨。梅西还小的时候，他的比赛就已经非常赏心悦目，因为他进球比其他人都多，因为他能过掉三四名球员，甚至还因为他有时候会表现过头。于是我们想，等他长大了，我们得告诉他别再这么拼尽全力了，要多传传球。但你必须得让他按照他自己的方式发展。而蒂托则是第一个让他带着足球上的安排，带着策略上场比赛的人。总的来说，巴塞罗那有一大优点：这支球队比其他球队都更出色，所以球员们可以随心所欲地踢球。所以你可以尝试把球员们放到不同的位置上，进行更多的实验。"

"蒂托会和我们探讨所有其他球队，就好像他们都很优秀一样。"在霍尔迪·吉尔所著的法布雷加斯传记《发现塞斯克·法布雷加斯》（*Descubriendo a Cesc Fàbregas*）中，青年队球员胡利奥·德·迪奥斯对作者解释道，"他有着与所有其他青年队有关的一切数据：这名前锋是否打入过很多进球，或那名球员是否速度很快或有着某种特殊技能。他常常像这样跟我们讨论我们的对手，这意味着我们总是准备充分且动力十足。他只会给我们提供刚好足够的信息，以确保我们不会过于自信，但同时他又会用他的黑板和他的战略让我们抓狂。可我们还是把对手全部打败了！"

蒂托·比拉诺瓦知道他手中有一些非比寻常的东西：他很喜欢皮克身上的领袖气质，还有法布雷加斯的才华与好胜心。还有布拉斯克斯、巴斯克斯和后卫马克·巴连特。但梅西却有着与众不同之处。"我从未见过像他这样对自己要求如此严格的孩子。"这位前巴萨教练说道，"有时，他踢出了一场精彩绝伦的比赛，然后却带着满肚子火走下球场，因为他觉得自己可以做得更好的。"事实上，那支青年B队中的每一个人都是如此，但梅西则把他自己推到了极限。

在坎巴达里特球场（Can Vidalet）的那场比赛之后，梅西接着踢了6场比赛并喜获联赛冠军，这也是他在巴萨收获的第一个冠军。

"你向前看，就会看到梅西。"维克托·巴斯克斯回忆说，如今他在布鲁日继续着自己的职业生涯，"你说道：'我的天啊，兄弟，我知道我们会在这儿干出一番大事的。'你的身后还有塞斯克，你又说：'美好的事情即将发生，你要把球传出去，塞斯克会送你一个漂亮的回传，你俩要配合默契，然后就会打入进球。'我们比其他任何球队都强得多。我从来没在低级联赛中见过任何一支像我们一样优秀出众的球队。有时候，我们在闲庭信步间就能踢出10：0的比分，教练总是会说：'嘿，跑起来！'而我们总是会回答他：'我们跑起来干吗？'我们完全没必要跑起来，你只需要传传球，传上三脚或四脚，目标就轻松达到了。"

一年之后，亚历克斯·加西亚从蒂托的手上接过了这支球队，他说："他们是一支卓越不凡的团队，有许多好胜心极强的球员，真正的赢家。才十五六岁的年纪，他们却有着许多二十二三岁的人才有的成熟心智。大家都知道梅西、皮克和法布雷加斯是与众不同的。他们是这支球队的中流砥柱，他们也接受了这一角色。以后见之明看来这一点并不难判断，但事实上，你可以看到没有其他哪支球队有着如此优质的球员。"法布雷加斯很坦诚："在任何情况下，如果当时他们告诉我们，有一天我们三人将成为巴萨一队的一部分，我们三人都会说那是不可能的。也许其中一个两个还有可能，但三个人一起？"

"有一天，我对梅西说，我大可以高高兴兴地坐在板凳席，让他去尽情享受他的足球；事实是，我在他的身上看到了一个马拉多纳。"蒂托承认道。

　　"梅西身上有着与我们截然不同的品质，"法布雷加斯回忆道，"他们常常说我很优秀，或说皮克怎样怎样，或说其他任何人怎样怎样……但事实上，我们全部的特点和其他所有人的都非常相似。我们更优秀，可这仅仅是因为我们本身更优秀而已，我们并没有任何非比寻常的地方；然而，他的身上却有着让他脱颖而出的品质。你明知道他要从你的左边过，但他仍能过掉你。你在电视上看到过一千次这样的情景，你会说：'这是怎么回事，他们断不掉他的球，他还总是从左边过？'即使有所了解并预先做出了判断，你还是不能阻止他。真的，听我说，他的天赋极佳。"

　　"我曾是比利亚雷亚尔足球学校的主管。"说话者是前卡斯特利翁俱乐部老板霍安·卡洛斯·加里多，"我们的道路是在他跟我的球队踢比赛的时候开始交织的，我记得他总是凭一己之力搞定比赛。他和其他球员之间有着巨大的差别。我头一次见他是在比利亚雷亚尔举办的一项夏季锦标赛上：一项面对14岁球员的赛事。锦标赛的决赛就在巴塞罗那和比利亚雷亚尔之间举行。半场过后，我记得比利亚雷亚尔以1∶0领先，然后下半场梅西替补出场了。比赛最后以1∶3告终。3个球全是梅西打进的。那就像是一场革命，非比寻常。"

　　巴萨主席霍安·加斯帕特偶尔会来到诺坎普旁边的球场上度过周六的早晨，随意观看正在进行的任何比赛，有时是他一个人，有时和沙利·雷克萨奇一道。他说："我从没说过'那个10号是独一无二的，他将成为世界上最好的球员'之类的话。我从没说过。我是说过他很出色，没错，但仅限于此了。我从没那么说过，我也从来没想过他会取得如今的成就。但他一拿到球，就会做出和其他人做的截然不同的事情。这很奇怪，因为他是个非常羞怯的年轻人，但当你在球场上看到他时，他就是球队中的领头羊。更重要的是，他喜欢拼尽全力。如果他可以带球跑三步，他就不会只带两步。他速度很快，而且很'固执'——他不会躲开身体对抗，也不会在被人铲倒后大惊小怪。他就是那种会给你留下深刻印象的孩子。"

　　和青训营中的大部分球队一样，那支青年队也在迷你球馆旁的绿茵场上训练，距离诺坎普球场以及拉玛西亚旁边的空地有500米之遥，那里是高级别的球员训练的地方。然而，青年队和一队之间很少有交集，尽管一队中有三人是梅西的同胞：胡安·罗曼·里克尔梅、罗伯托·博纳诺和哈维尔·萨维奥拉。

　　里克尔梅天赋惊人，他是一名可以掌控比赛节奏的前腰球员，尽管有时略有些冷漠低沉。但他在诺坎普踢球，和大男孩们一起。他还为国家队效力。在当时的梅西眼里，里克尔梅是最伟大的球员之一。而当两人的道路终于交汇之时，比如说在明格利亚于其巴塞罗那的家中组织的烧烤聚会上，梅西就会不知何故变得更加矮小了，他会微低着头，睁大了眼，目不转睛地盯着里克尔梅，头顶刚好碰到他的下巴——在心中之神的面前，梅西的身上分明带着一种忏悔者的敬畏。而萨维奥拉和博纳诺则会停下来问问他过得怎么样，还会时不时请他吃个冰淇淋或者同他闲聊一会儿。在下赛季的糟糕运气过后，梅西需要他们的时候，他们就在他的身边。

　　路易斯·菲戈和佩普·瓜迪奥拉离队一年后，巴萨一队陷入了领袖危机。交易葡萄牙中场得来的钱被浪费在了未能达到标准的球员（埃马纽埃尔·珀蒂、马克·奥维马斯、阿方索·佩雷斯和赫拉德·洛佩斯）身上，而里克尔梅和萨维奥拉等其他人也未能产生较大影响。球场边的沙利·雷克萨奇从未认真想办法说服球迷，而最后这支以里瓦尔多和克鲁伊维特为球星的球队以第4名的成绩结束了当季联赛，并在冠军联赛中输给了皇马，止步四分之一决赛。霍安·加斯帕特未能得到忠实球迷的支持，俱乐部的制度危机最终导致了一段没有任何一个联赛冠军的5年尴尬期。

　　在那些早年岁月里，梅西仍然独自占据着更衣室里的一个角落，没有和其他人在一起。他的队友们也同他保持着距离，不知道跟他说什么，也不知道怎样引出他的话头。在他的周围似乎有一堵看不见的保护墙。

　　训练间隙，梅西会自个儿喝几口水，手里环抱或脚底踩着一个足球。几乎总是如此。在其他人畅谈他们一天的计划，讨论学校里的事情或他们的女朋友之时，梅西就踢起球来自娱自乐。

　　他总是在更衣室里还没有一个人的时候第一个淋浴更衣，要么就是最后一个。但通常他都是第一个到，在5分钟之内换好衣服然后匆匆赶去见他的父亲，后者通常就在外面等候。他的队友们认为他不想跟他们一起淋浴，觉得他对他们充满了警惕。太过警惕了。

　　有时候他会与队友道别，有时候也不会。通常就是抬一抬手，然后低声说一句"明天见"。

　　没过多久，球队中的老球员开始接触这个从阿根廷新来的男孩。

　　不出所料，杰拉德·皮克是第一个接触他的人。皮克是一个典型的恶作剧好手，他趁梅西淋浴的时候，把后者的衣服藏了起来，挂到了另一个挂钩上。梅西腰间系着一条浴巾回到了更衣室，却找不到他的东西了。他开始紧张起来，变得焦虑不安。五六个孩子笑出了声，但在事态失控之前，他们把衣服交还给了他。"你从哪儿来？你为什么到这里来？"皮克问，"你可以跟我们说话啊，你不会怎么样的，我们不会欺负你的。"

　　"抱歉，我只是不想说话。"梅西回答说。

　　皮克为他敞开了心门。从那以后，梅西说话多了一些，但也并没有多多少。

　　"当时我们还以为他是个哑巴呢。"法布雷加斯笑着说。

　　"梅西非常害羞，我想他永远都会是那么羞怯，虽然他现在好一些了。他对人非常尊敬。总是有人说，那是因为他是世界上最优秀的球员，这话说得好像他在队内地位非常重要，好像他很自我膨胀一样。我认为这话说得倒更像C罗那样的球员，但并不是梅西。他更像是'我在这儿觉得很不舒服，我很疑惑，不知道那个人要对我说什么'这样的人。"这就是维

173

克托·巴斯克斯记忆中的情况。维克托曾试图了解他与梅西是否有任何共同兴趣。"我们尝试把他团结到伙伴中来，但他总会说：'不了，我不大感兴趣，我还是回家吧。'他是那种只想和家人待在一起的男孩，他和我们中的其他人都不一样。我们可以花一个下午嬉笑怒骂，或者去看场电影，或者去英格列斯百货转转，或者去任何事情都可能发生的邻里间闲逛。"

梅西并没有住在拉玛西亚，所以他错过了每天晚上二楼都会发生的事情。球员们的寝室就在这里，他们也在这儿集合学习。或者，本应该在这里学习。有时有人会关上灯。然后一些脸皮颇厚的"不幸"的孩子，通常是皮克，就会被人从背后拍打脑袋。这些都是闹着玩儿的，皮克也很高兴，并同其他人一起有说有笑。但这样的事情并不会发生在梅西身上。

"他非常害羞。"边后卫奥里奥尔在霍尔迪·吉尔的书中回忆道，"他上场，踢球，就没别的什么了。他不是那种喜欢一马当先，然后喊着'来吧，给他们点颜色瞧瞧，我们得加把劲，加油吧伙计们'之类的话的人。他作风比较低调，但他所踢的却是完全不在同一级别的比赛。在少年A队中，对他来说更加困难，因为在这里他身体上的缺点更加明显。他非常优秀，速度很快，而且技术全面。但是他比较矮。随着他针对自己的身体状况进行相应的锻炼，到了青年队中，他有了强大的爆发力。但是他过了差不多一整年之后才开口说话。直到有一次我们代表青年B队参加一两项锦标赛，他才真正开口说话。"

梅西的家人坚持认为他并不害羞，只是生性内敛而已。我们很有必要重申这一点，因为两者之间的差别有着重要的意义，那是他在家乡学到的东西，在阿根廷时就他被逐渐灌输了这样一套行为规范：在球场上，必要的时候他也会开口说话，会尊重球队，并承担球队指派给他的任何角色。仅此而已。他的态度很极端，但在很多方面这一点也反映了他作为一位移民的身份。毕竟，他是一片陌生国土上的一个陌生人。

对于任何被迫背井离乡、适应陌生环境的年轻人来说，这样的情形给他们造成了难以估量的影响和后果。然而，他们总是比在祖国长大的同龄人们更加早熟，这一点是恒定不变的。他们面临着陌生文化带来的困扰，或许还有一门让人头疼的外语带来的阻碍，他们因此感到非常无助，而且就同任何脱离了其自然栖息地的生物一样，他们很快磨炼出了生存的技巧，他们通常不轻易信任他人，至少新的友谊建立起来之前一直是如此。最好的自我保护方式往往也是最简单的，那就是低调行事，不要表现出任何威胁。此外，如果你足够幸运，能有家人在身边陪伴，那么你还可以享受来自家人的爱的保护。

以顶级联赛为目标的年轻球员们身上满载着重重压力，这也使得他们提前成熟了，因为他们错失了童年时期的自然发育和情感上的成长。他们正在进入一个残忍的、成年人的世界，突然之间，他们被暴露在让许多30多岁的人都感到气馁的高压面前。对于移民来的年轻球员而言，则更甚于此。然而，小大人的内心深处仍锁着一个小男孩，他时常能听到这个男孩哀伤的哭泣声……

这样的情况让他们的性格变得复杂，让很多人觉得难以理解。有时候，这也会让他们变得反复无常。

"梅西很聪明，他知道什么时候要好好表现，什么时候开玩笑，什么时候严肃认真。"法布雷加斯解释道，"我经常注意到这些事情。我们这儿的许多人偶尔会失去控制，会口不择言，不考虑后果……但梅西非常聪明，他知道怎么管住自己，怎么选择正确的时机。我们都知道他在场上是什么样，但在他家里，或在更衣室里，他总是知道必须做什么、应该何时去做。"

但是，一个移民的孩子终究还是个孩子。

正是我们看到的这个小伙子，会在被替换下场时发脾气，会在与一名对手或队友发生碰撞之时恼怒不堪。人无完人。我们能接受吗？这些冲突来自于这个孩子的内心，来自于我们每个人心中的那个孩子。他的家人和俱乐部都想充分发挥他性格的这一部分：如果这一部分没有了，那么梅西之所以为梅西的一大重要元素，即比赛的乐趣，也就不复存在了。他身边的人都认为，如果他保留了孩子的性格特点，他就会继续感受到比赛的乐趣；如果没有了这些乐趣，他就只不过是个足球机器了。

也正因为梅西在某种程度上仍然是个孩子，所以他也会哭泣。他不仅会因思念母亲和兄弟而偷偷流下泪水，也会在输掉一场比赛之后泪如泉涌。

"我有一次在比赛结束后看到他哭了，我记得那场踢的是西班牙人。"维克托·巴斯克斯回忆道，"那是在联赛中，我们在他们的地盘上输了球。我们当时在青年A队，其实那场比赛并没有产生决定性的影响，因为我们最后还是赢得了联赛冠军。那场比赛的最后时刻，我和他都有不少机会可以破门，但我们都错失了大把机会，他们的守门员阻挡了所有射门。"

当年他们15岁。梅西低着头，和维克托一起走进了更衣室。他坐了下来，维克托坐在他身旁。梅西用球衣遮住了脸，就好像2012年4月巴萨在欧冠半决赛上对阵切尔西，梅西射丢了那粒点球之后的动作一样。维克托回忆道："我想，他是错失了很多机会，但他踢得并不差，不过我猜他很沮丧。后来我把我的胳膊搭在他的肩膀上，问他：'没事儿吧？'他并没有回答，于是我把他的球衣拉开了一点儿。他在哭。'我的天啊！'我当时想。他一定感觉到了。他没有像很多人一样哭出声来，他的眼睛看起来湿湿的，眼泪一直往外流。他就是这样焦虑。然后他对我说：'对不起，我没能进球，我感觉非常糟糕，我没能帮助大家赢球。'那场球我也踢得糟透了，我就想：'我的天啊，我们都没能进球，现在我们很可能就因为一场愚蠢的比赛而丢掉联赛冠军了。'他满是怨忿地哭着。当然，虽然我当时是那样想的，但我还是安慰着他，对他说：'别担心，我们会赢得联赛冠军的。'"

他们去淋浴了，维克托继续和他交谈着，他向梅西保证他们一定会赢得下一场比赛。维克托说了一两个笑话，又接着说："我们再连赢3场，搞定接下来的对手。下个星期我们会赢的，等着瞧吧。现在我们一块儿跟家人吃东西去吧，你会忘了这一切的，相信我。"梅西说："好的，也许吧，但我太沮丧了，因为我没能进球，因为我们输了。"

下一场比赛，梅西上演了帽子戏法。

还有4场比赛整个赛季就要结束了，那场胜利之后他们还落后西班牙人6分。但他们的加泰罗尼亚对手输了两场比赛，而巴萨则赢下了剩下的全部比赛。维克托和梅西回想起了那个充满泪水的日子。梅西首先说话了："看见这一切的转变了吗？"

这个小大人面临的考验之一，就是逐渐认识到他并不是宇宙的中心，而且未来的一切并不会像现在一样一成不变。生活的参照点——家、家人、朋友——开始转移了，因为更广阔的世界和全新的经历逐渐侵蚀了原先的生活。越早了解并接受这些事实，对于个体的情感成长就越有好处。

梅西随巴塞罗那青年A队前往意大利时，一切都开始变得有意义起来，他也开始让自己融入到球队当中去。他成为了队友中的一员，而不是一个局外人。因此，他的世界也慢慢变得更大了。

维克托·巴斯克斯追溯当年："在少年梯队时，梅西遭受了一次严重的伤病，然后他回到了阿根廷。而等他再回来的时候，这边的一切都让他几乎感到陌生了。他不得不从头开始。去意大利的比萨参加一项青年锦标赛的时候，我们住在一家有点儿像夏令营的旅店里。在那儿，我们和他一天24小时都待在一起，我们也开始跟他开玩笑，所以他也变得自信起来了。"

蒂托·比拉诺瓦的那支青年队受邀前往比萨参与马埃斯特雷利杯的竞争，当时年仅14岁、身穿14号球衣的梅西最终成为了该项赛事的最佳射手，而巴萨也在决赛中以2：0击败了帕尔马俱乐部。此外，梅西还在PlayStation游戏机上赢得了虚拟联赛冠军。

　　"我还记得在第一天还是第二天，皮克从梅西房间里把他的所有东西都拿了出来，他的PlayStation游戏机，他的衣服，甚至还有他的床，所有的东西——把他的房间搬得空空如也。我们把它们都藏到了别的地方。"巴斯克斯一脸坏笑地回想起了这件事情，"可怜的梅西啊。吃完饭后，他回房休息，准备午睡一下，我们都悄悄跟在他后面，没让他发现。他回到房间里，呆住了。他紧张起来，眼睛睁得大如餐盘，然后开始大哭。那是真的在哭，可怜的孩子。他一屁股坐到地上，哭道：'他们偷了我的东西，我什么也没有了，没有手机，没有游戏机，什么也没有了……'皮克大笑着把这情形录进了手机里，而他的所有东西就藏在另一个房间里。我们告诉他我们干了什么，但不到几个小时之后，我们就不得不让一位队友带他去另一个房间休息。他是那么紧张啊。皮克真是个恶作剧大师，那天我们笑了很久很久，可怜的孩子。"

　　但从那一刻开始，一切都改变了。梅西想要成为这个团队的一部分，他对他们每个人都有点儿了解，他知道这是一支健康的、好胜的团队，也知道他们都很尊重他——在这个时而让他感到陌生的足球世界里，成为恶作剧的对象其实也是一件好事儿，这是尊重的标志，归属感的标志。"好吧，梅西从来都不曾完全放开，因为他不是那种能完全放开自己的人，也做不到像皮克或者法布雷加斯或者我自己做的这个样子。"巴斯克斯说，"但是他笑得更多了，他融入得更好，他参与得更多了。也许他会在你吃饭的时候跟你玩个恶作剧，比如把你的叉子或水杯藏起来。我们一起花了许多时间玩PlayStation游戏机。我从来没有像在那次锦标赛里一样玩那么长时间的游戏机，我们从白天玩到晚上。我们有大把的自由时间，这些时间里全都是PlayStation锦标赛、PlayStation锦标赛，而梅西总是会赢。我的意思是，总是在赢。我们也会赌一点儿小钱，赌得并不多，大概也就10欧元或15欧元，我们总是跟他开玩笑。我常常对他说：'该死的，这该死的矮子什么都赢走了，全赢了。'我们试图让他离开游戏机，然后在一种叫做'一球制胜'的比赛中打败他。我们举行了一场持续一小时的比赛，无论何时只要有人让对方打入一粒进球，此人即淘汰出局，由其他人替换上场。梅西连踢了3个小时，一次也没有休息……那时我们真是讨厌他到极限了！"

维克托·巴斯克斯和托尼·卡尔沃是梅西在巴萨最好的两个朋友，他们是最先叫他"小矮子（enano）"的人。"而梅西则会对他们说些阿根廷俚语作为还击。我们一个字儿也听不懂。"卡尔沃说。在蓄意为之的情况下，侮辱就是侮辱，但梅西知道他们这样叫他其实全无恶意，也明白如果拒绝这个绰号，那就是对这个团体的不尊敬，也是软弱的标志。

"在那趟旅途中，我们看到了一个完全不一样的梅西。"法布雷加斯说，"我不知道我们是不是让他感到更自在了，但毫无疑问我们更加关注他了。有时候，当你看见一个这样内敛的男孩，这跟你也是不无关系的，你不想让他觉得他不属于这一切，但也不想让他觉得他应受到特别关注。你必须得斟酌行事。我们都是青少年，我们都喜欢举办小型派对……也不酗酒也不怎样……但无论如何……梅西敞开了……想象一下在每个人的印象中他在那趟旅途里敞开了多少……他仍然很内向，但在意大利发生了一些很好的事情。"

在巴塞罗那机场，巴萨左前卫罗伯特·吉里伯特要找一个他不认识的人要一些东西。他没法鼓起勇气来。就在这时，梅西自告奋勇地走上前去，代表他提出了请求。男孩们你看看我，我看看你。

回到巴塞罗那后，队友们都聚到了梅西的公寓里，开始了下一轮的PlayStation锦标赛。

就像通常发生的一样，随着时间的流转，球队中建立起了一定的秩序和团结。每位球员都越来越适应自己的角色，而这些角色都是由球队成员之间的共同经历和越来越多的互动交流确立起来的，由他们的共同目标定义的。这支球队开始凝固起来。在皮克和塞斯克离队前，87一代共在一起度过了两年半的时光，在这段时间里，梅西也由一位无名小将成为了球队中价值无量的一员，虽然他还有许多小障碍需要克服。在队友眼中，他既强大又脆弱。在罗萨里奥，有很多人愿意为他做任何事情，他们想把他抱到自己大腿上来照看他；他的祖母，他在学校的女友，操场上听从他的指挥、拍照时总想让他站在中央的伙伴，请求裁判关照一下他的教练，还有其实不必请求自会对他特别照顾的裁判。

但在西班牙，梅西不断变化的体格、沉默内敛的性格、无可争辩的天赋、对光明前途的自信、无与伦比的比赛风格，所有这些相互矛盾的东西组合在一起，往往让球队中的其他人感到很困惑，让他们百感交集。"让他独自待着就好，他能照顾好自己。"有些队友会这样说，这些人都在同梅西竞争，以期实现自己升入一队的梦想。"你得好好照顾他。"另一些人则会如是说。既然他已经开始生长了，队员们也就不再一致觉得他需要受到保护了，但仍然有一些人关心着他，看得见他的脆弱之处。

梅西和其他的伙伴们一起从蒂托的青年B队升入了由亚历克斯·加西亚掌管的青年A队。2002/2003赛季，在迷你球场附近的一个绿茵场上，所有人都记住了巴萨青年军对阵达姆俱乐部的经典之作。巴塞罗那以6：0大比分领先，但梅西仍在左路寻找以一敌多的进攻机会。然后砰的一声，对手重重地将他撞倒，接着又是一次，然后再来一次。在巴萨14~15岁青少年队阶段，许多男孩都经历过井喷式的生长，突然之间就比其他人高大了一倍。但梅西看起来仍然矮小。"他们就那样踢在他身上，你听我说，"如今，维克托·巴斯克斯一边说着，一边闭上了眼，就仿佛他才是那个遭受冲撞的人，"那太残忍了。但是那家伙又站起来了，一次一次地站起来，虽然他遭受着非常激烈的冲撞。那天他们是想杀了他。我记得亚历克斯离开板凳席表达抗议：我们都在抗议。这是一场斗殴。"

"皮克来到裁判跟前为梅西辩护，他被驱逐出场了。"法布雷加斯说，“皮克在第一时间就站了出来，他从后场一路跑来，当时身高1米80的他要跟裁判争论！不管怎么样，他还是停了下来，并对他们说：‘别那样踢他了，他并没造成任何伤害，他只是想确保每个人都享受比赛；如果你们阻止不了他，那就别阻止他了。’”“皮克是老大。”梅西经常说。

“如果裁判不保护你，我会保护你的。”亚历克斯·加西亚把梅西换下场，对他说道。“小跳蚤”愤怒不已，并不是因为对手的凶恶踢法，而是因为他还想继续比赛。维克托·巴斯克斯说：“一个人正常的反应是在心里想：‘是因为我很厉害，他们没法阻止我，所以他们才踢我的，但不论如何，他们要是能把我换下去就好了。’但他不会那样想，他还想接着比赛，他大概在想：‘让我到另一侧去，我不在乎，只要让我接着比赛。’然后我们就以6∶0大获全胜，还记得吗！”

“我们中有一些人认为他没有防守。”巴斯克斯回忆道，“以他的身高而言，他有着出色的头脑，还有令人惊叹的左脚、盘带技术和速度……他踢得很好，他是个好人，是个好朋友，没人想让他受到任何伤害……事实上你得去帮助他，如果你没帮助他的话，你会感到很难受。他那样地看着你，虽然用的是眼角的余光，就好像在说‘请帮帮我，我需要你的帮助，因为我必须适应这个层次的比赛，因为我想留在这儿，我想在这里取得成功’。对于一个这样的孩子，你怎么忍心不去帮他呢？于是，你的理性就会被感性所接管，你会说：我得去帮他一把。”

巴斯克斯曾见过他在卡洛斯三世大街的家中自己进行激素治疗。通常是他们在梅西家玩**PlayStation**游戏机，时不时地梅西的父亲就会打断他们：“到打针的时候啦。”梅西便起身离开房间，到厨房或浴室里去给自己打针。一次又一次。随着时间的推移，梅西向维克托敞开了心扉，并告诉他自己并不喜欢这样做：“维克托，我讨厌这样，我很讨厌这样，但我不得不这样做。如果我不这么做，那我就会一直是个矮子。”

“一方面，我们在俱乐部里辛苦训练，以确保梅西能正常成长，好让他的体格匹配上他那天生的球技。"亚历克斯·加西亚解释道，"但另一方面，我们也祈祷着别让皮克再长高了。"14岁的时候，这名中后卫的个子已经长到了1米90。俱乐部方面认为，再长那么几厘米，也许他的足球生涯就要结束了。

无论如何，梅西14岁那年，巴萨决定停止他的激素治疗。第二年，他长到了1米62，体重55公斤。但是，他仍然不能踢完比赛。"我对我的速度缺乏抵抗力。还有就是，没错，我时不时会感到疲惫。"梅西在2002年的一次采访中说。他参加了俱乐部策划的一项个人自愿健身计划，该计划由一名心理学专家、一名体育医生和一名体能教练共同监管。杰拉德·皮克也参与了这一计划，哈维尔·萨维奥偶尔也会加入。

如托尼·弗列罗斯在他为梅西撰写的传记中所述，这一计划的理念在于让球员个体适应其自身肌肉结构。经过对44次健身训练的详细评估，球队于2002年6月得出了一份最终报告，但对于梅西的评价却很含糊："他是本次研究中参与最少的球员。由于圣诞假期和生病造成的问题，他缺席了12堂训练课。而当他可以参加训练的时候，他也总是处于队友的阴影之中，他的动作都做得准确无误，但他并未表现出任何积极性。"

在这位阿根廷男孩脆弱的表面背后，是他准备在足球的丛林中闯出一片天地的决心。"我并不认为他是个软弱的孩子……不错，也许他的确是个孩子，人们都觉得应该保护他，因为他们跟他关系很亲密，这点我能理解。"法布雷加斯说，"梅西可能是很内向，可能是很害羞，他可能是不大爱说话，但是梅西很有胆识。"法布雷加斯想说的是，他从不觉得他需要动不动就参与后防，因为在必要的时候，梅西会表现出钢铁般的意志力，梅西的内在力量也展露无遗。可能前一分钟一名对手企图把梅西踢得屁滚尿流，然后突然之间梅西就上演了一段令人称绝的带球突破，把对手耍得手足无措！对于受害者来说，其实情况还要糟糕得多。不错，法布雷加斯认为梅西完全可以照顾好自己。

在另一场青年队比赛中，梅西面对一名防守球员上演了一招"海底捞月"，试图将球轻轻挑过对手头顶。不料对手竟将皮球拦了下来，并低声说了句："你这个小杂种。"这句话已经违反了所有规定。"我是杂种？我是杂种？"梅西尖声叫道，队友不得不过来安抚他。3岁那年，他在游戏中输给了家人，一气之下竟扔下了卡牌。多年来，他从未丢失这种独特的基因。

再一次，随着时间的流逝，人们对梅西的保护逐渐变成了尊重。梅西学会了如何在他的团队以及俱乐部中立足，并继续赢得伙伴们的信心。作为足球运动员，他们都知道不能在训练中做危险动作，因为他们不能失去这名在帮助球队取得胜利的重要球员。"这跟最初法布雷加斯意识到根本没法阻止梅西而想要杀了他不一样。"巴斯克斯分析道，"他开始成为了我们今天所了解的那个莱昂·梅西，那个一个赛季给你打进50个球的孩子，你最好把他照料好。他赢得了所有人的尊重。"

"很久以后，我们才知道他曾忍受的孤独。"法布雷加斯承认道，"后来我们知道他是个跟父亲住在一起的孩子，他非常思念家人。我们知道这些，是因为教练曾告诉过我们，而不是他告诉我们的。当时我们处在一个踢好了球就行，踢不好就很糟糕的阶段，所以我们都太专注于努力拼搏了。我们没有时间也没有心思去了解梅西在干什么或在经历什么。"

"我知道他花了很多时间写信，上网，还不怎么学习……"但是他有没有去上学呢？"是的，是的，他去上学了。我不知道他是不是坐在教室里涂涂画画，但他确实去上学了……"法布雷加斯不过是在说笑，但对于梅西和许多队友而言，学校很快就变成了一个令人讨厌的地方，让他们无法忍受。

"他跟我们一起在拉玛西亚学校上课，"维克托·巴斯克斯说，"但上了一半，他就再也没有来过，因为他不喜欢上学。说真的，我们都不喜欢！"每天上午9点都会有一辆大巴把球员们送去鸿运大街上的列奥十三世学校，但一两次之后，梅西和维克托就再也没有上过这趟车了。他们觉得学校太无聊了。"我们到了学校，听音乐，或者闲聊，或者玩手机，有时候跟女孩们开开玩笑，那儿有些来自网球和篮球俱乐部的姑娘。我们对别人弹小纸球，写些滑稽好笑的段子……莱昂在的时候，我们也试图让他加入进来，但梅西总是很害羞，他总是自个儿待在角落。我曾找他说：'来吧，让我们干点什么。'有时我们会下三子棋，或者玩些其他的游戏，而他们总是试图教导我们。老师看到了我们，就会说：'够了！你们两个，别坐在一起，想干什么就干什么，但是别在这儿嘻嘻哈哈了！'"维克托大笑道，"于是我们就放起了音乐，拿出一本书来装作在学习，以防有其他学校主管突然进来，就是那样了。但我们并不是坏孩子。我们不想学习，但我们也没打扰课堂。都是老师的不好！"

在霍尔迪·吉尔的法布雷加斯传记中，奥里奥尔·帕伦西亚向吉尔解释了法布雷克斯和其他人是如何在列奥十三世学校里消磨时光的："老师脸朝着黑板的时候，我们就会举起厕纸来回挥舞，就好像是在诺坎普球场里举着白色手帕抗议一样，然后高喊着'下课，下课'。还有几次，我们遥控着一辆玩具车满教室跑……法布雷加斯从不参与这些恶作剧，老实说他性格比较温顺，虽然他绝不是畏首畏尾的那种人。恰恰相反，皮克则生来以捉弄别人为乐。他会戏弄那些比他大的孩子，他们会狠狠地揍他，可他却哈哈大笑。法布雷加斯更喜欢把你的靴子藏起来，给你制造麻烦，而皮克就比他自大得多了。"

"梅西是我回到巴萨的原因之一。"法布雷加斯说。在伦敦为阿森纳效力了8年之后，他又回归了红蓝军团。法布雷加斯的意思是，他想再次体验那些快乐时光，那些欢声，那些笑语，那段他时常提及的"我一生中最快乐的时光"。然而，梅西却仅仅把这些日子看作是一段必不可少的前奏，一段必将引领他走向最终目标的开场白。

2002/2003赛季：续航

巴萨一队继续在低迷中挣扎。俱乐部主教练路易斯·范加尔处理掉了球队的三大支柱：里瓦尔多、阿韦拉多和塞尔吉，然而却无法签下心仪的球员。在他的执掌下，球队的状况并未得到改善。2003年1月，巴萨跌到了联赛第13名的糟糕位置，范加尔也怅然下课。拉多米尔·安蒂奇临危受命，然而球队最终仍只在联赛中获得第6名，刷新了巴萨近15年来的最差战绩。在欧冠赛场上他们同样折戟沉沙，倒在了四分之一决赛上。召回荷兰人范加尔的错误决定不仅没能取悦球迷，还加速了霍安·加斯帕特的离任，后者于2003年初提交了辞呈。俱乐部的命运悬在了董事会的手上，他们为当年夏天的计划举行了一次大选，这次选举的结果为俱乐部带来了一丝新鲜空气，更重要的是，球队迎来了一批年轻球员。一个新的时代即将拉开序幕，它属于霍安·拉波尔塔和桑德罗·罗塞尔，当然也属于罗纳尔迪尼奥。

与此同时，诺坎普球场内仍然飘扬着沮丧的嘘声和愤怒的口哨声，而看台上则是一片片白色手帕的海洋。而更远处，在那些15岁的巴萨小将们比赛的泥土场地上，亚历克斯·加西亚的青年A队正在创造一些神奇却又短暂的东西，一些即将匆匆结束，让任何人都始料未及的东西。

这支青年队擅用3-4-3阵型，其典型首发阵容如下：

普朗切里亚；巴连特、皮克、帕伦西亚；法布雷加斯、希里韦特、胡利奥·德·迪奥斯、梅西；胡安霍·克劳西、弗兰克·松戈奥和维克托·巴斯克斯。

"从他们的身份证和他们热衷的恶作剧看来，这支球队是由一群十五六岁的孩子组成的，但是在训练场上，在比赛上，他们可能比实际年龄大上10岁，"亚历克斯解释道，"他们是一群有着职业球员的心理素质的孩子，在训练时你必须要对他们加以管束，他们都太争强好胜了。在那些短时比赛中，在那些4对4、5对5比赛中，针锋相对！太不可思议了，我不得不阻止他们。后来，在一些比赛中，3：0的胜利已经不能让他们罢休。如果有可能，他们就会踢个4：0甚至10：0。如果要罚一个点球，就会有4名球员为了这个球而追赶争执。他们会因此而吵起来。"这时，加西亚就会在边线上从中斡旋。

"带着对对手的尊重，他们每周都会相互竞争对抗，所以比赛日对他们来说就像是训练课一样。"加西亚总结道。

加西亚教了梅西一整个赛季，他是低级联赛中唯一一名享有如此机会的教练。这个赛季里，梅西没有遭遇任何重大阻碍，出战了每一场比赛（他是唯一一名做到这一点的球员），并攻入了36粒进球，比中锋巴斯克斯多进5球：这个赛季为梅西提供了一条跑道，这位阿根廷新星的职业生涯将从这里起飞。

"梅西是一个就他的年龄而言非常稚嫩、非常小的孩子，留着茂密的头发，有个长长的名字，很安静，很拘谨。他的话非常少，但他很善于倾听。我之所以知道他善于倾听，是因为他把我们在更衣室里、在指导课上说的东西都运用到了训练中去。"亚历克斯·加西亚如是回忆道，他曾经常观摩梅西在蒂托·比拉诺瓦手下踢球。即便他对梅西的能力还保留一点怀疑，在对阵强大的达姆队时，梅西超越自己的表现也足以让加西亚的犹疑一扫而空。那场比赛是属于梅西的：他用灵巧的挑球过掉了一名防守者，凭借一己之力打入了第一粒进球，然后又打进了最后一粒进球，将比分定格在3：0。"当时我在那个孩子的身上看到了无限潜力。"加西亚回想道。

梅西将自己定位为一名影子前锋（紧紧跟在主力前锋身后的中场球员）。加西亚说："他不喜欢待在侧翼，他告诉我他会那样做，但只要有机会，他都会往禁区里插。这很正常，你不能束缚天才。结果就是，我常常对他定位不那么严谨，让他踢不同的位置；我希望他能习惯出任不同的位置，我对法布雷加斯、巴斯克斯等人也是一样……我从来没见过比巴斯克斯和梅西更适合的双人搭档，他们的组合太了不起了。"

　　如今，梅西已全面认识了他所达到的层次，认识到了他之于球队的重要性，或许更重要的是，他认识到了在前路等着他的各种可能性。"我尤其记得在欧罗巴队主场中的一场比赛，当时我们的冠军正危如累卵。"加西亚继续说道，"前一场比赛由于大雨而被取消了，因此那场比赛在周中的一天举行。我赶到那儿跟他们解释说，赢下这场比赛对我们来说非常重要，因为那样我们就有机会争夺联赛冠军了。梅西跑到我面前，我说：'保持冷静。'然后他对我说：'别担心，领队，我很快就会把问题解决的。'不到10分钟，他狂入3球。就像那样，砰、砰、砰。我们收获了一场7∶1的大胜。梅西当时15岁，对自己的能力充满了信心。"

　　那支青年队没有错过任何一座奖杯。他们赢得盆满钵盈，将联赛冠军和西班牙全国锦标赛冠军一一收入囊中，并在那场如今广为人知的"面具之战"（Partido de la máscara）中捧起了加泰罗尼亚杯。

　　还记得那场比赛的人，回想起当时的情景，仍会激动得起一身鸡皮疙瘩。

　　赛季收官战在迷你球场旁的一个附属场地举行，巴塞罗那迎战西班牙人。这两支球队交锋次数最多，他们已经争了一整个赛季，而巴萨已经提前锁定了冠军。

　　巴萨青年A队取得了1∶0领先。

　　一记长传。梅西奔向皮球，并高高跳起，试图将球控制住。

　　一名西班牙人的后卫迎面跑来，两眼紧盯着皮球，企图将梅西阻断下来。

　　梅西转过身。他的面部遭到了对方后卫的猛撞。

　　球场另一端都能听见撞击的声音。梅西伸出了双手，摔倒在地。

他就那样躺着——纹丝不动。他短暂地失去了意识。其他球员都跑过来，看看他出了什么事儿，没人敢碰他。他脸上有血，鲜血顺着他的鼻子往下流。

梅西的父亲焦急地从看台上疾奔过来。他打开了球场的大门，踏上了草地。

但梅西还是没动。他的双眼睁得大大的，人却很镇定。他恢复意识了。他有点看不清东西，感到很困惑。发生什么了？

队医赶来了。

一些孩子紧张不安地挪到了一边：他们为梅西的状况担忧。梅西的父亲凑近身子看着他，想看看他有没有什么问题。

梅西镇定自若地站起了身。大家都替他加油鼓气，但他却想走一走。

"你的颧骨骨折了。"他们告诉他说。

他们把梅西送去了对角线大道上的FIATC医院。诊断结果确认：右颧骨骨折。他要接受24个小时的观察。梅西向队友问了问比赛的结果，"3：1，"他们告诉他，"我们赢了。"梅西和他们说，他会努力赶在下个星期加泰罗尼亚杯决赛开球之前复出。

他说他想踢决赛。

两天之后，梅西去探望了队友们，他的脸上还绑着层层防护绷带。

"你还好吗？"他们问他。

"我很好，一切都还好。他们说我要8周后才能复出，但我觉得用不了那么久。他们告诉我说我可以戴着面具比赛，你知道我一点儿也不喜欢受伤。"

"但你感觉还好吗？"

"是的，不错，我很害怕，但一切都还好。"

梅西最担忧的，是他要错过一系列重要比赛。尤其是，现在所有的事情都进展得如此顺利。

他甚至都没提过疼痛。就像他对挫折的承受能力一样，梅西对疼痛的忍耐程度非常高。乐观的人总是把问题看作是有待克服的挑战，而悲观者则对不幸的事情有着先见之明。在某种程度上，梅西属于前一种人——不论面临多少困难，他眼里只看得到成功和胜利。

但是从目前而言，似乎梅西不能继续比赛了。其他球员都很担心：一场没有了梅西的决赛！

听说梅西受了伤，萨维奥拉给他送来了一件球衣和早日康复的祝福。还只是一名青年队球员的梅西从未忘记"兔子"的好意。

本赛季初，巴萨队长卡莱斯·普约尔也曾和弗兰克·德波尔①相撞，遭遇了类似的伤情。他的专门医师委托做了一副保护面罩，眼下面罩还在俱乐部的医务处里。队医们告诉梅西，他可以参加比赛，但必须带着面具出战。即使有了面罩的保护，这样做仍然有着一定风险，因为如果再次遇到碰撞就会导致糟糕的后果，有可能需要进行手术治疗。

在决定梅西是否出战之前，亚历克斯·加西亚同他谈了一次话。

"你知道上场比赛的条件。医生对我说：'想都别想不带面具上场踢球。'"

"是的，头儿，别担心。"

"你知道如果你不按我说的做，我就不得不把你换下来。我们是在拿你的颧骨冒险。说真的，你应该好好休息。如果你再受次伤，你就只能去手术室了。"

"不，你别担心了。"

梅西受伤7天之后，在费雷亚路上的科尔内亚球场，两支球队在决赛上再次狭路相逢。梅西首发出场。那个塑料面罩对他来说有点儿大，梅西总

---

① 弗兰克·德波尔，荷兰退役足球运动员，场上司职后卫，曾随阿贾克斯队5次夺得荷甲联赛冠军。在2000年欧锦赛上成为第一位为国家队效力超过100场的荷兰足球运动员。

是试着调整它。这让梅西恼怒不已。

比赛开始了。

7分钟后，梅西在侧翼接到队友传球，于是奋力向皮球跑去。他一边跑着，一边调整着面具。他把球弄丢了，看起来非常恼火。

"亚历克斯，梅西戴着那个面具很不舒服，他好像看不清东西了。"球员联络人安赫尔·帕洛莫对教练说。

"头儿，我什么也看不见了。"过了没多久，梅西就证实了这一点。

亚历克斯在替补席上对他喊：

"听着，莱昂，记住医生对你说的话。"

梅西再次接到球，他摘下了面具，把它拿在手中，然后过掉了一个防守球员，接着又过掉了一个。他又丢了球。

他跑到场边，把面具扔向了替补席。

"别担心，头儿，不会有什么事儿的。"

他接到了弗兰克·松戈奥的传球并射门得分。不一会儿，他又秀了一把个人技巧，然后将球从出击的守门员身边踢过，破门而入。10分钟内梅西连进两球，到中场休息时球队已取得了3∶0的领先。但由于担心事态恶化，加西亚坚持要把梅西换下场。"是的，头儿，现在我下场了，我下场了。"但梅西仍然很失望：他还想接着比赛。梅西破门后，维克托·巴斯克斯和皮克先后进球，随后皮克与西班牙人队教练雷蒙·格雷罗发生了冲突，也被换下了场。比赛以4∶1告终。

"在拉玛西亚，我发现梅西不仅对足球比赛有着深刻的理解，而且还将它视为团队的协作，将比赛的法则建立在你对你的伙伴、你的教练以及这项运动应有的尊重之上。他在那场比赛中付出的努力告诉我，为了让我们和他自己获得胜利，他有做任何事情的决心。"亚历克斯·加西亚说。

虽然当时的国际球探系统远不如今天这样完善和普及，但不可能有哪一家外国俱乐部不向87一代投来赞赏的目光。就像这样，2002/2003赛季的巴萨青少年A队受到了阿森纳的密切关注，他们不仅希望签下塞斯克·法布雷加斯，还想把杰拉德·皮克和莱昂·梅西一并招入麾下。

这一切要从巴萨在略雷特德马尔挑战帕尔马队的一场比赛说起。那一天皮克并未上场，但87一代的其他人悉数出战，他们把胜利稳稳地收入囊中。阿森纳的驻西班牙代表弗朗西斯·卡希高深受震撼：他刚目睹了一些非常与众不同、非常不一般的东西，也就是法布雷加斯的掌控力和梅西的才华。复活节期间，他又回到西班牙，观摩加西亚的球队在MIC锦标赛上的表现。巴萨迎战一个新的对手之时，卡希高打了一通电话："我要是能为这名阿根廷小伙子找到一个搭档就好了……"梅西在西班牙的代表奥拉西奥·加吉奥利无意间听到了他所说的话，等他放下了电话，加吉奥利走上前来："我相信您正在找我。"

当晚，弗朗西斯同这位梅西的经纪人共进晚餐，向后者表达了自己对梅西的兴趣，并提出了一份报价，由加吉奥利传达给了梅西的父亲豪尔赫。从那一刻起，阿森纳和梅西之间的对话开启了。法布雷加斯和皮克也都是阿森纳的目标。

弗朗西斯的报告措辞清晰明了。15岁的"小跳蚤"梅西有着卓越非凡的才能，虽然当时的他还并没有日后帮他在比赛中更上一层的力量。他理解力超群，还有着出众的射门能力。因为身高不足，他遭到了一些怀疑，但这点劣势同他在比赛中表现出的才华相比实在不值一哂。

事实上，卡希高是为数不多在这些锦标赛上考察的欧洲俱乐部球探之一，也可能是唯一一个。因此，阿森纳的报价是自梅西抵达巴塞罗那以来收到的第一份来自国外俱乐部的报价。梅西一家了解了阿森纳方面的意思，但他们并不打算就此点头。很明显，任何潜在问题都将遭遇重重障碍。这家英格兰俱乐部无法为梅西一家提供公寓，他们也很难获得工作许可。双方之间的兴趣逐渐消退了，最后这份合约也无疾而终。但他们给豪尔赫留下了一句话："不论任何时候，只要你们遇到了麻烦，请别忘了，我们俱乐部想要他。"

无论如何，阿森纳还要尽力确保签下皮克和法布雷加斯。他们只差一点就成功了。皮克到伦敦去参观了他们的训练设施，双方就一切事宜达成了一致并确认无误，只有一个法律上的问题延缓了这笔签约：皮克年纪太小，还不能进行签约。阿森纳建议双方先达成口头协议，一年之后，等皮克满了16岁，再正式确认生效。皮克（更准确地说，是皮克的经纪人）拒绝了。

他们已经捧得了加泰罗尼亚杯，只剩最后一个障碍即可完成一个完美的赛季，那就是：西班牙全国锦标赛。法布雷加斯知道，这项锦标赛将会是他在巴萨的最后几场比赛了，15岁的他即将放弃他的城市、他的朋友还有他一生为之羁绊的俱乐部。

亚历克斯·加西亚看到了他垂头丧气的样子："我问过他是不是遇到了什么个人问题，是不是家庭问题。他告诉我说这跟那些都没关系，说他收到了来自阿森纳的报价，很可能就要离开了。"他感到哈维和伊涅斯塔阻碍了他的发展道路，不得不前往别的地方，去看看他是否足够优秀，足以适应这项运动。

"阿森纳秘密进行了谈判，但这些事情其实都传到了青年队主管奎姆·里费的耳朵里。"阿尔伯特·贝奈赫斯回忆道，"但当时霍安·拉波尔塔还未上任，球队上下发生了很多变故，而且俱乐部董事会的人事变动造成了权力真空的状态，所以阿森纳还是成功签下了他。"

巴萨青少年A队先后斩落西班牙人、阿尔瓦塞特、马德里竞技，并在决赛中击败毕尔巴鄂竞技，把西班牙全国锦标赛的奖杯也收入囊中。因为俱乐部内部的政治原因，梅西未能随队出征：西班牙足协将梅西列为"归化球员"，换句话说就是非西班牙本土球员。尽管非本国球员已获准征战联赛，但却不能参加这项赛事。法布雷加斯被安排顶上梅西的位置，并成为了该项赛事的最佳球员。直到2011年的某个夏夜，皮克、法布雷加斯和梅西三人再也没能同场竞技。

2003年9月，法布雷加斯离开了巴塞罗那。同年10月，有了新董事会的巴萨与梅西签约至2012年，其中包括一项价值达3000万欧元的买断条款，如果梅西升入巴萨B队，该条款总值就将涨至8000万欧元，而如果他进入一队，该条款总值则将升至1亿5000万欧元。

"那是我感到最孤独的一段时间，"维克托·巴斯克斯回忆道，"法布雷加斯、皮克和松戈奥都要走了。我和梅西都升到了青年A队，虽然他很快就跳到了巴萨C队，踢了三四场比赛又升入了巴萨B队。他的晋级之路比其他人都快得多，非常惊人。而我独自待在青年队，当然并不孤单，我还有其他队友，但我想一起相伴的4个人却都不在了。感谢上帝，我们接着赢下了所有的赛事。它仍是一支优秀的球队。他们都走了，但我留了下来，为他们高举队旗！那是我职业生涯中最好的时光，我们过得非常快乐，像孩子一样。好吧，我们确实是孩子，的确是。"

维克托·巴斯克斯继续说道："我打算给我儿子取名叫莱昂。给他取这个名字让我觉得很高兴。不是莱昂内尔（Lionel），不是莱昂纳多（Leonardo），而是莱昂。莱昂·巴斯克斯。"

2003/2004赛季：连晋四级

《巴萨求'西'若渴》是阿根廷影响力最大的杂志《画报》 2003年8月版的头版头条。这行大字下写着："他来自阿根廷，他在低级别比赛中摧枯拉朽。他在13岁那年离开纽维尔斯，然后让沙利·雷克萨奇为之目瞪口呆。他年仅16岁，但我们已经可以预见他在巴萨一队的表现，他们已经拿他跟马拉多纳比较了。梅西是名纯粹的Potrero（西班牙语，泛指"在坑坑洼洼的球场上成长起来的足球运动员）：擅长左脚，技术精湛，还是个神射手。"

迭戈·博林斯基，记者：

  2003年11月18日，西班牙体育报业巨头《世界体育报》发表了该报第一篇关于新星莱昂内尔·梅西的特写长文，标题是：《未来的巨星》。文章还配有一张图片：在寂静空旷而充满了希望的诺坎普，梅西用一个橙子练习着颠球，这个橙子一直没有掉到地上。我很荣幸能有那次机会采访梅西，并为那篇专访进行了辩护，让它得以顺利公开发表，出现在当天的杂志摊上。他们许多人都觉得文章写得太夸张了。从那时起，直至今日，莱昂内尔·梅西——他更喜欢别人叫他莱昂——不断用他的出色的球感和盘带技巧为这个世界带来惊喜。而当时与他联袂出演的那个橙子，如今则安然躺在一个密封的罐子里。

  名记罗伯托·马丁内斯的确将那个橙子存放在一个密封的罐子里，一直收藏至今。

  像肯尼迪一样，霍安·拉波尔塔在执掌俱乐部的头几周里时常面露微笑，拥抱他人。巴塞罗那从维系了20多年的陈旧老套的管理风格中脱离出来，这支俱乐部需要一次彻底的革新，尤其是在财政方面。到2004年6月，俱乐部上下已经历了翻天覆地的变化：它让自身形象变得更加现代化了，重调了财政结构，同时彻底更新了基础设施。此外，它还将其公文报告"加泰罗尼亚化"了，并对球队进行了整改。两年之内，巴萨摇身一变，成为了全球最知名且最受欢迎的俱乐部之一。

  拉波尔塔则是驱动着这些改变的引擎，神一般的约翰·克鲁伊夫在幕后提供支持，而体育副主席桑德罗·罗塞尔则利用他在巴西的人脉引进了罗纳尔迪尼奥，随之而来的还有一大波品味出众、个性鲜明的巴西球迷。就在这第一个赛季，球队迎来了里卡多·夸雷斯马、拉斐尔·马克斯和吉奥·范布隆克霍斯特，赛季中段埃德加·戴维斯的加盟进一步巩固了这一冲击性强大的阵容。俱乐部足球主管特希基·贝吉里斯坦和主帅弗兰克·里卡杰尔德组成了剩下的管理层阵容，旨在发挥这群年轻而渴望成功的球员的最大功效。

状态低迷的开局过后，里卡杰尔德把他的球队带到了联赛第二的位置，联赛冠军最终由巴伦西亚捧得。罗纳尔迪尼奥在全部比赛中共打入25粒进球，虽然他在场外可能比在场上影响更大。小罗那大大的微笑和他常用右手摆出的冲浪姿势让球迷们沉醉不已，这种催眠效应很快在巴萨的支持者中燃起了一种新的感觉，让他们再一次为自己的球队感到骄傲。

桑德罗·罗塞尔还负责青训营的人事变更。霍安·科洛梅尔取代奎姆·里费，接管了青训计划。就是他向罗塞尔描述了这位阿根廷男孩的惊人进步，而其实早在梅西与他的第一家大型赞助品牌耐克合作时起，罗塞尔就已经对他有所了解了。

6月，该赛季开始之初，梅西效力于其阿根廷同胞吉列尔莫·奥约斯执教的U16球队。奥约斯也是纽维尔斯的球迷，刚加盟巴萨没多久。奥约斯从未同梅西近距离接触过。在他们共事的第一天，训练量很轻，而梅西则在球场上大放异彩。5分钟后，奥约斯惊异不已："他太出色了！"

那个赛季发生的事情，是巴塞罗那青训营中前所未见的。

巴萨青年B队远赴日本，参加第四届丰田U17国际青年足球锦标赛。他们的第一个对手是来自荷兰的费耶诺德。"15分钟后，我们就以0:1落后了，"奥约斯在托尼·费列罗斯的书中解释道，"很难让球队融入比赛……我看见梅西在球场上表现得很愤怒，他开始主动要求，不过半个小时，他就做出了一些令人震惊的举动，他带球过掉了4名后卫和守门员，然后给松戈奥递上了一脚致命的传球。"4场比赛过后，梅西被票选为锦标赛最佳球员。在此后于锡切斯举行的下一项锦标赛中，情况也是如此。接着，在桑特维森斯·德蒙塔尔特举行的比赛中，梅西再度当选赛事最佳球员；在意大利的圣焦尔焦德拉里金韦尔达，他继续独揽殊荣。在最后一项赛事中，这支U16球队在5场时长45分钟的比赛中轰入了35粒进球，他们犯的唯一错误就是送给了对手一个角球。但在赛事早期，梅西罚丢了一粒点球。"那个守门员可以宣扬自己曾扑出世界最佳球员主罚的点球了。"奥约斯说。在对阵尤文图斯的决赛中，巴萨又获得了一次点球机会。梅西主动请缨，并破门得分。在奥约斯的要求下，他特意练习了点球。接下来的那个夏天，这些练习将在梅西职业生涯的关键时刻让他受益良多。

虽然梅西沉默内敛，但教练认为他是一名天生的领袖，并授予了他队长臂章，让他戴了好几场比赛。"我不知道说什么好，安赫尔，这孩子就像马拉多纳一样。"安赫尔·阿尔科莱亚是奥约斯的助理教练。而马拉多纳……世界上只有一个马拉多纳。在青年B级联赛的季前赛中，梅西只输了一场比赛，输给了皇家马德里。

正是在那个时候，佩雷·格拉塔科斯略过了一条俱乐部中的不成文规定，只为捕捉住旋风般的梅西。他同梅西的邂逅纯属巧合，但这次会面带来的一系列后果却有着重大意义。

佩雷当时执掌着征战西乙二级联赛的巴萨B队，在青训营体系中比U16队高出两个级别。U16队上面还有U17队和巴萨C队，然后才是格拉塔科斯的这支球队，这也是青训体系中第一支与球员签订职业合同的球队。8月前后，在季前赛阶段，他们和青年队共用迷你球场的一块附属训练场地。"巴萨B队占用一半场地，而另一半则由其他两支球队分享。"佩雷回忆道，"我的助教在做准备的时候，我就在观察那些小球员，尤其是吉列尔莫·奥约斯的球队。然后我看见有名球员在踢一场短时比赛。他很快，非常令人振奋，非常活跃，他总是能拿到球，盘带自如，射门得分。"

与球队中的其他人相比，梅西有着别人所没有的才华，但真正让格拉塔科斯感到震撼的，是他在数米内的启动速度和他的比赛效率。

"我们的训练开始了，我对我的球员说，我要再观察会儿这些球员，晚点儿再过来。那天梅西打入了很多进球。他训练完后，我对我的助教阿尔塞尼·科马斯说：'我看中了青年队里的一名球员，我觉得他应该跟我们一起训练。'他问：'哪支队里的？'我说：'我想他应该是U16队里的。'然后他说：'你疯了吗？'我回答道：'阿尔塞尼，他比目前巴萨B队中的许多球员都要好。先观察他一个星期，观察结束后，我们再讨论如何抉择。'那个星期快结束的时候，他跑过来跟我说：'佩雷，你知道吗？我觉得你是对的，他应该跟我们一起训练。'"

格拉塔科斯和科马斯去找了青训计划的主管何塞普·科洛梅尔谈话。他们想让梅西加入巴萨B队。在那支青年队中，还有其他一两名球员也非常出色，格拉塔科斯建议他们一起晋升："最重要的是可以掩盖梅西升级的真相。"这两位球员是奥里奥尔·列拉和霍尔迪·戈麦斯。"你们疯了吗？"科洛梅尔问他们，但他最终还是同意了这个决定。尽管他仍然怀疑梅西的体格和能力是否能适应新的级别，但他也很清楚梅西所取得的显著进步。在吉列尔莫·奥约斯手下踢了短短两个月后，16岁的梅西就开始零星地参加巴萨B队的训练课，同时和胡安·卡洛斯·罗霍的青年A队一起训练和比赛。

"他们很快就把我和梅西提到青年A队去了。"杰拉德·皮克说，"法布雷加斯刚刚远赴阿森纳。在那个年纪，能在U16队待一个赛季是很不同寻常的，而梅西和我则去了一支别人比我们都大了一岁的U17队，跟他们结伴前行！谢舒·罗霍是我们的教练，12月时他们发现我打算加盟曼联，于是又把我降回了U16队。但我去看了梅西的比赛，在国王杯中，梅西一手包办了所有比赛。我记得对阵奥萨苏纳的一场比赛，那就是一场'莱昂对抗全世界'类型的比赛，你别忘了，这可是一支有许多优质球员的球队。"

梅西代表U17队出场11次，打入了18粒进球。其中在一项友谊锦标赛的决赛中，梅西从中场轰出了一记精准的左脚远射，皮球越过了皇家贝蒂斯队门将的头顶，直入门中。

巴萨C队问题重重——15场比赛中，他们只赢下了其中一场，在联赛分组排名垫底——因此格拉塔科斯和科洛梅尔才决定，梅西应该到C队踢球，从中积累经验，这也是他在那个赛季效力过的第三支球队。格拉塔科斯和科洛梅尔一致表示："我们认为他能给我们带来一些不一样的东西，而事实也确实如此。当时我们正在经历一段艰难的时期。第三级联赛是一个非常难踢、非常复杂的联赛，而我们队中则满是非常年轻的孩子。梅西的到来就好像一缕清新的空气，事实上，不论是在团队中还是作为个人，梅西都给了我们许多帮助。我们原本挣扎在联赛底层，而梅西却让我们重新焕发活力；他有着与其他所有人都不一样的优势。"第一场比赛，迎战同城对手欧罗巴队，巴萨以3：1取胜。

梅西为那支C队出战10次，攻入5球，其中有一场对阵格拉门内特的比赛，梅西在球队落后的情况下于4分钟内连进2球，完成逆转。巴萨C队从困境中脱离了出来。

他还为C队在西班牙国王杯上对阵塞维利亚队的一轮比赛中披挂上场。盯防信心满满的梅西这一重任落到了塞维利亚的右后卫身上，而梅西则在8分钟内打进了3球。那名后卫永远也不会忘记那个早晨。他的名字？塞尔吉奥·拉莫斯（如今的皇马后卫）。

梅西继续大步向前跃进，他总是积极进取，从不抱怨。"他是如此地热爱足球，以至于他很难向任何人说不，不论对方是谁。"C队主帅博阿达说，"他必须变得更强，但他确实让我们更有竞争力了。每次梅西拿到球都是一次新的发现。其他的男孩被他迷住了，想要模仿他的风格和技巧。激烈的竞争随之而生，这对球队来说有很大的积极作用。"

"我对莱昂的第一印象还是在2003年。"当时的俱乐部新任财政副总裁、在新董事会中脱颖而出的重要人物费兰·索里亚诺回忆说，"我第一次跟人谈起梅西是在一次同足球主管特希基·贝吉里斯坦的谈话：我们想寻找合适的方法来促进他的持续发展。最开始，我们把他放在一支由年龄比他大的孩子组成的球队，让他接受更多试验。我记得有一次，他在单场比赛中打入了5粒进球，于是我们对特希基说，我们不能继续这样下去了。我们得再推他一把。"

但是，梅西仍然单薄瘦弱，虽然他接连晋级，可他的体格却依然是个问题。除非……"我们想做的就是增强他的体质，"格拉塔科斯说，"如此一来他在上场对抗那些二十二三岁的球员时，就有了足够的体重而不至于被人推来推去。我们说：让我们从物理层面对他进行治疗吧。让他和其他所有人一样训练，只不过多一些体力作业，但不做增重练习。我们讨论的是身体锻炼。"

梅西在14岁时停止了注射荷尔蒙，他需要确信，如今他在足球方面取得的良好进步同他的身体发育是同步进行的。就在那个赛季，甚至早在格拉塔科斯介入之前，梅西和他的父亲曾频繁前往霍安·卡洛斯酒店（离他们的住处不远）和诺坎普球场附近的一片荒地，尝试由吉列尔莫·奥约斯首创的、以速度和体能为基础的物理治疗方案。当他开始定期跟随格拉塔科斯的巴萨B队一起训练，他便专注于提升力量和速度，想要增加腿上的肌肉质量，强化他的下肢。后来，他还请求罗纳尔迪尼奥的私人教练帮他达成目标，希望能减少如此严格的锻炼计划对一个青少年可能产生的负面影响。而不训练的时候他就会休息放松，这一点很重要，如此一来身体锻炼带来的好处就不会浪费：他每天都会午睡一会儿。如果在家里，就躺在沙发上睡。

梅西就是在这样苛刻不堪同时又受到严密监护的环境下逐渐成长的。

"我们训练了好几个月。"格拉塔科斯回忆说，"通常在训练课上我会把他放在右翼。每周二，我都会跟弗兰克·里杰卡尔德聚在一起闲聊。弗兰克坚持要把一队中的情况复制到B队中来。罗纳尔迪尼奥虽然擅用右脚，却出任左翼，而久利则在右边。莱昂和罗尼做的事情一样，只不过他是在右侧活动；擅用左脚的莱昂可以施展他的迷踪步，从远处杀入危险区域，他可以突入禁区，起脚射门或直面防守。有时我会把3名年轻球员（帕科·蒙塔内斯、奥里奥尔·列拉和梅西）放到进攻端的那3个位置上，这样能帮助他们进步发展。"

刚开始，他们要求梅西同比他大4岁的B队球员一起训练，梅西感到颇不自在，找不到合适的位置。球员们的衣物都放在更衣室中的橱柜里，每个人都要自己前去拿自己的东西。在陌生的面孔当中，梅西无法摆脱他的羞怯，只好耷拉着脑袋，收拾好自己的东西，然后找个地方更衣。略显混乱的处境没能带来任何帮助：他是一名巴萨球员，却又不属于任何一支球队。这些日子很令人振奋，因为他以极快的速度经历了不同的阶段。但这也是一段令人茫然无措的时光。梅西的巴萨B队处子秀越来越近了。这是早晚的事情。但是在那之前，他还要收获一个惊喜，一份礼物。

2003年11月9日，星期天

在对阵格拉诺勒斯队的比赛中，莱昂·梅西为胡安·卡洛斯·罗霍的球队上演了帽子戏法。

2003年11月11日，星期二

佩雷·格拉塔科斯会见了弗兰克·里卡杰尔德，后者已经在巴萨待了7个月了。荷兰教头非常需要并且在积极寻求那些青训营负责人的意见。两人谈论了青训计划和年轻球员。

"这周你们的对手是谁？"弗兰克问道。
"我们的对手是诺维尔达。"

"好吧，佩雷，我希望不会太打搅到你的计划，但他们给我安排了一场对阵波尔图的友谊赛，就在你也有比赛的那天，而我手底下的球员都到国家队里去了。"

巴塞罗那受邀参与波尔图新球场的揭幕仪式，对于一年之后将在葡萄牙举行的欧洲杯而言，这座球场建得正及时。

"你想带谁就带谁吧。还有两个还在融入我们球队的小伙子，虽然他们还只有十六七岁。奥里奥尔·列拉和莱昂·梅西——一个阿根廷男孩。如果你能把他俩也带上就太好了。"

"奥里奥尔和梅西？"

"是的。"

"他们踢什么位置？"

"你可以把梅西放到球场上的任何位置。"

"真的吗？"

"带上他们，下个星期我们再见面时你就知道了。"

"好的，太好了。"

2003年11月15日，星期六

我写信是要告诉你一些非常棒的消息，就像你要我做的那样。你准备好了吗？星期天，我被召集到一线队跟葡萄牙的波尔图队踢一场友谊赛。这个消息肯定会让你乐死了。准备好给我的礼物吧，哈哈哈。好了，我希望看完这个消息你还活着。我很爱你。请为我祈祷，祝我好运吧。再见，飞吻。

（莱昂·梅西在电子邮件中告诉一位朋友他被招入一队）

那天早上，巴萨一队（或者说一队剩下的队员）和一些第二天要同赴波尔图的B队球员一起进行了训练。莱昂·梅西也被召去了，但却是和U17队一起训练的。当天晚上，梅西失眠了。他不停地想着，过了今晚，他很可能就要迎来自己的巴塞罗那俱乐部一队处子秀。他幻想着乘车前往机场的情景，猜测着在登机的路上谁会在走廊里跟他照面，谁会坐在他旁边。他想象着自己坐在波尔图球场的替补席上。他被叫到名字，开始热身，粉墨登场。哪怕只是一两分钟。想着想着，他便进入了梦乡。

2003年11月16日，星期天

在普拉特机场，弗兰克会见了新加入球队的B队球员以及4名青年队球员：霍尔迪·戈麦斯、奥里奥尔·列拉、哈维尔·吉纳德和莱昂·梅西。这是梅西在本赛季效力的第5支球队，这样的情况在俱乐部历史上是闻所未闻的。摄影记者为这支球队拍摄了几张照片，几名小球员脸上的严肃神情很好地掩盖了他们内心的激动，以至于他们看起来丝毫没有畏惧。事实上，第一次和老大哥们一同出行，小伙子们非常紧张。但其实，当天媒体人员来到机场是为了拍摄从巴西归队的罗纳尔迪尼奥，他回国为国家队踢了两场比赛，回到巴塞罗那时正巧遇上队友们出发前往葡萄牙。

男孩们去哪儿都形影相随，相互的交谈很有限。

"我想我是最后一个知道我要去波尔图的人。"门将哈维尔·吉纳德说。

"我爸爸是在周四晚上告诉我的。"莱昂说，"科洛梅尔曾跟我说过他们有可能带我去波尔图，但并不确定。后来他们确定了下来，我爸爸在周四晚上告诉了我。我从没跟任何人吐露过一个字儿。"

"好吧，我是看到报纸上说了这事儿才知道的。"霍尔迪·戈麦斯说。

队长路易斯·恩里克用他典型的轻松搞怪的方式向他们表示了欢迎，率先打破了沉默，缓解了他们的紧张心情。

"小鬼们，别忘了这些！"路易斯·恩里克指着一堆行李袋喊道。这些是一队球员的袋子，小伙子们被要求负责拖着这些东西。"谢谢啦，小鬼们！"

为了确保孩子们不会跟球队走丢，另外几位大家都熟悉的球员（拉斐尔·马克斯、路易斯·加西亚和哈维，他们是仅有的几名仍留在巴萨队中的球员）和其他一些经验更丰富的青训营球员（阿尔伯特·霍尔克拉、费尔南多·纳瓦罗、奥莱格、奥斯卡·洛佩斯、雷蒙·罗斯和圣玛丽亚）告诉了他们要去哪儿、要做什么事儿；而男孩们什么都不想干，只想着去他们将要共用的更衣室。在那一天，梅西、奥里奥尔、霍尔迪和哈维尔只不过是一些没人会记住的名字，一些甚至根本就不会有人尝试去记住的名字。

同弗兰克·里卡杰尔德一起带队出征的是巴萨足球主管特希基·贝吉里斯坦。

"对于这些小球员来说，这是一场很好的比赛。"贝吉里斯坦说。

"你见过莱昂了吗？"弗兰克问。

"他们跟我说过他。他刚到巴塞罗那的那天，我们在电梯里错身而过。在青年队踢球的那个孩子，不是吗？很出色的球员，对吗？"

"我们走着瞧吧。"

"他看上去很矮小，有点儿瘦弱。也许这场比赛对他来说来得有点儿太早了？我希望他们不会伤到他。"

"让我们给他机会试试吧，看看情况如何。"

"你胆子真大。"贝吉里斯坦讽刺道。

"球队里有个特别矮小的小鬼头，他是谁？"里卡杰尔德的助教亨克·滕卡特问道。

"莱昂内尔·梅西。"这位体育主管回答道。

同他们一起搭乘包机的还有梅西的父亲豪尔赫、母亲塞莉亚和哥哥罗德里戈。当初全家人怀揣着不安，跋涉来到巴塞罗那，两年零九个月过去了，梅西终于要穿上巴萨一队球衣了。

飞行时间很短，队员们在酒店里吃了东西，休息了一会儿，等天色渐晚，他们被带去了波尔图市新建的巨龙球场。没人记得梅西都做了些什么，他像往常一样，在球场附近泥泞不平的小路上漫无目的地闲逛。球场看起来仍然雄伟壮观，共有5万个座椅，还有一个包围着看台的穹顶。有一个半场的探照灯已经被打开了。他们的对手是何塞·穆里尼奥执教的波尔图队。

回到更衣室里，弗兰克对球员们做出了指示，但并没有确认小球员们会不会上场。"也许"是弗兰克在球场中对他们说的唯一一句话。

随后，他报出了首发名单：

霍尔克拉；奥斯卡、罗斯、奥莱格、费尔南多·纳瓦罗；马克斯；加布里、哈维、圣玛利亚、路易斯·恩里克；路易斯·加西亚。

而波尔图的阵容中则有不少颇有名气的球员：维克托·拜亚、卡洛斯·塞克雷塔里奥、里卡多·卡瓦略、努诺·马尼切还有蒂亚戈·席尔瓦都赫然在列。

比赛当中，波尔图状态火热，而巴萨则任由对方支配。奥里奥尔·列拉、蒂亚戈·莫塔、霍尔迪·戈麦斯和马尔内·埃斯波西托分别被换上场，替下了罗斯、加布里、圣玛利亚和路易斯·加西亚。友谊赛还有25分钟就要结束了。"好了，让我们把这个孩子也换上场吧。"弗兰克对滕卡特说。"快热热身，孩子。"弗兰克·里卡杰尔德一手搭在梅西肩上，对他说道。梅西很紧张，他的心怦怦跳个不停，但他只想上场比赛。

16岁零145天的梅西已经迫不及待了。他披上了约翰·克鲁伊夫的14号球衣。

他做了10分钟的热身运动。"孩子。"滕卡特喊道。轮到他上场了。

梅西在比赛的第75分钟上场，替下了另一名青训营球员费尔南多·纳瓦罗。球衣穿在他身上显得有点儿大了。

看台上，豪尔赫和塞莉亚热泪盈眶。

"事实上我们的确哭了。对于我们来说，这是一个梦想成真的时刻，因为我们从没想过那天真的会是他的处子战。"豪尔赫·梅西在《罗宾逊报告》中回忆道，"我们以为他只是去凑人数的。然后他们叫他起来热身。不，肯定不是的。当他走上场去，好吧，是的，事实上我们都哭了。我相信这是一份回报，对于我们所做牺牲的回报。"

费尔南多·纳瓦罗神情极其严肃地走下球场，看都没看一眼初次登场的梅西。他在不情愿之中创造了历史："当我看到电视上的画面，看到梅西换下了我……我当时确实非常不高兴。我因为一次伤病而休战了一年，所以被换下场让我感到很沮丧。不过，好吧，再来看看梅西现在的样子，什么？世界上最好的球员，甚至是有史以来的最佳球员？他上场换下了我！但是，别忘了，当时我可是被一个青年队球员换下了场。"

梅西本可以打进两粒进球。上场后不一会儿，他就得到了第一次机会，双方都未控制住球，在争抢之中球被对方门将率先拿到。但第二次机会则明朗得多：梅西从门将脚下断下皮球，面对无人把守的球门，他以为射门的空间太小，但其实已经足够大了；他将球传给了奥里奥尔。他应该射门的。

"我当然记得那个传球，那天他所做的事情，他在青年队里也经常做到。我们中的很多人并不感到惊讶。"奥里奥尔·列拉指出。

不久之后，他跟对方的一名后卫争夺着皮球，在并不平整的球场上，

"小跳蚤"的身体失去了控制，摔倒在地。

"看上去就好像他有生以来一直在跟我们一起踢球似的，他的举止是那么的自然。第一次接到球时，他就创造了一次射门机会。第二次接球，他差一点儿就破门得分。"滕卡特回想道，"如果你是个十五六岁的孩子，在跟波尔图踢一场这样的比赛，在一座人山人海的新球场的揭幕式上，然后你踢出了这样的水平，这就是因为你是与众不同的球员。弗兰克和我看了看对方。'这他妈的是什么情况？你看到了吗？'"

"是的，他干了两三件很棒的事情。"特希基·贝吉里斯坦证实道。

"我很紧张，我整场比赛都坐在板凳上，我以为里卡杰尔德会让我完成首秀，踢个十来分钟。"吉纳德说，他是4名青年队球员中唯一没能上场的。

替补席上，梅西成为了谈论的焦点，正如费尔南多·纳瓦罗所回忆的："我们被他的特性、他的盘带技巧和他的成熟深深震撼了。他才16岁，我不知道还有谁能在一队处子秀中表现得如此镇定自若。但是那个孩子却踢得好像在青年组比赛里似的，就好像是在跟青年队踢球。"

巴塞罗那以0∶2输掉了比赛，但里卡杰尔德走向了几位小球员，祝贺他们完成了处子秀。纳瓦罗和其他老球员也一样。纳瓦罗说："你知道吗？我再也没跟他提过，我就是那个他在处子战中换下的那个人——后来我在皇家马洛卡和现在的塞维利亚效力时又同他交手过几次。距离那一天已经有10年了。每到那一天的纪念日，我就会出现在各种新闻简报当中——我得找他们要版权！"梅西对霍尔迪·戈麦斯和奥里奥尔·列拉评论说，他更愿意用一场胜利来庆祝他的处子秀。"第一次机会真是太可惜了。"他对他们说。

在新闻发布会上，里卡杰尔德提到了梅西："他创造了两次机会，差一点就进球了。他有极佳的天赋，前途不可限量。"

"我还记得他走过记者席的时候，一路上都低着头，蜷缩着身体，好像感觉太尴尬了，不敢直视你的眼睛。"记者克里斯蒂娜·库贝洛说，"我一直认为，他拥有在球场上所需的一切实力，但在场下他却畏畏缩缩。"

梅西是这样对记者们说的："我一直期待我的一队处子秀，如今我的梦想实现了，我希望未来我能继续为一队比赛……突然之间，我得到了我等待许久的机会……"

"穆里尼奥？不，他什么也没说，他根本不了解那个孩子。"提起很久以前的那场比赛，如今滕卡特这样说道。

那场比赛之后，教练组成员颇有点儿兴奋。亨克、特希基和弗兰克谈起了梅西。

"看看将要发生什么吧，弗兰克。"

"我们得把他和罗纳尔迪尼奥放到一起。"

"他来得就像一枚子弹。"

梅西把那件浅棕色的14号球衣交给了他的妈妈。如今，这件球衣被装裱了起来，高高悬在她罗萨里奥的家中。

2003年11月17日，星期一

第二天，梅西一家人很晚才起床，但他们一起吃了早餐。内心的喜悦让米兰菜尝起来别有一番滋味。午餐前，梅西给许多朋友发了电子邮件："我对身边的一切感到很高兴，大家都对我很好，但现在人们都开始谈论我了，这倒让我有点讨厌。我真希望他们能少说点儿，虽然这一切真的很棒。"

2003年11月18日，星期二

同往常的周二一样，佩雷·格拉塔科斯和弗兰克·里卡杰尔德聚到了一起。

"我们跟诺维尔达踢了个2：2平。考虑到你留下的人手不足，这也不算坏了。"格拉塔科斯对他说。

"我们以0：2输了一场。等那些去国家队的球员回来以后，再让我们看看怎么样吧。我们需要赢球，联赛形势变得越来越复杂了。"

"不错。"

"星期天罗纳尔迪尼奥就在这儿了，他训练得不错。"

"是的。听着，弗兰克，梅西怎么样？"

"噢，佩雷。他一上场，16分钟不到就创造了一次机会，差点就破门得分，他就是全场最佳，这孩子一定要跟我们待在一起。"

"我们该怎么做？"

"就让他继续跟青年队比赛，要不然最好跟你的B队比赛，不过每周让他跟一队训练一天。之后加成两天，再然后三天。让我们看看他应对得如何。"

哈维尔·吉纳德在巴塞罗那的低级梯队里踢了3年，然后回到了他的家乡马洛卡，现在他在西班牙乙级联赛中踢球。霍尔迪·戈麦斯在威根竞技效力。奥里奥尔·列拉如今在奥萨苏纳，在西乙联赛中贡献了不少进球。

而至于梅西，巴萨的教练们都同意，已经没有什么可以阻止这头小公牛了。是时候让他长期出战了。在巴塞罗那俱乐部的百年队史中，只有两名球员完成处子秀时比梅西年龄更小：1912年的保林诺·阿尔坎塔拉以及20世纪90年代末在路易斯·范加尔手下踢球的哈鲁纳·巴班吉达。

梅西开始同巴萨B队一起进行日常训练，偶尔也加入到一队中。在阵地战和抢圈（溜猴）训练中，他从不畏惧和大龄球员交锋。梅西适应得不错，在球队中站稳了脚跟，更重要的是他踢得十分自信且活跃大胆。在比赛层级中，很少有什么东西能比抢圈训练更好地决定一名球员的位置。他们要求的方式，他们是否能比其他人更迅速地回传球，是否能让自己留在中圈之外，是否能展露自己的天赋，是否会努力争抢一个刁钻棘手的球——所有这些使得他们在球队中的位置一目了然。16岁的梅西只有短短两周时间可以证明他到底有什么本事。而根据教练们的描述，在训练当中，他成为了数一数二的抢圈高手。

不管怎样，格拉塔科斯知道梅西有他独特的比赛风格，也觉得他持球有些太多了。格拉塔科斯试图纠正这一点，就像巴萨低级梯队中的其他教练一样。"这是一项团队运动，莱昂。你拿到球的时候，要寻找传球机会；不持球的时候，要让自己处在合适的位置，好让自己一样能够参与其中……"他的教练常这样对他喊话。"然后，突然之间，他绕过了3名球员，带球过掉了守门员，破门得分……我还能说什么呢？"格拉塔科斯承认道，"有些训练课看得我嘴都合不拢了。他总是力争胜利，在训练中，在短时比赛中。他的积极性是惊人的。有时候我对他说：'如果你在比赛中也拿出训练时的那种激情，那就没有人能打败我们了。'"

2004年3月5日，他被召入巴萨B队，跟马塔罗队踢了一场比赛。佩雷·格拉塔科斯接着说起了这个故事。

"我们到对角线大道旁的公园里进行了训练，然后走去了迷你球场。我和梅西并肩走着。我看着他说：'莱昂，你怎么样？'

"'还好，还好，头儿。'

"'星期天你要上场比赛。'他呆看着我。'你要上场，但别担心，就当作是训练一样上场比赛就好了。'

"'好的，好的，头儿。'

"'如果你没发挥好，或者比赛进展不佳，不论是因为什么，你都不必担心。下一个星期天，你还是会首发上场。如果下场比赛你又没踢好，也没关系。但是如果4场比赛之后，相对于第一场比赛你还没有任何进步，那我就得把你送回青年队了。'

"'好的，我同意，头儿，非常感谢。'

"'你比以前强多了，我看你现在跟其他人的体格状况相差无几了，而这也是最让我们担忧的事情。就像在训练中一样上场比赛吧。'

"'好的。'"

"当然了，他习惯了在U16或U17队里踢球，一场进三四个球。"佩雷·格拉塔科斯回忆道，"在佩普·博阿达的巴萨C队中，他每场也能进一两个球，这已经相当了不起了。而当他为我们效力的时候，比赛强度进一步提高了，联赛的等级更高，球员的水平更高，也更加有经验。梅西开始练就更好的身体素质，借此摆脱后卫的盯防，但他仍缺了点什么东西，还不能平等地参与竞争。所以……第一场比赛来临了，对阵马塔罗，他状态一般；他大概就碰了两次球，多也多不到哪儿去。"那是该赛季的第28周，梅西首发出场，踢了大部分时间，在第91分钟被桑乔替换下场，此外他还领到了一张黄牌。巴萨以1:0获胜。

接下来一场比赛他们将客场挑战塔拉戈纳体操俱乐部。曾先后为这两支俱乐部效力过的"Chip"阿尔弗雷德当时就在看台上，他回忆说：

"当时梅西在巴萨的低级梯队踢得风生水起。举个例子，就好像现在的赫拉德·德乌洛费乌一样。那个赛季，我只去看了塔拉戈纳体操的一场比赛。我在电视上看了一名阿根廷男孩的B队处子战，在我看来他天赋极佳，踢球非常漂亮。如果我没记错，他在极短的时间之内连升了好几个梯队。那场比赛让我看得非常过瘾：那天在（塔拉戈纳体操）新球馆的（VIP）看台上，有很多人问我那天为何而来，我都给出了同样的答案：'莱昂·梅西：记住他的名字，因为他将进入巴萨一队，他会成为一名球星。'梅西只踢了上半场，因为佩雷·格拉塔科斯在中场时把他换了下去。有人被驱逐出场了，比赛变得非常激烈。虽然梅西上半场踢得很不错，有不少灵光一闪的表现，但我想格拉塔科斯把他换下来是为了保护他，因为他毕竟才16岁。"

此话不假：对阵塔拉戈纳体操的比赛是在梅西踢马塔罗的那场B队处子战8天之后。梅西下半场并未上场，最终两队以0∶0踢成平手。格拉塔科斯补充说："第2场比赛稍微好了点，但只好了一点儿。第3场比赛他有进步了，但并没有进球。通常，梅西射进球就能对比赛产生影响。而在那时，他既没有产生影响，也没有破门得分。他很急切，他习惯了不管去哪儿都踢出一番名堂。在我们队中他很想踢好，却没能做到。"

梅西感到自己没能通过考验，事情进展得并不顺利；他总是焦急地走上绿茵场，然后沮丧地回到更衣室。

"莱昂，别着急，就当作训练来踢，别着急，进球总会来的。"格拉塔科斯对他说。

"我们迎来了第4场比赛，对手是赫罗纳队。梅西进球了。他是场上的最佳球员。我们回到了更衣室里，看着彼此，拥抱了一下。然后我对他说：'明天训练时见。'"格拉塔科斯回忆道，"那个赛季，他为我们踢了5场比赛。"

可这只是人们现在的说法，却并非当时的真实情况。就像经常发生的那样，轶闻传说改写了历史事实。赫罗纳队以1∶0赢得了那场比赛。但在下一个赛季的第2场联赛中，巴萨B队在客场同赫罗纳队狭路相逢，梅西的球队以2∶1获胜，他也打入了在B队的第一粒进球。此前梅西一共出战了7场比赛。

格拉塔科斯并没有胡编乱造。传奇的影子遮蔽了他的记忆，时隔多年之后再回想那些日子，他的心中有了一个新的、更加圆满的故事。有时回忆本身也是有生命的。我相信，我们都更喜欢梅西在巴萨B队首粒进球的第一个版本。那并不是实情，但到底如何全凭你来选择。

格拉塔科斯很快就意识到，梅西的表现是否有进步，全取决于他在进攻中的搭档是谁。临近那个赛季的尾声，尤其是到了下一个赛季，梅西为B队一直首发、踢了17场比赛之时，佩雷心中已明确地知道，要想发挥梅西的最大功效，就不该让他与只会拼命射门的前锋搭档，而应给他搭配那些喜欢同梅西这样的灵活型前锋一起踢球的优秀球员，例如霍安·贝尔杜和塞尔吉奥·加西亚。虽然梅西比这两人小4岁，但已经可以和他们使用相同的足球语言交流了。于是，格拉塔科斯开始特意考虑梅西的特点，由此逐渐调整阵容。

作为梅西当季规划的一部分，每周四他所代表的多支球队的教练都会聚到一起，决定哪支球队最需要他。就这样，尽管腹股沟处的毛病意味着梅西无法参加训练，最后他还是作为U16队的成员出战了该赛季联赛的最后3场比赛，帮助球队赢得了冠军。"要不是梅西，其他任何人都会发脾气的。"胡安·卡洛斯·罗霍解释道。事实上，那一年梅西从未完全离开青年队：他常常路过球场，看看他的队友——那些跟他同龄的男孩，上场踢踢球，甚至会在中场时一起聆听教练的战术部署。

在2003/2004赛季，梅西共效力过5支球队，在其中的4支都贡献了进球：正式比赛中共打入35球，所有赛事进球总计超过50粒。

"我们原本一无所有，突然之间就得到了曾梦想的一切。"豪尔赫·梅西向一家阿根廷媒体回忆道，"这一切太快了，我们似乎既没有时间也没有地方来消化、庆祝、享受这些变化。"佩雷·格拉塔科斯总爱说，那一年梅西一共有10个父亲和75个兄弟，也就是他的教练和队友的数量。

然而，仍有一个疑问尚未消除。对一个年仅16岁的男孩提出这么多要求到底是否可取？让他循序渐进地经历每一个阶段是不是更好？巴萨让他如此迅速地连跳数级的时候，俱乐部有没有为球员自身着想？还是他们只不过一心想着赢球，避免降级？对于一个年仅16岁的球员而言，应优先考虑的是什么？当他们被视作比赛的赢家、与众不同的球员之时，当人们不顾比赛的水平层级、强求他们争夺胜利之时，足球运动员——或者说任何人——会在身体上和心理上受到怎样的影响？

在波尔图的那场处子战过后11个月，加盟B队的首场比赛过后7个月，梅西才再次走上诺坎普球场，代表一队参加正式比赛。

同时，仍在耐克阵营中的梅西还录制了下面这条广告（http://www.youtube.com/watch?v=TpG2mP586Yc）：

在这条广告中，你可以看到梅西和其他前途无限的巴萨年轻球员（霍纳桑·多斯桑托斯、里卡多·夸马雷斯和伊斯马）在沙滩上、在大街上、在巴塞罗那的博克里亚市场、在更衣室里踢球。你可以听到用一把声音尖锐的电吉他奏出的"吉米"·亨德里克斯①式巴萨队歌。最后，男孩们转向了摄影机。射进一粒任意球后最后一个转过身来的，就是这位阿根廷新星。

"记住我的名字：莱昂·梅西。"

莱昂，这个名字开始引起了全世界的关注。

---

① 詹姆斯·马歇尔·"吉米"·亨德里克斯是一位著名的美国音乐人兼创作歌手，被公认为是流行音乐史中最重要的电吉他演奏者。亨德里克斯的吉他技巧完全是自学的，因为是左撇子，他把一把右手吉他的琴弦颠倒安装用来左手演奏。

3 世界冠军

发生地震了。哪儿？阿根廷的拉普拉塔。你确定吗？看起来就像是地震。拉普拉塔天文台气象信息站的地震观测部门就是这样记录的。确认。一次地震。记录强度超过0.6里氏震级。

那是1992年的4月5日。一场足球比赛正在进行当中。一粒进球撼动了大地，丝毫没有夸张。

一眼看上去，这场球跟其他比赛并无二致。客场球队格纳斯亚俱乐部（又译拉普拉塔体操击剑俱乐部）来到拉普拉塔大学生队的主场，双方正在上演一场经典对决。这场比赛并没有什么特别值得注意的地方。这是一场同城德比，不错，同往常一样，比赛的紧张局势和敌对气氛都已达到了极点，但这显然并不是争夺什么联赛头名或锦标赛冠军的关键战役，只不过是阿根廷秋季联赛的第7周比赛而已。

比赛变成了一场势均力敌的身体对抗赛。54分钟过后，乌拉圭边锋何塞·佩尔多莫即将收获那个伴随了他一生的绰号。客队获得了一次任意球机会。佩尔多莫放好了球，全神贯注地盯着35米开外的对方球门。主队守门员马塞洛·约莫准备捍卫他那6码宽的小禁区。

佩尔多莫助跑向前，聚集起全身的力量，尽其所能瞄准球门。

守门员只能眼睁睁看着足球像火箭一样飞过，正好打在右侧立柱内。

进球！！！！

看台上，数千名"宰牛者"（格纳斯亚队的支持者）不约而同地站了起来，欢欣鼓舞地庆贺着，让拉普拉塔都为之震撼了。这样的情况在世界上的任何地方都从来没有发生过，今后也不会再发生。

那场比赛是两队之间的第113次对决，多亏了新获威名的"地震者"佩尔多莫打入的那粒唯一进球，客队将胜利收入囊中。

在足球运动广为传播的地方，足球总是能创造激情，可是在阿根廷，它却真真正正地撼动了大地。但为什么会是这样？像其他每个地方一样，足球就是社会的真实写照，但在阿根廷，它看起来却像是哈哈镜中的反射：从热忱之心到传奇色彩，所有的东西都被戏剧性地放大了。而这就是阿根廷足球的吸引力。

……也是阿根廷足球的危险所在。

外交政策与经济评论员恩里科·乌德尼奥在其著作《虚伪的阿根廷》（*La Hipocresia Argentina*）（2008）中描绘了这样一幅悲观的图景："阿根廷是由一个神经质的社会组成的，在这个社会中，其居民感到极不满足，被迫以一种自我毁灭的方式活着。过去这个社会渴望成就丰功伟业，然而实际上人们却发现，社会连他们在住房、食物、健康、教育和安全等方面的基本需求都无法满足，遑论其他更高层次的需求，尤其是社会成员在精神上和智力上的渴求。"在这样的社会结构下，不难发现人们对足球的狂热激情的根源所在。

"在这个社会中，其成员不仅无法获得幸福安康，还要每时每刻忍受着面临威胁的感觉。"乌德尼奥继续写道，"这样的情形给人们造成了慢性的压力，其症状常见于疲惫、虚弱、抑郁、失眠、应激障碍等形式。这是一个大肆吹嘘梦想，而梦想一旦未能实现，就从外部寻找借口、分摊责任的社会。"政府总能轻易为发展的停滞找到理由和替罪羔羊，乌德尼奥称这些推卸责任者为"邪恶的人"，而这些挫折则变为了一种"心理上的非理性"，衍生出一种以黑白两色评判一切事物的倾向，成了"愈发严重的情感强迫症。这样的情形帮这些人中的某些代表上升到了神明的高度，但也能够猝不及防、轻而易举地让他们转变成恶魔"，乌德尼奥总结道，这位生于意大利的作家自童年起就一直生活在拉丁美洲。

百年之前，西班牙哲学家何塞·奥特嘉·伊·加塞特也曾发表过类似的见解："阿根廷人都是狂热的理想主义者，他们将自己的一生定位于一个根本不存在的地方，只为追寻自己的一个理念或理想。实际上，阿根廷人全是他们自己想象出来的样子。"

一切的开始都如此美好：作为一处财富的源泉和无数移民的目的地，这个国度早年曾一度是"可敌半个欧洲的黄金国"，语出作家马科斯·阿吉尼斯的散文《阿根廷人的可怕魅力》（*The Terrible Delight Being Argentinian*）。50年前，阿根廷仍是世界上最富庶的国家之一，这里涌现了无数艺术家、科学家、政治家和作家。

然而，阿根廷与那个"宏伟目的地"渐离渐远，远大的目标只在极目之处若隐若现，足球便成为了这个幻想破灭的国家里一切希望与挫折的储藏库。"我觉得我们是一个自认为注定要取得伟大成就、伟大功绩的国家，但是有的地方却出了点儿问题。"作家爱德华多·萨切里反思道，奥斯卡获奖影片《谜一样的眼睛》（*The Secret in their Eyes*）即由他的小说《他们眼中的提问》（*La pregunta de sus ojos*）改编而来，"我们很难甘心接受这一点。我们并没有那么好，我们并非注定成就伟大，然而我们足球踢得不错，非常引人瞩目。别忘了，我们人口并不那么多。我们都说巴西人踢球精妙绝伦，但他们有1亿9000万人口；而我们最多只有4000万，但我们依然可以跟他们势均力敌，并且以世界上最好的足球队之一的身份高昂着头颅。"

但这种对于足球的极端热爱也意味着，阿根廷人总被成功（相信他们最终抵达了传说中的应许之地）以及失败蒙蔽了双眼。他们认为好事和坏事都只在他们身上发生。"我们所谓'伟大的宿命'纯粹是虚伪的，上帝并不是阿根廷人，说什么'阿根廷是世界上最好的地方'全是鬼话……至少现在我们可以嘲笑自己，当我们受限于狭隘的民族主义感情之时，并不总是可以做到这一点。”马科斯·阿吉尼斯强调。

“长达一代半的时间以来，阿根廷一直处于萧条之中，而且我们还仍未跌到最低点。”阿根廷著名体育心理学家利利亚娜·格拉宾证实道，“当你无法因为别的原因感受到你是个阿根廷人，当你的国家的身份开始被遗弃，你只能去适应任何给你希望的信念。足球给了我们认同感，能让我们感受到归属与根源。每当你说‘我是阿根廷人’，你就会听到人们提起马拉多纳、现在的梅西以及当今教皇。不错，这就是阿根廷。”

讽刺的是，两位最近的背井离乡者却成为了世界上最有名的两个人：方济各教皇①和莱昂·梅西。荷兰的马克西玛王后②是另外一例，只不过她的情况就纯粹得多了。还有许多阿根廷人在名满天下之后客死异乡：切·格瓦拉、何塞·德·圣马丁③、豪尔赫·路易斯·博尔赫斯④、胡利奥·科塔萨尔⑤和卡洛斯·葛戴尔⑥等各界名人都赫然在列。阿根廷给世界带来的影响与它在国际上的地位并不相称，而且，诚如利利亚娜·格拉宾所说：“相较于生活在国内，似乎在国外漂流能让你得到一种更加强烈的阿根廷

---

① 方济各是现任天主教教皇，本名豪尔赫·马莱昂·贝戈利奥，耶稣会会士。其为意大利裔阿根廷人，能说流利的西班牙语、意大利语及德语。就任教皇前为布宜诺斯艾利斯总主教，并在2001年由前教皇若望·保禄二世册封为枢机。

② 马克西玛王后是荷兰国王威廉-亚历山大之妻，育有3个女儿。婚前姓名是：马克西玛·索雷吉耶塔，出生于阿根廷布宜诺斯艾利斯。嫁入王室之前，马克西玛是一名投资银行家。

③ 何塞·德·圣马丁，阿根廷将军、南美西班牙殖民地独立战争的领袖之一。他将南美洲南部从西班牙统治中解放，与西蒙·玻利瓦尔一道被誉为美洲的解放者，被视为国家英雄。他于1824年4月20日侨居法国，1850年8月17日逝世，终年72岁。

④ 博尔赫斯于1986年在瑞士日内瓦去世，享年86岁。

⑤ 胡利奥·科尔塔萨，阿根廷作家、学者，拉丁美洲文学爆炸的代表人物之一，1984年2月2日于法国巴黎逝世，享年69岁。

⑥ 卡洛斯·葛戴尔，是一位歌手、歌曲作家、演员，也是探戈史上的翘楚。葛戴尔出生于法国南部城市图卢斯，尽管他本人从未公开证实，且目前仍有他是出生于乌拉圭的声称。他从两岁起即移居阿根廷，并于1923年取得阿根廷公民身份。1935年，他不幸因飞机失事而在哥伦比亚麦德林骤然离世，其时年仅45岁。

人的身份认同感。那些在国内生活的人，被迫忍受着腐败堕落与幻想破灭的残酷现实，人们甚至都不再高唱国歌。而那些离开故土的人则背负着祖国的理想，由此可以解释为何他们更能维持一颗爱国之心。"

但足球是永远不变的，那是组织性宗教团体的替代品。在一个经济低迷、政府失信、民众幻想破灭的灰暗世界里，足球为人们带来了色彩，让生活变得明亮起来。在一个几乎所有发展领域都萎靡不振的国家，只有足球赛事的每周赛果能让人们怀有希望。正如塞尔吉奥·列文斯基[1]所说："许多人甚至主张应该用阿根廷国家队球衣来取代国歌，因为球衣比其他一切加起来更能体现阿根廷是什么。足球比赛是我们唯一能赢的东西。"

虽然足球比赛亦是挫败、未竟之梦、魔鬼、神灵、所有人类情感、好事情以及坏事情的理想滋生地，它同样也能团结人心。萨切里补充说："我们习惯了在几乎一切问题上都分歧不断，强烈的个人主义在这里大行其道，在这样的一片土地上，国家队是唯一能够团结我们的东西，因为即便有了一名阿根廷教皇，我们也没法团结起来。我们选出了一位阿根廷教皇，但下一个星期我们就会为他到底是不是好人而争论不已，至死方休。"

一场阿根廷队的比赛都关系着什么？价值观，自豪感，还是一种理解世界的方式？又或者只是积分和冠军？"对任何来自贫穷街区的孩子而言，足球一如既往地给予了他们权利，去拥有他们在襁褓之中即被夺走的东西：自豪感。"这就是天才教练安赫尔·卡帕[2]的信念，"也就是说，在足球方面我也可以是大人物，真真正正的大人物。我赢得了自尊和他人的尊重。在街里坊间，最受人尊敬的人就是球技最高超的那个。还有什么其他方式既能叫人大名远扬，又能确立身份地位的呢？只有足球。把球踢好是一件意义重大的事情。"

---

① 阿根廷著名体育记者，巴塞罗那大学社会学博士。

② 阿根廷传奇足球教练，在其长达30年的执教生涯中，曾带领两支不同球队问鼎联赛冠军。现执教于圣马田大学队。

　　绿茵场上的一场比赛不仅是为了赢取积分，更是为了一个能获得自尊以及他人赞赏的机会。几乎所有男性和绝大部分女性会为这些赛事中的某一球队效力，或以其他方式参与其中。"在邻里间，不会踢球的人都是异类。从那时起，生活的准则就成型了。"卡帕继续说道，"足球告诉你怎样勇敢起来，去征服失败的恐惧，把事情弄得一团糟的恐惧，输球的恐惧。它还教你如何在成败之间保持平衡，因为你明知你是在狭窄的壁架上行走，有时成败之分就在于一些愚蠢的小事情。你因此而变得更加聪明。足球比赛的核心在于，你知道成败皆无定数，因为有时可能你踢出一脚漂亮的射门，球却正中门柱；有时明明射偏了，不知怎的球却破门而入。对我来说这是最基本的东西。但是首先，这是尊重的问题。"

　　但现在，就像世界各地的情况一样，阿根廷球员也成为了雇员，成为了有工作的人。"20世纪60年代的大规模工业化过后，所谓的'工厂伦理'被转移到了足球领域，妨碍了比赛的纯粹乐趣，毁掉了我们前面谈到的自豪感。"卡帕分析道，"结果，我们打造出了生产线式的球员。总体而言，这种方式培养出的球员越来越能挣钱，因为大资本家们在运动服装、电视、广播等领域迅速抢占着足球场上的巨大商机。他们将罗纳尔多（纳萨里奥）和劳尔这样的二十来岁的孩子转变成了腰缠万贯却着实可悲的年轻人。"

　　正如前面说到的，阿根廷球员不光是打工者，还是另一种移民：2009年到2010年间，阿根廷"出口"了近1800名足球运动员；而在巴西，这一数字是1400。"非常出色的，优秀的，普通水准的，他们都走了。"安赫尔·卡帕补充说，"实际上，所有人都走了。而还在阿根廷国内踢球的人，要么即将奔赴他乡，要么是在职业生涯的晚期回归故土。"

　　优秀球员争相离开，举国上下全民踢球，球迷们一周六天昏沉度日，然后纵容自己在球场中宣泄激情，沉醉其中……我们就是这样引发了地震！这就是阿根廷的足球。萨切里描述的两个情景概括得最为精辟："对我而言，足球就是两种景象。这一边是我们称作Campito（小型足球场）的地方，一块没有球门的荒芜废墟，孩子们聚到一起踢球的地方。它们通常都远在城市之外。而另一幅情景则是一群人在看台上活蹦乱跳，这就是我们这儿的人看球的样子。而至于那些空余的座椅……这事儿很难说。我带我的儿子去看独立俱乐部的比赛，在我这个年纪，我会说：'……去包厢里坐下来看比赛真是再好不过了。'但我却不能去，因为儿子会对我说：'不，让我们到那个视野不好、太阳暴晒又拥挤不堪的地方去吧……在那里我们可以欢呼雀跃，所有人都在一起。'人们相互交谈时总是这样：有人发表一句评论，另一个人则出言嘲讽，然后又有人回击……然后你同别人头头是道地分析比赛，可你甚至都看不到对方，因为他就在你上方两个台阶处，可你都没法转过身去瞧他。"

探戈舞在当今舞坛重获新生，尽管已不及数十年前一样风靡；这一舞种在很大程度上告诉了我们做一名阿根廷人意味着什么。"它表达了人们的愤恨、恐惧、悲伤和诡诈。"马科斯·阿吉尼斯解释道。这就是阿根廷人的基因吗？到底有没有所谓的阿根廷基因？在足球方面也有这样的基因吗？如果没有，怎样解释这项运动有史以来最伟大的五六名运动员中，有3名成为了各自时代之标志的球员——阿尔弗雷多·迪斯蒂法诺、马拉多纳和梅西——都是阿根廷人？没错，一定要把迪斯蒂法诺算进来。那些不认识他的人应该听听豪尔赫·巴尔达诺是怎么对《号角报》①（Clarín）评价他的："他主导着比赛，他就是打破了他那个时代所有规则的人。他就是主导者：最重要的人物，和时代叫板的人，实力超群，天赋异禀。他并不是他那个时代的典型阿根廷球员。他是一名怪才。"

这3名球员生在一个比许多其他的世界冠军国（巴西、英格兰、法国、

---

① 《号角报》是阿根廷读者最多的西班牙文日报，该报消息量大，专刊多，设有专门的体育板块。

西班牙、德国、意大利）人口规模小得多的国家。这是因为他们从小在街头巷尾或崎岖不平的球场上踢球吗？"在好的球场上踢球能帮助球员增长球技，坏的球场则不能。"前皇马球员圣地亚哥·索拉里说。是因为在阿根廷人们更注重个人能力和盘带技巧而非团队协作吗？在阿根廷，人们感受、参与足球的程度同其他国家的一样多吗？安赫尔·卡帕倾向于将阿根廷球员定义为历史遗传基因的携带者："曾经——我是说曾经而非现在——有这样一些基本的观念，早在你会走路之前就已通过聆听和观察耳濡目染了。还有让你不得不寻求保护的谦恭态度。换句话说，如果我不能为自己创造机会，如果我没有娴熟的技巧或过人天赋，至少我可以把球传给我的同伴。邻里之间最受人尊敬的从来都不是欺凌弱小者，而是球技最出众的人。"

卡帕和其他教练都认为，事情在变化，如今任何事物都日新月异，只要能赢球，一切都是好的；这是新的准则，或许也是新的基因。但是尽管时间飞逝，也有一些东西依然留存了下来。"阿根廷球员有一种由高度自尊衍生出的个性，这种个性能帮助球员在最艰难的时期游刃自如。"这位老帅解释说，"生活中的不顺遭遇能给比赛竞争带来很大好处——我指的是，阿根廷球员相信他们要比真实的自己好得多。"

而他们的风格呢？有没有一种阿根廷式的足球风格？1912年，布宜诺斯艾利斯当地的三家英语报纸之一《旗帜报》（*Standard*）惊讶地写道，阿根廷人以如此高涨的热情接受了传自不列颠群岛的足球和英式橄榄球，虽然事实上这"并不非常科学"。年轻一代阿根廷人被描述为"行为激烈而容易冲动"。这家英语报纸坚称，人们应本着"公平竞争"的精神去享受比赛，并在整个殖民教育系统中将此种风气发扬光大，寻求机会逐渐灌输"绅士行为"的观念。泛滥的情感必须得到控制。

但是，正如世界上每一个将足球纳为国民运动的国家一样，土著居民终将让这项运动烙上属于他们的独特印记。在阿根廷，这一新兴运动背后的推动力量就是来自西班牙和意大利的移民，他们同布宜诺斯艾利斯主要中心城区的当地克里奥尔人①一起，决心和英国人拉开距离。这些"新"阿根廷人逐渐泛起了民族意识，要以他们的方式、他们的规则来诠释他们新获的热情，把"公平竞争"抛到一边。当你离开故土来到异国他乡开始新的生活，你一心只想获得成功。公平是给那些奢侈地享受着休闲时光与特别待遇的家伙的，而阿根廷式的比赛是以求胜欲望为动力的。这便是驱动着移民者们日复一日奋斗求生的东西。

人类学家爱德华多·阿尔凯蒂在他的著作《草地、轨道与角力场：阿根廷运动的发源地》（*El potrero, la pista y el ring: Las patrias del deporto argentino*）中，论证了在阿根廷人雄性气质的形成过程中，足球和探戈舞之间的奇妙关系。将诱人音乐和性感舞姿融于一体的探戈正同20世纪的阿根廷足球运动员给人们的第一印象不谋而合。那精心设计的高难度动作让探戈成为了阿根廷人文化创造力的典范；类似地，阿根廷足球则一改英国人对体能和纪律的注重，转而把重心放在克里奥尔式"动作灵活而技巧精湛"的特点上来——尤其是运球盘带，或者用阿根廷人更熟悉的话说，"Gambeta"。盘球亦是一种骗术，而对于阿根廷人而言，不论他们喜欢与否，骗术也是其文化的一大组成部分。

阿根廷国家队（1928年奥运会及1930年世界杯亚军）在国际大赛上取得了耀眼成就，1925年博卡青年队首次参加欧洲巡回赛即有出色表现，再加上不少其他阿根廷俱乐部的锦上添花，欧洲人从此见识到了阿根廷人的精湛球技，华丽的盘带、准确的传球和精妙的处理球技巧也成为了阿根廷式足球的特色元素。从《画报》杂志上可以读到，欧洲人认为阿根廷人"踢起足球来好像是在伴着一段旋律翩翩起舞"。再后来，20世纪40年代

———————————

① 克里奥尔人指出生于美洲而双亲是西班牙人的白种人，以区别于生于西班牙而迁往美洲的移民。此后，这个名称就用于各种意义，因地区不同而有所不同甚或矛盾。

那支被称为"足球机器"的河床队大力鼓吹集体的力量和对比赛的共同理解：突然之间，足球之美在不同球员身上实现了同步化。

阿尔弗雷多·迪斯蒂法诺就曾为那支河床队效力，虽然当时他的角色只是阿道弗·佩德内拉①的替补。"金箭头"（The Blond Arrow，迪斯蒂法诺在西班牙踢球时得到的美誉）把这种风格带到了他效力过的每一个地方，不论是作为球员还是作为教练。在西班牙人队的板凳席上，他看够了足球在球员头顶上飞来飞去，在一堂训练课上毅然叫停。"足球是什么做的？"他向年轻球员们问道。"皮革。"他们回答道。"皮革是从哪里来的？""从牛身上来的。"他们说。"那牛吃什么呢？""吃草。"他们应答道。迪斯蒂法诺说："不错，所以……在草面上踢球吧！"

阿根廷足球是在土地上（或者说西班牙语中的Potreros上）诞生和发展的。在那一片片坑洼不平的土地上，在正被用于建筑的土地延伸出来的废墟中，孩子们学习着掌控足球的艺术，效仿着那些体育英雄的技术动作。有人说，正如巴西人从赤足在沙地上踢球的经历中习得了他们的射门和控球技巧，阿根廷人则以荒地为练习场所，练就了独一无二的阿根廷式盘带和传球。

所有这一切创造出了他们所说的"la Nuestra"——"我们的风格"。

正如这些土地"孕育"了包括梅西在内的许多世界上最伟大的足球运动员，它们的魅力也继续吸引着这些球员回到这里，不仅是在地理层面上的，更是在精神意义上的。阿根廷球员往往都是移民，他们经常需要回归家乡，以远离职业足球的沉重压力。"我曾听很多在顶级联赛踢球的球员说，他们很遗憾不能出门，到崎岖不平的球场、户外的土地上踢球。"利利亚娜·格拉宾说，"他们不得不到城外去，因为城中心已经没有多少剩

---

① 阿道弗·佩德内拉，阿根廷著名足球运动员和教练，人称"大师"。他是阿根廷历史上最伟大的球员之一，并在国际足球历史与统计联合会选出的20世纪最佳南美洲球员中名列第12位。

下的空地了。很多人告诉他们不要这样做，因为同去踢球的当地'风云人物'都想跟着名球员对位，从而一战成名：人们说，许多球员就是这样被踢伤了腿。但草地的吸引力却远比这些阻力更强，无可抗拒。他们走出门，到他们的街头巷尾中去，到他们的小城中去，去闻一闻泥土的气味，他们无法抵挡这种诱惑。他们开始同从小一起长大的朋友一块儿踢球，那些一直留在当地的朋友。"

对于他们而言，这是回到根本，返璞归真。

在安赫尔·卡的著作《亲密足球》（*La intimidad del fúbol*）中，作者讲述了这样一个故事：塞萨尔·路易斯·梅诺蒂执教飓风竞技队[①]时，有一次队中球星雷内·豪斯曼[②]在比赛前一天突然从训练营中消失不见了。教练简直都不敢相信。随后，梅诺蒂恍然大悟。他让助教庞西尼陪他一起前往豪斯曼的家乡，那是一个叫作巴霍贝尔格拉诺的贫穷小城。当他们到达那里时，人们正同往常一样享受着周末球赛。豪斯曼并不在其中。梅诺蒂松了口气，刚想返回酒店，然后他一眼扫向了替补席。他在替补席上看到了豪斯曼。"你在这儿干什么？"教练问。豪斯曼回答道："你看不到那个11号踢得有多棒吗？！"那名默默无闻的边锋正在参加他一周中最重要的一场比赛。

阿根廷人生来就对足球有着由衷的迷恋，这样的例子数不胜数。纽维尔斯老男孩就是其中一例。虽然这支球队的漫漫重建路还很长，但自2008年起，俱乐部有了新的董事会，也得到了更多球迷的支持，距离实现目标已经不远了。最近，他们斩获了2013年秋季联赛的冠军。然而，财政上的束缚依然阻挠着球队的前进之路。莱昂·梅西向母队捐赠了2.2万欧元，用于改进年轻球员踢球用的马尔维纳斯球场。据悉梅西还出资在罗萨里奥郊

---

① 飓风竞技俱乐部是阿根廷布宜诺斯艾利斯市郊区的一个足球俱乐部，成立于1908年。现参加阿根廷足球甲级联赛。

② 雷内·豪斯曼，前阿根廷中场球员，1978年世界杯冠军队成员。

区的体育城为一线队建造了一座健身中心，他是在以某种形式为他将来某年的回归打下基础。

梅西是以匿名的方式做的这些事情，极少有人知道，此外还有许多其他不那么出名的人，也在不断奉献着他们的时间和才华，为了更好的体育设施筹集资金。球队给低级梯队的球员们新建了一所公寓，而迭戈·施瓦岑施泰因医生则凭一己之力募集到了不少资金，购买了40张单价高达50英镑的床垫。最近，一线队为支持者们组织了一次抽彩销售活动，中奖者将得到一次与职业球员同场竞技、共用更衣室并和一名球员共度一整天的机会；活动销售所得资金将被用于为俱乐部低级梯队建造健身房。

在阿根廷，足球就是生命，生命就是足球。这也就解释了，为什么在各个年代、各个水平的足球运动员、裁判、教练和评论员堆砌起的高山之巅，你会看到迪斯蒂法诺、马拉多纳和梅西的名字。"梅西不可能生在叙利亚。"塞萨尔·路易斯·梅诺蒂说。如果没有迪斯蒂法诺或"查罗"·莫雷诺①、马里奥·肯佩斯②，就绝不会出现马拉多纳。而如果没有马拉多纳，或者如果梅西的爸爸和兄弟没有踢过足球，我们就不会拥有现在我们知道的这个梅西。

这就是梅西，阿根廷基因的综合体。

记者： 阿根廷在上一届世界杯（2002年）中被淘汰时你有什么反应？

梅西： 当时我就在这儿，在巴塞罗那。我跟低级梯队的其他孩子一起

---

① 何塞·曼努埃尔·莫雷诺，阿根廷传奇球星，他是世界上第一个在4个国家的顶级联赛中取得冠军的球员。"查罗"是一名墨西哥牛仔的名字，是他在墨西哥联赛中两夺全国冠军时得到的外号。

② 马里奥·阿尔贝托·肯佩斯，阿根廷传奇球星，司职前锋，1978年世界杯传奇射手，职业生涯荣誉无数。

踢完球之后看了那场比赛。我感觉很难受，跟所有阿根廷人一样。但是我身边所有其他孩子都在说笑逗乐。

记者：那你呢，你一直保持沉默？还是跟他们吵了起来？你看起来可不像是会打架的人。

梅西：不，不。比赛结束后我就回家了……通常我会在那儿待上一整天，但那天我回家了。

（选自阿根廷纪录片《跳蚤档案》中的对话）

当你远离祖国之时，国家队遭遇的失利更能令人感到痛苦。对移民者而言，即便你在遥远的他乡一帆风顺，你身边的人也不会对你的辉煌成绩产生任何特别的兴趣，这便是移民者时常面临的小小的戏剧性情景。梅西也想回到他的家乡，这样就可以有人看得到他的出色表现。但在梅西的第一个假期，在回到拉斯埃拉斯的家中之前，他刚跟巴塞罗那签下合约，甚至在他完成了一队处子秀之后，在罗萨里奥几乎没人对梅西有着任何特别的关注。很久以后，很多年过去了，那些老师、赛事组织者和队友们才回想起他来，仿佛他是一个神圣的幻影、一道光环、一种尊贵的存在，改变了他们生存的意义。"我见过他，我碰到过他，当时我就在那儿。"很久之后才有人说起这样的话，这话对人们自己产生的影响毫不亚于其对梅西的影响。

在阿根廷，人们是根据球员与俱乐部之间的合约关系来对他们加以区别的：球迷们最尊重的是那些为主队获得过冠军且效力年数最长的球员，世界各地都是如此。但第二受欢迎的类型则非常具有阿根廷特点：如果你曾为一线队效力然后被交易出走，那你仍是一名英雄。第三类是那些还没为主队征战过顶级联赛就离开的球员，这就同背叛相差无几了。或者是那些还从未被球迷认可为他们中的一员就弃球队而去的球员，这就比背叛更甚了。纽维尔斯时期的梅西就是如此。然而，梅西也从未放下他的阿根廷人身份。

但另一方面，西班牙人则努力想让他披上西班牙队的红色球衣。

巴萨青年队教练亚历克斯·加西亚曾对U16国家队的选拔官员希内斯·梅嫩德斯提到，他手里有个非常出色的年轻球员，至今为止还没为他的国家队踢过球。希内斯去视察了这个年轻人，梅西给他留下了深刻印象。在梅西因外国人身份而不能参加的西班牙全国锦标赛期间，希内斯走到了他的身边说："你想不想跟我们一起来？如果他们没召你进阿根廷国家队，记得还有我们。"在芬兰举行的U17世青赛即将拉开帷幕，西班牙队中云集了许多优秀球员，其中就包括了大卫·席尔瓦和塞斯克·法布雷加斯。"你们来不来？"梅西和他的父亲都被问到了这个问题。当时他已经在巴塞罗那待了两年了。

"不，谢谢。"两人都这样回答。

梅西永远不会为西班牙队效力。正如梅西在许多场合都说过，他是阿根廷人，他来自罗萨里奥，是一名"麻风病人"。但是，距离梅嫩德斯的邀请足足数月之后，梅西才第一次接到一名阿根廷足球协会成员的电话，又过了一年他才首次收到阿根廷国家队的正式邀请。足协要求莱昂内尔·梅西（原文是"Lionel Mecci"）参加将于2004年6月中旬举行的集训营。巴萨表示他们很乐意放行，但并不愿意让他马上离队，因为他们正在参加青年国王杯。

在梅西首度应国青队之召前往布宜诺斯艾利斯之前，西班牙方面还同他发生了一系列的会晤、巧合及莫名其妙的误解，这才放弃游说这名年轻天才加盟红军的计划——也放弃了那次横渡大西洋的旅程留下的一盘录像带。

克劳迪奥·维瓦斯是马塞洛·贝尔萨在阿根廷国家队和毕尔巴鄂竞技队时期的助教。维瓦斯同样来自罗萨里奥，早在梅西开始踢球之前，他就同梅西一家人打过交道。他的父亲何塞·维瓦斯是纽维尔斯老男孩足球青训营的创立者。罗德里戈·梅西就曾在他的梯队中闪耀过光彩，与他同队的还有最终走上国际赛场的塞巴斯蒂安·多明戈斯。克劳迪奥·维瓦斯也正是在这支青年队中开始了教练生涯。俱乐部1987年出生的球员中有一个被大家津津乐道的"矮子"，在梅西被克劳迪奥的朋友加夫列尔·迪吉洛拉莫（如今成为了一名人体运动学家）执教的那段时间里，这名年轻的教练常常会前往马尔维纳斯球场，观看这位未来之星的比赛。"看他踢球是一种乐趣。"如今维瓦斯这样说道。

时光荏苒，马塞洛·贝尔萨打电话给维瓦斯，让后者随他一起为国家队出征；2002年，马塞洛与阿根廷足协完成了续约，随后两人于当年10月前往欧洲，和那些他们能予以期望的国际球员一一对话。马塞洛想同他们解释为何他要续约以及他的计划是什么。在巴塞罗那，他会见了巴萨的门将罗伯托·博纳诺和西班牙人中后卫毛里西奥·波切蒂诺。交谈之余，维瓦斯顺便向他们问起了梅西的近况。

"克劳迪奥，这家伙在青年队大杀四方。"博纳诺说。

维瓦斯想了解更多情况。马塞洛和他的助手就下榻在诺坎普附近的索菲娅公主大酒店，他们的行踪曝光后，一大群朋友和经纪人纷至沓来，以求他们的片刻时间。比如有一位叫作豪尔赫的绅士，他是一名在何塞普·马里亚·明格利亚手下效力的阿根廷人。这位不速之客在酒店接待处请求会见维瓦斯，后者下楼同他见了面，虽然两人之间的谈话起初死气沉沉，极不自然。豪尔赫是名经纪人，贝尔萨的团队通常对这种人避之不及。

"有一个阿根廷孩子您不得不瞧一瞧。"这位陌生来客说。

"为什么？"

"呵，正因您还没有任何动静，这孩子即将为西班牙U17队披挂效力了。"豪尔赫用经纪人惯用的急切语气强调道。

"你有那个男孩的信息吗？"

"也巧了，我正好带了一盘录像带。"

"再给我弄5场完整的比赛吧。"

那盘录像带共有12分钟长，展现了梅西在巴萨与比他大两岁多的男孩们同场竞技的精华片段。维瓦斯想对他进行全面分析，好的、坏的还有不好不坏的：他在场上的定位，对手和队友的水平，他踢球是否无私、擅长长距离跑动还是短距离爆发，他怎么处理球，无球时他又怎么办。维瓦斯需要更广泛的背景，数个小时之后，他看完了送到酒店来的所有比赛录像带，心下豁然开朗。

维瓦斯放上了第一盘录像带。几秒钟过去了，他断定："这……这……这就是加夫列尔曾经带过的那个1987年生的矮子！"

豪尔赫向他解释，西班牙队的选拔官打算给梅西的父亲一笔钱，好让他为西班牙队踢球；但梅西的家人只想让他为阿根廷队效力，这孩子自己也是这样想的。

"让他的父亲别着急，我会试着安排一下的。"克劳迪奥说。

直到此时，马塞洛·贝尔萨对于维瓦斯的如意算盘还毫不知情，但维瓦斯感到如今事态已足够紧要，该让他的头儿了解一下情况了。"去吧，克劳迪奥，别浪费时间。但是你得让我看到成果。"贝尔萨说道，他也非常惊喜。"我们不能失去那个孩子。"这是他们的结论。

在巴塞罗那的酒店房间里，维瓦斯给乌戈·托卡利打了电话，后者致力于训练阿根廷青年球员，在当时是U17队的负责人。

"想带上那个孩子并不容易。但等你回阿根廷的时候，带着那些录像带来找我吧。"托卡利对他说。

维瓦斯无法理解托卡利的冷淡。他对梅西的非凡天赋确信无疑，但他并没有坚持下去，还有其他的要紧事情等着他和马塞洛解决。11月22日，维瓦斯刚回到布宜诺斯艾利斯，就出现在了U17队的集训营，把证物交给了托卡利。

"请别让这个机会溜走了。"

"我们会分析录像的。"

"如果我们不迅速行动——不是因为莱昂内尔，不是因为他的父亲，而是因为西班牙方面施加的压力——我们就要失去一名出色的球员了！"

维瓦斯如此不屈不挠，以至于托卡利误以为此事涉及维瓦斯的既得利益。维瓦斯感到非常苦恼：他只不过是在捍卫国家队的利益；他们在想些什么？几乎在同一时间，巴塞罗那的足球主管沙利·雷克萨奇致电西班牙足协，尝试推动梅西为红衣军团效力的可能性。

托卡利继续拖延他的分析。除了他可能抱有的任何怀疑之外（全都是毫无根据的），他并不确定是否有必要承担此事将引起的所有费用、怀疑、适应问题和诸多其他不便，而只是为了带上一个大洋彼端的16岁男孩。

维瓦斯感到非常沮丧。马塞洛很了解维瓦斯，所以当他看见后者如此心神不宁，他感到他们有必要谈一谈。

"怎么了？"

"听着，在梅西这孩子的事情上，我们遇到了一个问题，我认为从现在的情况看来，阿根廷最终很可能会失去很多。"

"让我去跟托卡利谈谈看。"

"带上这个孩子跟我们一起训练或许是值得的。"他说。国家队经常带年轻球员一起训练，好让他们习惯在今后的职业生涯中将遇到的动力。

不久之后，乌戈·托卡利收到了来自足协高层的"建议"，告知他应该看一看那些录像带，并根据他的所见行事。

托卡利正准备带领一些后来赢得了U20世青赛的球员（卢卡斯·比格利亚、奥斯卡·乌斯塔里和埃塞基耶尔·加雷）前往芬兰参加U17世青赛。他看了一眼录像带。"录像带中只有五六个球员在人工草皮足球场上踢球，你可以看出他是个特别的孩子，有着令人惊叹的节奏变化，皮球就好像粘在他身上一样。他在3秒之内就能跑到100米。他的启动方式让我非常惊讶。"托卡利回忆道。

托卡利和当时在西班牙的莱加内斯俱乐部出任体育主管的阿根廷籍教练何塞·佩克尔曼通了电话，向他寻求梅西的信息。"一名天才。"这就是他得到的回答。同时，托卡利会见了阿根廷足协主席胡利奥·格隆多纳，在此之前他们已经同格隆多纳谈到过梅西的事情。没有必要召集梅西来同贝尔萨的球队一起训练。格隆多纳和托卡利决定立即组织两场国际友谊赛，对阵巴拉圭和乌拉圭，好让梅西披上阿根廷的球衣；两场比赛都由国际裁判执法，这样他们就可以签署一份要送往国际足联的表格，从而阻止西班牙队抢走梅西。他们不得不小心翼翼而又心急火燎地同梅西一家取得联系。

"好的，伙计们，要么你们给他找一个位置，要么我来，但是不论怎么样，我们一定要解决这事儿。"格隆多纳说。

阿根廷足协的一位行政官员开始搜寻豪尔赫·梅西的电话号码。他尝试了10个号码，才打通正确的那个。

"您是莱昂的父亲，豪尔赫·梅西吗？"

"是的，没错。"

找到他了。托卡利同梅西的父亲进行了交谈，然后又和梅西谈了话。两人都在几秒之内就给出了肯定的答复；没有任何疑问，梅西想为阿根廷队效力。"感谢您的电话，您让我们感到非常高兴。"托卡利解释说，他无法召集梅西参加2003年的U17世青赛，因为他已经确定了球队名单，但梅西可以期望不久之后进入阿根廷U20国家队。

2003年11月17日，梅西给一位朋友写信提及了这段插曲："嘿，法比。我给你写信是因为我和你说过，我一收到国家队的消息就会让你知道的。几个小时之前，托卡利给我和我老爹打了电话，他就至今发生的一切向我表达了祝贺，并说他们将召集我跟1985年和1984年一代的孩子一起训练，为下一届的南美锦标赛做准备。他告诉我爸说他看了很多我的录像带，但他并没有召我参加U17世界杯，因为他当时觉得我太小了（他就是这么说的）。但他说他最近又看见了我，现在觉得我没问题。好了，法比，给你送上一个大大的飞吻。再见。"

在2003年8月举行的芬兰U17世青赛中，阿根廷在半决赛上输给了西班牙，而为西班牙队效力的正是梅西在巴萨青年队的队友。法布雷加斯射入两球，帮助球队以3∶2获胜。两支球队在同一间酒店下榻，比赛过后托卡利向法布雷加斯问起了"矮子"的情况。"莱昂？他就是个怪物。不可思议。他们想让他到我们队里来。"这位加泰罗尼亚中场说道，"如果他今天上场了，你们很可能大灌我们好几个球，然后拿下冠军。我们很想让他为西班牙效力，但他说他要追随你们。"维瓦斯从未向梅西提到过与他的斗争、录像带以及与怀疑声有关的任何事。他觉得那样做是不恰当的。维瓦斯相信，总有一天，梅西终会为国家队披挂上阵。

也许是推迟了那么一点儿，但是……

他穿上西班牙球衣一定不怎么好看……也不会开心。

　　你好，法比，近来如何？嘿，我在给你写信回答你问我的所有问题。事实上，看到我出现在报纸上，接到电台打来的电话，刚开始我还是很开心的。但现在他们让我感觉糟透了。我已经等不及让这一切赶紧结束，让他们别再整天谈论我了。无论如何，就这间更衣室而言，我可以告诉你这里的一切真的"超级酷"，我有一大堆事情想跟你说，但我要等事情都搞定了再和你详谈。我要跟你说说这一切都是怎么发生的，一件一件来。我觉得一切都进展得非常棒，但现在我要考虑的是星期六的下一场比赛，但愿我能发挥不错，帮助我们赢球。这就是我老爹和科洛马跟我说的话。

　　（2003年11月20日，莱昂内尔·梅西在对阵波尔图的巴萨处子秀赛后发送的电子邮件）

　　梅西在应对一个奇妙的赛季，远在预期进度之前他就已完成了所有的目标。在至少更换了5次层级之后，他完成了在巴萨一队的处子秀。他受阿根廷国家队之召踢了两场友谊赛。此外，他还在巴塞罗那交到了朋友，只不过并不是很多。

　　对阵巴拉圭的第一场友谊赛前一周，17岁的梅西回到了布宜诺斯艾利斯。第一堂训练课还没开始，他被带到了队友面前。

　　"小伙子们，这是莱昂内尔·梅西，他来自巴塞罗那。"托卡利说。

　　梅西低着头，站在一边。

　　这就是巴勃罗·萨瓦莱塔回忆中的情景："我们开始热身，在小球场上踢一场短小的比赛你就能看出来，这小子是与众不同的。"事实上，梅西把他们所有人踢得落花流水。"第一堂训练课上，他让我们所有人惊得下巴都掉下来了。他利用变速把我们所有的后卫耍得愣在原地。"萨瓦莱塔说。

梅西是队中仅有的两名在海外踢球的球员，另一位是效力于意大利球队特拉纳的毛罗·安德烈斯·扎诺蒂。和沙利·雷克萨奇组织的第一场训练赛的情况一样，梅西的队友都比他大两三岁。在这支为了让梅西披上阿根廷球衣才匆匆组建起来的球队中，除了萨瓦莱塔之外还有来自布宜诺斯艾利斯、刚被热那亚签下的埃塞基耶尔·拉维奇，以及埃塞基耶尔·加雷。球员们对此次友谊赛的背后原因毫不知情。

"他走上场边热身的时候，举手投足之间都带着他往常特有的谦逊。"队中人称"教授"的体能教练赫拉尔多·萨洛里奥说，"我对他说的第一句话是："如果你想在这里踢球，你首先要做的就是摘掉你的戒指，剪剪你的头发，大音乐家先生。'他似看非看地瞧了我一眼……什么话都没说。"当时萨洛里奥正在负责几支大龄球队，U20队请他为新来的技术人员提供帮助。他想从第一天开始树立起基本的规则，用他的话说就是"bajado de linea duradura"，翻译过来就是"不听我的就滚蛋"。梅西被惹恼了。

萨洛里奥继续说道："我刚开始太严格了，就好似他们也是老球员一样。我不该那样做的。"如今萨洛里奥回忆说，"几分钟之后，我看着他，当着全体队员的面说："莱昂，我必须当着大家的面道歉，我对你的要求太过分了，我犯了错误。我不该那样做的，你不了解规矩，我当着所有人的面向你道歉。'然后他看着我笑了，好像在说："人非圣贤呐。'那就是我和他的第一次见面。他不是个爱多说话的人。"

6月29日到来了，这是和巴拉圭踢友谊赛的日子。那是一个寒冷的夜晚，比赛在新近翻修的阿根廷青年人球场举行，这座球场后来被更名为迭戈·马拉多纳球场，以纪念这位1976年在这里面对塔勒瑞斯队完成处子秀的伟大10号。这场友谊赛的"入场费"对于球迷们而言无足轻重，凭借一张报纸即可观赛。这些报纸最终都被捐给了格拉汉儿童医院，这家医院当时正在收集废纸以筹集资金。仅有300人到场见证了梅西的国家队处子秀。

"但现在，如果你相信每一个声称当时在场的人，那你一定觉得那天全世界的人都在那个球场里了。"萨洛里奥说。

阿根廷队的首发阵容是：

内雷奥·尚帕涅；里卡多·维拉瓦、埃塞基耶尔·加雷、劳塔罗·福尔米卡；巴勃罗·萨瓦莱塔、雷内·利马、胡安·曼努埃尔·托雷斯、马蒂亚斯·阿贝莱拉斯；巴勃罗·巴里恩托斯；巴勃罗·比蒂、埃塞基耶尔·拉维奇。

主帅：乌戈·托卡利。

赛前，天上下起了毛毛细雨，阿根廷在上半场即取得了4：0的压倒性优势。是时候让那个孩子上场了。"他离我有几米远，我对他说：'上场吧。'"萨洛里奥回忆道，"他呆坐着看着我，好像在说：'轮到我了吗？'接着我说：'什么？那么你是不想上场比赛吗？'他热了热身，在下半场首发上阵。"

半场结束时，拉维奇和阿贝莱拉斯被替换下场，弗兰科·米兰达和身披17号球衣的梅西走上了球场。

"他们没法阻止他。"如今萨瓦莱塔回忆道。梅西贡献了两次助攻。在比赛的第80分钟，比分已是6：0，无人盯防的梅西在对方半场的中圈边缘接到球。"那是一次不可思议的表演，不论从当时看来还是现在回想起都是一样。""教授"萨洛里奥回忆说，"他带球过掉了所有人。然后我说：'我们有一名球星了。'"

梅西在电光火石之间突然启动，面对门将，他用一个假动作耍得对方手足无措，然后便突到了无人把守的球门前。这就是他为阿根廷打入的第一粒进球。

最后阿根廷以8：0狂屠对手。TyC体育电视台播出了这场比赛，但比赛的录像已经遗失多年。直到最近才有人找出当年的录像，并归还给了阿根廷足协（http://www.youtube.com/watch?v=ro2fglSvcKQ）。

在那支球队的先发11人中，里卡多·比利亚尔瓦不久便完成了他在河床一线队的处子秀，但最终也只为一队踢了这一场球。他在乙级联赛中先后效力于拉斐拉竞技队和国防与司法队①碰了碰运气，接着继续降级（在大都市B级联赛②的贝尔格拉诺防卫队踢球），然后又回到了乙级联赛（效力于阿尔多希维竞技队）。来自河床青年队的雷内·利马到以色列踢了几个月的球，然后在阿根廷甲级联赛和乙级联赛辗转多队，接着又去了智利，如今仍在为智利的科布雷罗阿俱乐部效力。弗兰科·米兰达曾先后在瑞典和苏格兰踢球（曾加盟圣米伦队），如今在贝尔格拉诺体育队效力。当年被梅西替换下场的马蒂亚斯·阿贝莱拉斯曾效力于墨西哥的普埃布拉俱乐部，后来又从那里转会到了巴西的瓦斯科达伽马足球俱乐部，他曾到苏超的流浪者队参加过一次试训，但因表现不佳而被拒之门外。通往巅峰的路上散布着重重障碍，对于许多人而言，这些障碍是无法逾越的。

接着，这支阿根廷队又来到了科洛尼亚的苏皮西体育场进行第2场友谊赛，这一场的对手是乌拉圭。半场结束，巴勃罗·比蒂的进球帮球队战成1∶1的平局，梅西在下半场首发出场。梅西两度破门（分别在第47分钟和第56分钟），并在第4粒进球中发挥了重要的作用，如萨洛里奥解释的："对方守门员把球开给了左后卫，而莱昂就在10米开外。他率先抢到了落点！他过掉了一个人，又过掉了守门员，然后他发觉面前门柱和门线之间的空间略过狭小，于是将球往回一拨，拉维奇跟进破门。我说：'哇哦，

---

① 又译成防卫者队、德芬沙队。

② 大都市B级联赛（Primera B Metropolitana），又译阿根廷乙级曼特波里顿联赛，是阿根廷第三级联赛中的一支，与之相对应的是阿根廷A级联赛（Torneo Argentino A）。

我们有了个令人震惊的家伙……'"

4∶1的最终比分也反映了两队之间的差距。体育媒体《奥莱报》的头条上写着："这个梅西绝非寻常之辈"。"乘坐布克巴斯公司的渡轮返回阿根廷时，我对莱昂说12月我们会带他一起训练，因为我们想带他一起参加将于2005年在哥伦比亚举行的南美青年锦标赛。"托卡利说。

那个夏天，梅西回到罗萨里奥度过了剩下的假期。他走在大街小巷也没有人会认出来。这些也是他最后一段默默无名的时光。

U20南美青年锦标赛将于2005年2月13日拉开帷幕，而锦标赛的四强将在当年夏天参加在荷兰举行的世青赛。两场友谊赛后，梅西已被纳入最终的球队名单。尽管在两个月前对阵西班牙人的比赛中他已完成了自己的巴萨一线队处子秀，但他还是得到了俱乐部的许可（世青赛是在赛季中段进行的），于12月与阿根廷国青队会师。国青队的队长萨瓦莱塔比梅西年长两岁，他很快就和新队友打成了一片，因为这也是他的职责所在。萨瓦莱塔回忆道："有一次我同他坐在一起讨论了我们的想法，问了他需要什么，告诉他我们与他同在。他的回答都很简洁，他是球队中的小孩儿。"

1月，胡胡伊体操击剑竞技俱乐部的教练潘乔·费拉罗接到了阿根廷国家队新任主帅何塞·佩克尔曼的电话，应邀接管了U20队。1月中，他前往哥伦比亚和托卡利共同执掌教鞭，后者先继续任职U20队主教练，随后成为了佩克尔曼的助理教练。"我就是在那儿头一次见到了梅西。"费拉罗说，"在南美青年锦标赛上对阵委内瑞拉和玻利维亚的头两场比赛中，他都坐在替补席上。球队在两场比赛的上半场都表现不佳，但一到下半场形势就变了，因为莱昂上场了。"

人们说，"小跳蚤"并没有像其他人一样的体格。但是在踢委内瑞拉的比赛中，他在第60分钟替补登场并贡献了两粒进球（最终比分为

3：0），赢得了全场最佳球员的奖项。"但我根本都没拿到球。"有人听到他这样说。如果由他来决定，他会把自己的一票投给加雷。对阵玻利维亚，他在中场休息时替下了巴里恩托斯。下半场开始5分钟后，他从中场开始长途奔袭，过掉了所有防守队员，然后破门得分。13分钟后，他再进一球，将比分定格在3：0。

接下来一场对阵秘鲁的比赛，梅西进入了先发阵容，虽然他并未就此常规地出现在首发当中，这只不过是一次例外：9场比赛中，梅西仅有3场首发登场。"他的强度还不够，比赛对球员的要求非常高，有些球场的海拔极高，我们察觉到他有点儿累了。"托卡利回忆道，"从下半时登场，他可以大乱对方阵脚。"费拉罗指出。由于梅西首发出场的表现相对不那么尽如人意，托卡利和费拉罗考虑让他回归替补席。

"潘乔，我们应该同莱昂谈一谈。"

"谈什么？"费拉罗和托卡利一边交谈，一边品尝着马黛茶，这是阿根廷人的风俗习惯；两人坐在黑板的一边，把磁粒筹码拨来拨去。

"我们必须跟他谈一谈，因为他看起来并不如替补上场时踢得好。我们像之前一样，让他待在替补席上，等到下半场再上场如何？"

"好的，乌戈，可以一试。我们跟他谈谈吧。"

"我们去找了他，他跟拉维奇住在同一个房间。"潘乔·费拉罗回忆道，"在房间里，乌戈跟他说了我们的想法，梅西觉得这个主意不错。这并没有让他感到沮丧，而是恰恰相反。'我也正打算跟你说这事儿。'他说。有时我会问问自己，他这类球员会怎样处理这种情况。这取决于你怎样同他们谈话，取决于你怎样让他坐下来，怎样看着他们的眼睛，取决于你的措辞。梅西也明白这些道理。"

赛事继续进行。阿根廷赢了4场，踢平了4场。2月6日他们将在最后一场比赛中迎战巴西。他们需要一场胜利来确保第3名的成绩以及荷兰世青赛的参赛资格。第6分钟，双方战成1：1平，梅西上场换下内里·卡多索。10分钟后，巴里恩托斯送出了一记横传，梅西接球射门，将比分改写为2：1，锁定了胜局，这也是他第一次击败这支最终仍然拔得头筹的巴西队[①]。拥有赛事最佳射手乌戈·罗达列加的哥伦比亚斩获亚军，阿根廷则获得季军。

梅西证实了他如今的水平和所有人期望的一模一样。他从未怀疑这一点，但他在这次锦标赛上发挥的影响让他想要做到更多。他也明白，他的身体给他带来诸多限制，于是他听取了托卡利的建议："和罗纳尔迪尼奥一样，跟一名私人训练师训练。"

回到巴塞罗那后梅西就依言照做了，有时还把训练课时加倍。梅西成为了阿根廷U20队中的一员大将，3个月之后，在该赛季为一线队踢的9场比赛的其中一场，他打进了在巴萨一线队的第一粒进球。那个赛季满满都是具有纪念意义的重要事件。

飞往荷兰参加世青赛前，梅西路经罗萨里奥，5年来第一次回到了纽维尔斯队的场地。有些人同他打了招呼；并不是所有人都认识他，但认识他的人都在给同伴介绍——"这就是那个不得不离队的孩子，那个来自巴塞罗那的人"。他们询问了他的新家，问了他和国家队情况怎么样。U20世青赛在阿根廷公众之中颇受关注。阿根廷在该赛事上的历史战绩相当不俗，并在之前的5届赛事中3次问鼎，实力强劲。他们要在荷兰重夺冠军。

这项赛事有着渊源久远而耐人寻味的传统；这是所有青年级别国家队

---

① 此处为作者笔误，该年南美青年锦标赛冠军为哥伦比亚，巴西屈居次席。

锦标赛中最重要的一个，也是众多新鲜面孔展示实力的窗口。很难预测锦标赛上会发生什么：一名在揭幕战上替补出场的球员可能很快就锁定了先发席位，并最终成为锦标赛上的最佳球员——这项赛事往往是伟大职业生涯的最佳跳板。

马拉多纳18岁时率领他的阿根廷队在日本斩获了队史首个U20世锦赛冠军。1987年的智利世青赛上，南斯拉夫麾下集结了罗伯特·普罗辛内茨基[1]、兹沃尼米尔·博班[2]和达沃·苏克[3]等名将。以路易斯·菲戈[4]、若奥·平托[5]和鲁伊·科斯塔[6]为核心的葡萄牙黄金一代曾在1991年问鼎[7]。1997年，为了准备冲击世界杯，法国队的大卫·特雷泽盖[8]和蒂埃里·亨利[9]

---

① 罗伯特·普罗辛内茨基，克罗地亚退役足球运动员，司职中场。普罗辛内茨基早在1987年曾代表过南斯拉夫国家队比赛，并于1987年世青杯被评为大会最佳球员，也曾代表国家队出战1990年世界杯，并成为该届最佳年轻球员。其后南斯拉夫内战，分裂出克罗地亚，普罗辛内茨基选择代表克罗地亚国家队出赛。1998年，克罗地亚夺得世界杯季军，普罗辛内茨基在6场比赛中贡献了两个入球。由于之前他曾代表南斯拉夫出赛，故成为了目前唯一一名能代表两个国家出战世界杯并打入进球的球员。

② 兹沃尼米尔·博班，克罗地亚退役足球运动员，克罗地亚国家队和AC米兰队的中场核心。

③ 达沃·苏克，克罗地亚退役足球运动员，出生于南斯拉夫奥西耶克，在球场上司职前锋，曾获得过1998年世界杯金靴奖，是克罗地亚足球史上最著名的球员之一，现为克罗地亚足协主席。

④ 路易斯·菲戈，生于葡萄牙首都里斯本，人称"狮子王"，已退役的葡萄牙著名足球运动员，世界足球史上的天王巨星之一，也是葡萄牙的国家象征之一。

⑤ 若奥·平托，葡萄牙退役名将，早年曾被称为"金童"，是世界上唯一一名曾两次随队获得世青赛冠军的球员。

⑥ 鲁伊·科斯塔，葡萄牙退役足球运动员，司职攻击中场，有时也担任防守中场。科斯塔以宽广的视野和精准的传球技术而闻名，被称为"大师"。

⑦ 葡萄牙曾在1987年和1991年连续问鼎世青赛。

⑧ 大卫·特雷泽盖，法国前锋，1998年随队获得世界杯冠军，2000年以关键进球帮助法国队问鼎欧洲杯。现效力于纽维尔斯老男孩队。

⑨ 蒂埃里·亨利，过去10年来世界足坛最出色的前锋之一，他拥有无与伦比的优雅技艺和高效率，是现今世界足坛球员当中最具攻击性的前锋。他是阿森纳足球俱乐部历史最佳球员之一，也是法国队历史上进球最多的球员。

横空出世，虽然巴勃罗·艾马尔①的阿根廷队赢得了那届锦标赛的冠军。1999年，哈维·埃尔南德斯和伊克尔·卡西利亚斯率领西班牙队夺冠：这也是未来足坛的预兆。2001年，以哈维尔·萨维奥拉为核心的阿根廷再次加冕。而在2003年的决赛中，丹尼尔·阿尔维斯和安德烈斯·伊涅斯塔狭路相逢。

第15届世青赛将于2005年6月10日到7月2日期间在荷兰举行。西班牙派出了费尔南多·托雷斯、塞斯克·法布雷加斯、劳尔·阿尔比奥尔以及何塞·恩里克等球员；哥伦比亚队中有拉达梅尔·法尔考；巴西队有马西奥·拉菲尼亚（现效力于拜仁慕尼黑）和众多至今仍在该国主要联赛踢球的球员。

阿根廷队给梅西多放了几天假，因为他是队中唯一一个从欧洲来的球员，但他却想在球队集合之时就和大家碰面。这个小细节可能看起来无足轻重，却深得队友们的赞赏："我们大家都一样"的态度就是一种最好的名片。

在前往荷兰之前的球队例会上见到梅西时，托卡利、费拉罗和萨瓦莱塔发现眼前的梅西与4个月之前的那个人相比已经不一样了。"我们注意到他在那几个月中发生了惊人的变化。"独自执掌U20队的潘乔·费拉罗回忆道。"我们注意到莱昂的体形更好了。"乌戈·托卡利回忆说，"他变得更加强大了。他更有韧性了。我们不能忘记他是在巴塞罗那踢球，他是带着他在体能、战术和技术各方面下苦功的证据来见的我们。"

梅西又向前跃进了一大步，这一次是在身体上的。18岁时，他长到了1米69，64公斤重。

_____

① 巴勃罗·艾马尔，阿根廷足球运动员，司职中场，目前效力于葡超俱乐部本菲卡。艾马尔是一位技术出众、传球精准的攻击型球员，他长相清秀，球风飘逸，深受亚洲地区尤其是中国和日本球迷的喜爱，本身也是才华横溢，但是身体羸弱受伤过多，这些阻碍了他成为一个超级球星。

那届世青赛的阿根廷队大名单如下：

守门员：奥斯卡·乌斯塔里、尼古拉斯·纳瓦罗、内雷奥·尚帕涅

后卫：劳塔罗·福尔米卡、古斯塔沃·卡布拉尔、胡利奥·巴罗索、埃塞基耶尔·加雷、大卫·阿夫拉

中场：胡安·曼努埃尔·托雷斯、加夫列尔·帕莱塔、卢卡斯·比格利亚、巴勃罗·萨瓦莱塔、帕特里西奥·佩雷斯、埃米利亚诺·阿门特罗斯、罗德里戈·阿尔楚比、费尔南多·加戈、内里·卡多索

前锋：塞尔吉奥·阿奎罗、古斯塔沃·奥韦尔曼、巴勃罗·比蒂、莱昂内尔·梅西

"我很喜欢看欧洲足球。"古斯塔沃·奥韦尔曼回忆道，"莱昂完成了他在巴萨一线队的处子秀，但并没有经常出场。我知道这事儿。我们在南美青年锦标赛上见过他，虽然他那时候有不少身体上的问题，但事实上，在他出场的那些比赛里他赢得了所有人的赞赏：队友、媒体……人们都在说：他是马拉多纳的继承者吗？因为当时所有人都在祈盼着一位马拉多纳的继承者，一个为了皇冠向他发起挑战的人。私底下我们都议论纷纷。"

"教授"萨洛里奥主持开展了一项为期40天的计划。他带来了许多书籍和录像带，还新创了许多教育性的游戏，试图每天都给队员们制造惊喜，好让他们保持动力。但萨洛里奥也知道，头几个小时非常关键；那是一切开始走向正轨的时候，那是考察球员性格的时候，是球员们相互认识、寻找同伴的时候。

和梅西同岁的塞尔吉奥·阿奎罗来自独立竞技俱乐部，外号"阿Kun"的他不喜欢看电视或观看阿根廷以外的联赛比赛，也不爱跟互联网打交道。当梅西作为来自巴萨的潜力新星被人们津津乐道的时候，阿奎罗却并

没有对他特别关注。集训第一天早晨，队友们坐在一起共用早餐。阿奎罗的右边坐的是梅西，左边则是福尔米卡。加雷坐在他们对面。他们开始谈论足球鞋，梅西说美国刚推出了一款新的足球鞋。阿Kun看了看他，然后又看了他一眼。阿Kun心想，这人是谁？他必须弄清楚。

"你叫什么名字？"

"我对莱昂说，"阿奎罗回忆道，"莱昂还记得那事儿，啊！现在他回想起来一定会笑得不行了。然后……他看着我说'莱昂内尔'，'噢——'我说，'跟我名字很像嘛。你姓什么？''梅西。'当然了，我心想：'很好。'然后福尔米卡看了我一眼。'怎么了？'我说。'怎么了？？你不知道这家伙是谁？'随后我才意识到我听说过有一位来自巴萨的厉害球员，然后心想：'噢，就是他啊。'"

"当然了，那是在我们吃饭的时候。"阿奎罗笑着回忆说，"后来，我们一起训练的时候，我说：'这家伙步履如飞啊。'从那以后，我们常在一起嬉笑打闹，我们相处得很好，还同住一个房间。"

不错，在那次世青赛期间他们两人住在同一个房间。"我创造了阿Kun-梅西的二人世界。"赫拉尔多·萨洛里奥解释道，"为什么？有两个原因：他们年龄最小，喜好相近（他们都是PlayStation游戏机高手），而且我想着我可以为阿根廷足球的未来培养一对双子星。"

阿根廷国青队的心理医生马塞洛·罗菲同意萨洛里奥的决定，因为梅西和未随队征战南美青年锦标赛的阿奎罗发现两人的处境非常相似。何塞·佩克尔曼和阿足协认为，有必要找个人走近这些孩子，在这个周围的一切都让他们颇感迷茫的年龄段，帮助他们表达他们的感受。因此，从那届世青赛起，队中有了一名心理医生。"后来，他们中的一些人需要提高注意力、改进释放压力和做出决定的方式、缓解比赛前的紧张感。"罗菲说，"总有人对我的工作持有偏见。但他们会意识到，我的工作对他们很有帮助，随后就会转变态度。"

梅西和阿Kun成为了受大家照顾的孩子，主要是因为他们的年纪最小。虽然他们都已满17岁，但因为他们的体格和稚气的面容，有时他们看起来比实际年龄还小得多。"我记得第一天晚上我们听到了一些奇怪的声响，那时是凌晨4点半，半睡半醒间我听到电话响了。"萨洛里奥回忆道，"我告诉过他们不要在房间里接听任何人打来的电话，不论是家人还是媒体，任何电话都应该先经过我。我拿起听筒，电话是阿Kun打来的：'我害怕，我能听见声响……'然后我说：'睡觉去，你这烦人的小东西，什么事儿也没发生！'当然了，他还是个孩子，他听到闹声吓坏了。"

从未把自己当作首发的古斯塔沃·奥韦尔曼也是个不懂得如何向陌生人敞开心扉的内敛球员，这样的情况在球队集训的前几天里很常见。"我觉得莱昂也跟我一样。"这名现效力于基尔梅斯竞技的前锋说道，"我是新来的，对我来说很难接近他或开口询问他的生活，因为我不认识他，但日复一日，你发现他也不过是个普通的男孩，一个并不愿尝试引人注目、不喜欢大声说话、只在意自己的事情、不爱夸夸其谈也不爱开玩笑的孩子。一个很普通的男孩，应付着对我们而言，或者说对任何人而言，非常难处理的事情——他在为世界上最好的球队效力，但却乐于屈身来踢U20级别的比赛。并不是所有人都能做到这件事，主动降级并不是那么容易的事情。"

梅西想跟阿根廷队一起赢球。如今他既已沉浸在国家队的动力之中，便不会让任何人把他带走。他感到，自从先前在南美青年锦标赛中获得一席之地后，他就处在他应该出现的地方，这就是最适合他的梯队。所以对他来说，越早踢出成绩越好。

第一场比赛的对手是美国队。队员们聚在阿尔克球场的更衣室里，潘乔·费拉罗在黑板上写满了数字，接着开始点名："1号乌斯塔里，2号卡布拉尔，3号……前锋比蒂和奥韦尔曼。"

梅西被留在了替补席上。

小组赛阶段

阿根廷vs美国

2005年6月11日，阿尔克球场，恩斯赫德

观众人数：1.05万人

当值裁判：泰耶·海于格（挪威）

世青赛开赛3天前，形势变得更加明晰，何塞·索萨将和比蒂在前场搭档，首发登场。然后在训练中，索萨接到一记传球，他努力想控下球，却失去了平衡，笨拙地摔倒在地，痛苦地扭动着手臂。很明显，他受伤了，惊慌之余球队不得不因他的伤势而妥协，费拉罗决定中止训练。球队走向更衣室的途中，队医丹尼尔·马丁内斯走了过来："潘乔，注意下莱昂，他的腿筋有点儿拉伤，但也不用太过担心的。"

不多久，所有人最担心的事情得到了证实：索萨的手腕骨折了。萨斯菲尔德俱乐部的帕特里西奥·佩雷斯被征召入队。媒体争相透露，梅西将顶替索萨担任经典前腰，出现在锋线后方的空档处。媒体称，虽然年纪轻轻，梅西却和萨瓦莱塔、加戈以及比格利亚一样，是球队中最好的球员之一。

"我想：'他会派梅西跟比蒂搭档的。'"奥韦尔曼说，"我在青年队中出场不多，当时只踢过3场友谊赛。我在甲级联赛中踢得不错，我觉得我会被纳入21人大名单中，得到确认之后我很高兴。我从未想过我会踢上首发。后来，当我们来到了世青赛，我看到了我的队友们，我感到进入首发阵容可不是件容易的事儿。"

"我也那样想过，"潘乔·费拉罗说，"然后我说：'梅西可以继续

待在替补席上，如果我需要他，就会在下半场时让他上场。'"就和在南美青年锦标赛上一样。比蒂当时是罗萨里奥中央队的新星，流言称他即将与马德里竞技队签约。他是锋线上的第一选择，而奥韦尔曼、梅西和阿奎罗则必须互相角逐来吸引选拔者的关注，争夺另一个锋线名额。最后，比蒂仅在那次锦标赛中出场3次，接着在中央队又待了一年，然后加盟了班菲尔德竞技队。但是他在班菲尔德一直没有步入正轨，转战阿根廷豪门独立队之后同样未能开花结果。后来他去了乌克兰和加拿大，之后在秘鲁首都利马的圣马田大学俱乐部取得了联赛冠军。此后他被交易到了同一联盟中的利马体育学院俱乐部。在十八九岁的年纪，成功与失败只有一线之隔，最终只有时间能见分晓。

在那届世青赛上，比蒂和奥韦尔曼一起，先于梅西进入了首发阵容。"潘乔念出首发阵容名单的时候我感觉有点儿奇怪。"古斯塔沃·奥韦尔曼回忆道。"大家都你看看我，我看看你，千言万语尽在不言中。"萨瓦莱塔补充说。许多人心目中的最佳球员竟然不上场，这听起来有些奇怪。梅西一言不发，他只是默默地盯着地面。在前往球场的路上，队员们的主要话题就是不在首发阵容中的梅西。"他在南美青年锦标赛中踢得不好。"有些人说。"也许潘乔是担心给他太多压力。"其他人补充说。梅西神情严肃地坐在替补席上，没有人和他说话。

"这对我来说真是太好了，因为我踢了那场比赛，我踢得不错，赛后教练对阵容做了进一步调整，我继续被选中……我是先发的一员！"奥韦尔曼解释道，话中仍有惊喜的意味。第一场比赛，阿根廷队的首发阵容如下：

奥斯卡·乌斯塔里；胡利奥·巴罗索、古斯塔沃·卡布拉尔、劳塔罗·福尔米卡；巴勃罗·萨瓦莱塔、卢卡斯·比格利亚、费尔南多·加戈、埃米利亚诺·阿门特罗斯；巴勃罗、比蒂、古斯塔沃·奥韦尔曼。

上半场，费拉罗甚至连想都没想过要往替补席上瞧一眼，更没发觉梅西的沮丧，费拉罗说："我沉浸在比赛当中。"费拉罗需要给前场提速，让他们跑动更多，因为美国队的防守非常严密。半场结束前6分钟，美国队的查德·巴雷特帮助球队取得领先优势。费拉罗叫梅西起来热身，因为他将要上场替下阿门特罗斯，但这次换人并未奏效。阿根廷以0∶1告负。

莱昂·梅西面色铁青地走回了更衣室。

小组赛阶段

阿根廷vs埃及

2005年6月14日，阿尔克球场，恩斯赫德

观众人数：8500人

当值裁判：马西莫·布萨卡（瑞士）

对阵美国的比赛结束后，年龄较大的球员们（比格利亚、萨瓦莱塔等）在更衣室里开了个小会。讨论还未开始，大家就已做好了决定：梅西必须上场；他是最强的。他上场踢了半场球，对球队的速度和勇猛的态势起到了重要的作用，尽管这些并没有体现在最终比分上。有那么五六次，他在球场中央接到球，然后向前推进。梅西让队员们变得更好了，这就是争取让他进入首发的意义所在。球员们要求与费拉罗交涉，最后是萨瓦莱塔和他说了球员们的决定。其他的话都无需多言。教练同意了。

"无论何时你组建一支球队，你总是要保护最优秀的球员，因为到头来你所做的也是在保护你自己。"奥韦尔曼认可道，"如果有人能帮我解决问题，那我就必须帮助那个人，照顾他，给他球，让他感到舒服。世界上所有的球队都是这样的。"

对阵埃及时，费拉罗做出了调整："首发阵容中有了梅西，我就把来自博卡青年的内里·卡多索放到了边路。我没有动后防线。4名后卫的安排

一直保持没变，卡布拉尔除外，因为淘汰赛阶段他领到了两张黄牌，被加雷换下：乌斯塔里；巴罗索、卡布拉尔、帕莱塔和福尔米卡。然后是萨瓦莱塔、加戈、'大查科'（胡安·曼努埃尔）托雷斯和后面的内里或阿尔楚比或阿门特罗斯，3名进攻型前卫。"奥韦尔曼被选中与梅西搭档，比蒂被放在了替补席上。而对于阿奎罗而言，世青赛来得有点儿太早了。

正是对阵埃及的这场比赛让全队人见识到了梅西求胜如渴的性格。"在U20队中，他展示出了他的个性。"奥韦尔曼说，"对阵埃及，对手朝他狠狠地踢了一脚。如果是我，我都不一定还能站起来。但莱昂站了起来，继续奔跑，他都没有向裁判抗议，或许我比他更喜欢抗议，因为我更像那样的球员。我不能隐忍，我承担起了抗议的责任。对我们来说，只要他接到球，做他了解的该做的事情，我们就很高兴了。"

第46分钟，梅西射门得分；第91分钟，萨瓦莱塔再次破门。阿根廷以2：0获胜。

第一场输给美国意味着这支球队将在下一场小组赛中与德国争夺一个出线名额。阿根廷必须争胜，但是对于德国而言，踢成平手已足以让他们过关。

小组赛阶段

阿根廷vs德国

2005年6月18日，尤尼威球场，埃门

观众人数：8800人

当值裁判：本尼托·阿琛迪亚（墨西哥）

梅西在这套4-4-2体系中出任影子前锋，虽然全场比赛的大部分时间他都在边路活动。他遵循了他的本能。"你永远也不必对梅西说'待在这儿'，因为说了也不管用。你只需要让他上场，然后习惯于尽量利用他时常制造出来的空间。"古斯塔沃·奥韦尔曼说。费拉罗开始发觉，他必须创造条件，帮助梅西自由发挥他的天才风格，好让其他所有人从中获益。正如梅西的锋线搭档所承认的："他们要求我跑对角线来帮助梅西，好让他找到我的空档，或者让我为他开辟道路。"

球队开始为梅西提供支持，也给了他越来越多的责任，而他则自然而然地一并接受。

"梅西只是球队中的一员，但随着赛事的深入，他也渐入佳境。"费拉罗说，"我了解他的特点，我看过来自巴塞罗那的所有录像带，我对其他所有人说：'我们要密切关注他。有时他会给你们传球，有时他不会。要时刻留神，因为他可能需要你们作为一道屏障给他回传球，或者先做假传球的动作然后继续突破。要利用好他为你们创造的空间。'当时我常把他放在中路位置，但在首发阵容中则是或左或右，与奥韦尔曼搭档。我让孩子们保持警惕：如果我们压进球场的四分之三，我们就有足够的空间可以击败任何球队，因为我们速度很快，不光是前锋，中场球员也能进球，萨瓦莱塔、巴罗索……"梅西欣然接受了现代前锋的职责之一：他将是球队的第一道防线。

比赛开始了。中场即将结束之时，梅西从球场中央启动，把对手遥遥甩在身后，长途奔袭之后，他送出了一记精准的传中。奥韦尔曼任球直插禁区，卡多索及时出现，攻进了第1粒进球。这是比赛的第43分钟，就在中场休息之前。

下半场，"查科"托雷斯收到了一张黄牌。阿奎罗替下了奥韦尔曼。托雷斯接到球，然后不慎倒地，用手抓住了球，他得到了第二张黄牌，被罚下场了，而此时比赛还剩10分钟。必须要做出决定了。潘乔·费拉罗接着说了下去：

"（我的助理教练米格尔·安赫尔）托亚对我说：'我们该换下谁？'

我让已经在热身的比格利亚到我跟前来。托亚问我要换下谁，我说：'梅西。'梅西就在40米远处。他走下场来，经过我身边，我总会拍一拍被换下的球员的背，然后他坐了下来。我们以1：0赢了。离开球场的时候，同往常一样他们给了我一盘当场比赛的录像带。如果晚饭前有时间，我们就会和托亚一起坐下来观看录像。那时我才看到我把梅西换下时他脸上的神情——比赛当中我没有看到，但镜头捕捉到了。我对托亚说：'停下，停下，米格尔·安赫尔，往回倒。'他照做了。我告诉他我当时没看见梅西的脸上挂着一副奇怪的神情。"

梅西并不是因为摆脸色才在球队中赢得了一席之地，但当事情进展不如他意时，他不懂该如何把自己的感受隐藏起来。梅西摆出了一张队友们口中的"cara de culo"，也就是所谓的臭驴脸。

"他就是不想被替换下场。"萨洛里奥回忆道，"莱昂是个不喜欢被人换下场的家伙，哪怕他只是在玩弹珠的时候也是一样。我们曾就此谈过一次，我前去看他，我记得我说：'你不仅对你的教练很不礼貌，也对被换上场的队友很不尊重。他也一样想踢球，而且他并不是自己要求上场的，而是被换上场的。'"

费拉罗补充说："我们看了那场比赛的录像，然后去吃了晚餐。饭后队员们起身离席，'教授'萨洛里奥走过来对我说：'潘乔，莱昂有话想对你说。'我跟他说：'没问题，让他等着我。我这就过去找他谈话。'"

"你好，莱昂。"

"你好，潘乔。我有话想跟你说。"

"没问题，是什么事儿？"

"今天我做错了。"

"为什么道歉？"我说，假装什么都不知道。

"不，呃……我冲你摆了脸色，我做得不对。只不过，潘乔，我只是想踢球。"

"没关系。别担心这事儿，好吗？但是你给我记住——别对里卡杰尔德或者潘乔或者任何教练摆脸色。你想踢5号位，当防守型中场吗？不，你当然不愿意。托雷斯被罚下场后，我必须换个人下场，而阿Kun才刚刚上场。我并不是心血来潮才这样做的。我必须换上比格利亚，因为他是5号位，一名防守型中场。但别担心，没什么问题。"

"太好了。"莱昂说，然后回到了他和阿Kun的房间。

尽管排名小组第二，阿根廷还是获得了晋级下一轮的资格。不论如何，顺利出线也让全队松了口气。莱昂和阿Kun在PlayStation游戏机前打发着时间（轮流选用巴塞罗那或阿根廷）。但他们之间并不总是那么友好。"有一次我们真的打起来了，打得很凶。"在电视节目"Mundo Leo"的一次采访上，梅西回忆道，"然后我们决定，离锦标赛结束还有很久，所以我们最好和谐竞赛，以后别再打得你死我活。这是个更健康的解决方案。"他还有许多时间和乌斯塔里一起欣赏昆比亚音乐①，或和其他人一起出去闲逛。"他和阿Kun一起相处得很舒服，让他俩住同一间房是个明智之举。"费拉罗回忆道，"梅西和其他孩子们打成了一片，他喜欢笑，总是在笑。其实阿Kun性格更加开朗，但梅西总是喜欢笑别人做的事情，尤其是阿Kun做的事情。"

"他们很不一样。莱昂比较内向，阿Kun则是个外向的孩子。但是他们说话的方式很相似，他们俩人是一对很好的组合。"萨洛里奥说，"莱昂总爱等着看阿Kun在做什么，这让他觉得很好笑。能让莱昂哈哈大笑，阿Kun也觉得很好笑。"阿奎罗完成了他的任务，让梅西的小天地里充满了更

---

① 一种横跨拉美的流行乐风格，它起源于加勒比海岸的哥伦比亚和巴拿马，与其齐名的舞蹈一同远远流传到墨西哥和阿根廷。又译作"坤比亚"或"空比亚"。

多快乐。萨洛里奥证实："是的……莱昂喜欢在训练营附近闲逛，寻找能让他乐呵起来的事情。"

萨洛里奥作为技术人员的额外职责之一就是对球员们加以管教和控制。在南美青年锦标赛上，他一开始就对梅西用错了法子，从那以后，他就务必要更不露声色地树立起基本的规则。一天，他发现阿Kun和梅西带了几包薯片。

"我和阿Kun睡在同一间房里，我们要在特定的时间参加各种各样的会议。"在TyC体育电视台的马丁·索托做的一次效果极佳的采访上，似乎都忘了摄像机还在运转的梅西回忆道，"如果你迟到了，就要被罚款。酒店楼下有一台贩售糖果和零食的机器。口香糖、糖果、薯片，什么东西都有。我们被禁止购买任何这类东西，而且到了9点每个人都必须待在各自的房间里。楼下还有一台电脑，也是那儿的唯一一台电脑，所以我们常在宵禁之前下楼去玩一会儿电脑游戏。我们一起走下楼，然后阿Kun说：'要不我们到贩售机上买点东西？'我们照做了，然后把买的东西藏在衬衫下面。9点过3分，电梯门开了，'教授'来了……阿Kun在努力不让薯片掉出来。"

"很好吃，是不是？"萨洛里奥说。

"那是当然。"

"好的，那就让我们来个君子之约。你们把这些吃完，因为浪费食物不好，但是这是你们最后一次吃膨化食品了。怎么样？好好享受它们吧。"

萨洛里奥缓解了紧张的气氛："有时候球员会得到一些巧克力，而我会把它们都没收。等他们赢下比赛的时候，我会对他们说：'好吧，咱们来吃点巧克力。'然后我会给球队里的每个人发一条巧克力。我总是习惯把巧克力装在一个小包里，每次旅途随身携带。最后一场比赛结束后，我们会一起享用巧克力、糖果、饼干……"

　　和以前一样，萨洛里奥决定在这帮球员当中成立"政府"，任命各种部长。整支球队被划分成了7个部门：清洁部、秩序部、财政部、生日礼物采购部、惩罚部、特殊任务部以及每晚7点以后给大家放映不同电影、分发书籍的文娱部。之后，"教授"让每个部门选出一位部长。毫无疑问，品格突出的人会脱颖而出，因为他们能为球员向萨洛里奥争取更多的利益；而那些没啥特点的则会最终被分到相对不那么重要的部门。通过这种方式，球员们可以更自然地在职业足球环境中成长。各个部门中，最残酷的当属施加条例、施行罚款的部门。罚款的数目可不小。每当筹集了一定的罚金（累积到600美元到700美元之间时），生日礼物采购部就会给每个当月过生日的球员购买生日礼物。而如果还有剩下的钱，他们就会购买一台电脑，奖励给赢得最多比赛的人。他们会在晚上玩电脑到10点或者11点，有时个人竞技，有时分组对抗。他们正在逐渐打成一片。

　　"'教授'就是个明星演员，"梅西对马丁·索托说，"事实上，他们会很严厉地斥责我们。他们都是很有经验的老教头，当然对我们那些小伎俩了如指掌。我笑这件事是因为我知道当时我被他们臭骂了多少次。"

　　梅西并非那些"部门"中的主要成员，而这也恰恰证明了他最初在球队中给人的印象：作为足球运动员，他的确与其他人"密切相关"，但在球场之下，他的"小"就不只体现在身材方面。"他当时不喝马黛茶。"萨洛里奥回忆说，"后来他逐渐习惯了它，但是在那个时候他并不像大多数球员一样喜爱这种饮品。他就是融入不进来。在球场上，他是一名刺客，可下了球场就并非如此了。我们一起玩飞镖的时候，我会观察谁适合罚第5个点球。我提议说，如果有人一路拿下300的满分，那就把第5个点球给他吧，教练。"

　　梅西在这个团队里创造了属于自己的小世界：他常常在阿奎罗身上寻找笑点；而由于他总是被大团体甩在身后，其余时间他会去找乌斯塔里。他们经常待在一起，不论吃饭、上下训练课还是闲逛。队友常常开这"小两口"的玩笑。"奥斯卡，他们都说我们是一对儿。这会让你感到困扰吗？这会让你感到困扰吗？跟我说说吧。"梅西问乌斯塔里，"因为如果确实影响到你了，我马上就去和他们谈谈！"

他并非总是这么勇敢，正如这位守门员（乌斯塔里）回忆说："他曾让我去询问'教授'，看看他能不能在我们的房间里多待一会儿。我给他的回答是：'为什么你自己不去？'而他却说：'我不去，因为他听你的，而且……'他那时就是个孩子，真还是个孩子。我们常常会把我房间里的床拼起来，这样梅西就可以睡在中间了。那时候的他就是这样。"

不过一旦跨过白线走上球场，梅西就变成了一个争强好斗的人，不需要任何伙伴。"有一堂训练课上，我们踢了场短时比赛。"乌斯塔里回忆说，"梅西在只有一米半远的地方射了一脚，他踢球的时候就像是要把我脑袋给轰掉一样！他当时确实踢到我了，我对他喊道：'你干吗啊？'但他只是呆呆地看着我……另外一种意义上，他也是守门员杀手。有一天，我们一开始做死球练习的时候还有说有笑，突然间比赛开始了，然后……好吧，他立马变成了另外一个人。这只不过是训练课而已啊！"

乌斯塔里逐渐发现了梅西的弱点，知道了如何接近梅西，如何扑救那些以前梅西面对他时必进的球（一个守门员如果不知道怎么接近一名前锋，那么在与前锋的正面交锋中败下阵来也就成为必然）。乌斯塔里坦白道："'你从未利用任意球得过分。'我对他说。"这一点千真万确。事实上，乌斯塔里认为这是梅西应该提高的地方，所以他和梅西进行了相关讨论："你没有通过任意球得过分，那是因为你不想，假如你刻苦练习它们……"而这也正是梅西接下来所做的。之后，他就开始在训练课上打进定位球了。

"（我能凭借任意球得分）只不过是因为我开始练它们了。"他对奥斯卡说。

小组第二的成绩让阿根廷陷入了非常艰难的境地，他们因此将要面对拥有拉达梅尔·法尔考、弗雷迪·瓜林以及乌戈·罗达列加等好手的强敌哥伦比亚。

八分之一决赛

阿根廷vs哥伦比亚

2005年6月22日，尤尼威球场，埃门

观众人数：8000人

当值裁判：克劳斯·波·拉尔森（丹麦）

比赛开始前，萨洛里奥打算先来一次"挑衅"。他寻找着挑衅的目标，并最终锁定在了对方教练身上。有一天，阿根廷的一帮球员和教练正在喝着马黛茶，刚好看到哥伦比亚的教练爱德华多·拉腊从楼梯上走下来。"他下楼梯的样子像是典型的布宜诺斯艾利斯人，仿佛要开始跳探戈一样，一手紧紧地抓着自己的包，于是我对他们说：'看看他，一副要把我们扫地出门的样子，他以为他已经打败我们了。'"萨洛里奥皮笑肉不笑地说，"我根本是瞎说的！那个可怜的家伙只不过是和我们一样在闲逛。但他们当然会附和我：'你说得没错，瞧他那副样子，狗娘养的！'"

那天晚上，"教授"还想出了另外一个花样：让球员尝试用逆足从20米开外处将塑料球踢进一个小球门。

回到比赛本身，哥伦比亚取得进球（奥塔尔瓦罗，第52分钟）6分钟后，梅西和卡多索完成了一次二过一配合，然后在禁区内接到回传球。他的角度正在变小，所以"小跳蚤"决定起脚射门。"这家伙想起了我们前一天的射门比赛。"如今"教授"回忆说，"当一切逼近的时候，他的想法是：'既然我昨天晚上能打进，为什么我今天会打不进？'于是他以一脚小角度抽射破门得分。"梅西跑回己方半场，像人们通常打入首粒进球时那样，欢欣鼓舞地与队友庆祝。随后在伤停补时阶段，巴罗索打入了制

255

胜一球，阿根廷挺进四分之一决赛。

这是梅西第一次为阿根廷国字号球队踢满全场，这场比赛也终结了一切有关他值不值一个名额的争论。"有很多速度极快的球员，也有很多球技出众的球员。"奥韦尔曼分析说，"里克尔梅就是一个技术型天才，西班牙的赫苏斯·纳瓦斯有闪电般的速度，但没有梅西的控球能力；里克尔梅控球技术精湛，但却缺少梅西的速度。梅西同时拥有这两项特长，这样的球员十分难找。"

四分之一决赛

阿根廷vs西班牙

2005年6月25日，阿尔克球场，恩斯赫德

观众人数：1.12万人

当值裁判：本尼托·阿琛迪亚（墨西哥）

接下来的一场比赛，阿根廷将要迎战欧洲冠军及夺冠热门西班牙。这支西班牙队云集了大卫·席尔瓦、费尔南多·托雷斯、何塞·恩里克、阿莱西斯·鲁阿诺以及在伦敦为阿森纳效力了两年之后与梅西久别重逢的塞斯克·法布雷加斯。比赛前一晚，梅西和法布雷加斯在球队下榻的酒店见了一面。他们上一次见面时两人都还在巴塞罗那的U16梯队，之后他们都即将完成在各自国家队高级梯队的首秀。直到对面房间里的某位阿根廷队员喊出"梅西，生日快乐"的时候，法布雷加斯才意识到这一天是梅西的生日。梅西自己倒是觉得不用搞得这么高调。

"比赛前夕，我的两个前锋竟然打了一架！"萨洛里奥回忆说，"我当时正通过一段录影鼓舞球员，突然之间梅西就和奥韦尔曼打了起来。没人知道他们为什么争斗，连教练都毫不知情。其实原因实在是愚蠢：我朝这边动，你朝那边动，其中一个推了一把，事情就开始愈演愈烈，另外一

个生气了，一拳打过去，然后又反吃了一拳……愚蠢！我们第二天就要踢西班牙了。我把他们叫到一边，问：'发生什么事了？'他们简单地向我解释了一下，握了个手……然后滚去睡觉了！光这样事情肯定不算完，而如果有事情难以解决，那所有人就都去睡觉，我们第二天早上再来处理它。那段时间有个朋友送了我一本好书——直到今天我还把它放在我的床头——名字大概是《为什么人们会做这样的傻事？》，而他们那时候恰恰就做了些傻事。凌晨4点，我依然在那本书中寻找能念给那俩人听的段落，但是始终找不到……直到我读到有关青春期的章节。早上他们都起床了，脸就像被打肿的屁股一样……我对自己说：'在比赛之前我要和他们谈谈。'于是我又读了一段，然后把他们叫了过来。我把书递给他们，说：'把你们的手放上来，向上帝发誓你们不会再做这种傻事了，因为我们需要你们不再相互对着干。如果我们想要干掉西班牙，就要把握住所有的机会。'最后，他们拥抱了彼此，冰释前嫌。"

解决了一个问题，萨洛里奥需要施展些新手段以应对下一场比赛。他说："我问自己，怎样才能激发球员们的斗志？于是，我给他们讲了个故事：'庇隆时期，我们的国家很富有，而西班牙很贫穷。我们每年给他们援助三船谷物，这慢慢成了一种习惯……现在，我们的对手不过是一帮被我们的先辈从饥饿中拯救的人的后代。'我的意图就是告诉队员们，没有我们国家的支援，对手根本不会存在。所以，出于这个原因，我们完全可以干掉他们。当然啦，不难看出，这个故事与真实的历史有些不同。比赛开始，当对方9号托雷斯第一次拿球的时候，卡布拉尔就像要杀掉他一样冲了过去，他同时踢到了球和人，并且做了个拇指向下的轻蔑手势。潘乔立马就质问我：'你他妈到底对他说了什么？''啥都没说，潘乔，真的什么都没说。''那他现在在跟托雷斯说什么呢？''我怎么会知道他们在场上说什么！'后来卡布拉尔跑过来对我说：'你知道我对他说了些什么吗？我告诉了他那几船谷物的事。'而当时托雷斯一脸愕然地看着他，仿佛在说：'这傻货在说什么呢？'"

西班牙不只是夺冠热门，他们的实力也是最强的。于是，潘乔·费拉罗改变了阵型，加深了防线。踢到第70分钟的时候，比分还是1∶1，但是随着比赛的进行，梅西逐渐进入了状态。他从中场送出一记传球，精准地找到了奥韦尔曼，后者面对出击的门将轻松挑射得分。这两个前一天还大打出手的球员，联手完成了关键时刻的致命一击。

"那是（那届世青赛）我唯一一场没有首发的比赛。"奥韦尔曼回忆说，"那场比赛实在是棘手，非常难踢。上场以后我一直没能进球，这让我陷入了糟糕的情绪当中：有的球从门线上被解围了出来，有的球击中了门柱，还有一脚射门刚好打在守门员的脸上……而当我破门之后，第一个跑来庆祝的就是梅西。他说：'你看，我说过你会进球的。'"

两分钟之后，一个高球落向梅西，没等球落地，他就轻巧地把球挑过第一个防守者，然后接球突进，接着又用轻轻的几脚完成了三件事：再过掉一名防守球员，停住球，左脚一记射门将比分改写为3∶1。

赛后前往更衣室的路上，梅西和其他队员一同庆祝胜利，唱起了男孩们在赛前赛后最喜欢唱的歌——至少在赢球的时候都会唱起的歌："Ole，ole，ole，ole，ole，ole，ola/ole，ole，ole/每天都会更爱你/噢，阿根廷/这种感觉/我情不自禁。"他们在头顶甩动着浸满汗水的球衣，继续唱："阿根廷会成为冠军/阿根廷会成为冠军/我们要把冠军献给赋予我们生命的母亲。"突然，有人敲响了更衣室的门。门外站着的是西班牙足协主席安赫尔·马里亚·维拉。

"小伙子们，安静！"萨洛里奥喊道。

"没事，没事。"维拉坚持阿根廷队不用刻意保持安静，"他妈的，我们的球员戴着戒指，留着长发，用着最新的手机，而你们却两手空空。你们的球员是没有长发，但是他们肯跑，肯全力以赴，肯专心踢球。就让他们喊出来吧！阿根廷必胜！"

　　突然之间，梅西的足球生涯步入了高速阶段。许多事情同时发生，而梅西则举重若轻，应付自如。被国家队征召，达成；进入首发阵容，达成；取得进球，达成；解决队内矛盾，达成；而现在，正当他处于成长最后阶段的时候，巴塞罗那为他锦上添花。在半决赛迎战拥有拉菲尼亚·阿尔坎塔拉、菲利佩·路易斯、雷南·布里托和迭戈·索萨的巴西队之前，梅西与巴塞罗那一线队签订了自己的第一份职业合同。这也是他和这家俱乐部签订的第三份合同，只不过这一次加了一项1亿5000万的买断条款。终极目标，达成。"他们在荷兰签的约？这事我根本不知道。"如今潘乔·费拉罗回忆道，"他和往常也没什么不同啊。他还是会和同样的人去同样的地方。他身边是跟着几个巴塞罗那的主管，但是我没发现任何不对劲的地方……"梅西再次踏出了坚实的一步，并且一如既往地处之淡然。

　　很明显，当时梅西的注意力集中在手头的事情上，特别是接下来国青队要面临的考验：半决赛对阵世界冠军巴西。比赛前两小时，他聆听了三位前辈的教诲。这三人一直都很照顾他，帮他尽可能地发挥天赋，在他第一次代表阿根廷出战锦标赛的过程中给了他不少帮助。

　　第一位便是潘乔·费拉罗："我对他们说：'对阵哥伦比亚或者玻利维亚你可以犯错，但是踢巴西可不行，因为他们会抓住你的任何失误给你致命一击。'我放了一段视频，然后关掉了放映设备，开始剖析那支巴西队并讲解我们的对策。突然，梅西半路插话：'别担心，我们明天肯定能赢。'当时他是对着我说的，但是你可以感觉到他话语的对象是在场所有人。"

　　参加过前一届世青赛的队长巴勃罗·萨瓦莱塔曾见证过阿根廷在半决赛中被淘汰出局，对手同样也是巴西。在荷兰，这对死敌再次狭路相逢，而且他们都住在同一家酒店里。"记住，如果我们输了，那我们就要躲着那些巴西人了，以后无论是吃饭还是训练，我们都要面对他们胜利的喜悦……所以我们最好是赢下比赛！"萨瓦莱塔也提醒了大家他们面对的特殊形势，"当轮到我作为队长讲话的时候，我说这是我最后一次参加世青赛了。我不想眼睁睁地看着冠军溜走。最重要的是，两年前他们淘汰了我们。光是这个原因，我们就得拼尽全力取得胜利。"

上场热身之前，萨洛里奥准备了一段话："埃米利亚诺·莫利纳，阿奎罗最好的朋友之一，也是独立队的一名门将，前不久刚刚过世了。当时球员们被禁止上网，于是我提早几天向他们透露了这个消息。而且……当时我们正在备战半决赛，对手还是巴西。我当时是这么对他们说的：'小伙子们，这场比赛我们有一项特殊的优势，因为周日的时候我们将拥有3名门将。我们将派上乌斯塔里、卢卡斯·莫利纳以及同样来自独立的另一个莫利纳——埃米利亚诺。虽然卢卡斯和埃米利亚诺在过去的6个月中先后离开了人世，但是他们会在天堂里与我们并肩作战。这场球我们不能输！来吧，让我们努力一搏！'这段话让所有人深受震撼，斗志激昂。我起身离开，他们也跟着我一同上场热身。"

半决赛

阿根廷vs巴西

2005年6月28日，哈盖瓦尔德球场，乌德勒支

观众人数：1.65万人

当值裁判：马西莫·布萨卡（瑞士）

"别担心。"梅西赛前曾说。第7分钟的时候，他在右路接到传球，横向带了两步之后，球像火箭一样从禁区外发射，直入球网。"梅西一脚世界波直挂死角。"费拉罗回忆说。

比赛才开始不久，还有很多事要做，还要付出更多努力。萨瓦莱塔控球，过掉了一名巴西后卫，杀入了禁区。巴西的中后卫冲上来补防，萨瓦

莱塔摔倒在地，球丢了。那名中后卫抬脚想要解围，但萨瓦莱塔的头却拦在了球和巴西球员的脚中间。"他们有名后卫想要解围，于是我便用我的头来阻止他。这是我的本能反应。"萨瓦莱塔说。这个勇敢的行为也被费拉罗牢牢地记在心中。

第75分钟，雷纳托·卡贾抢到任意球落点，头球破门，为巴西队扳平比分。这场激动人心且势均力敌的比赛正朝着加时赛发展，而阿根廷人则把全部进攻重心压在了梅西的那一侧。他就是球队的明星，他们需要他给出答案。

比赛进行到第93分钟，梅西左侧接球，沿边路快速突破，杀到了禁区线附近，与上来封堵的中后卫形成了一对一。梅西底线突破甩开防守者，朝着小禁区低平传中。阿奎罗没能抢到第一点，但解围者也没能把球踢远。球不偏不倚来到萨瓦莱塔脚下，他用左脚一脚怒射，球击中防守球员后折线入网。

得分。球进了！！！

随后，萨瓦莱塔陷入了疯狂，他张开双臂跑向梅西，仿佛要飞起来一般。梅西先是以最快的速度向右跑了一圈，接着又跑向左边，然后停了下来，萨瓦莱塔则一直跟着他。然后，梅西和队友们抱成一团，边跳边叫喊。几秒钟之后，裁判吹响了结束比赛的哨声，他们再次抱在了一起。阿根廷成功杀入了决赛。

*

记者：听说你给迭戈·马拉多纳打电话，豪言会拿下冠军，这是真的吗？

梅西：（大笑）当时简直不可思议。世界上最好的球员能费心和我谈话，已经很让我满足了，而他还请我把冠军带回阿根廷。于是我便厚着脸皮说我一定会的！其实，我在西班牙联赛对阵阿尔瓦塞特的比赛中打入职

业生涯首粒进球的时候，就已经和他说过话了。但每次和传奇的会面都是
独一无二的。

（《人物》杂志，2005年7月）

决赛

阿根廷vs尼日利亚

2005年7月2日，哈盖瓦尔德球场，乌德勒支，

观众人数：2.45万人

当值裁判：泰耶·海于格（挪威）

迭戈·阿曼多·马拉多纳通过一位记者朋友和球队取得了联系。他和
梅西单独通了一会儿话。"把冠军带回祖国。"他说。尼日利亚是击败摩
洛哥进入到决赛的，而在决赛前一天，梅西收获了本届比赛的金球奖；得
票数紧随其后的是两位尼日利亚球员，中场奥比·米克尔和左后卫塔耶·塔
伊沃。得奖之后，梅西准备了一件T恤，穿在蓝白色国家队服的下面。

潘乔·费拉罗则为男孩们准备了一段视频。他一手握着遥控器，说：
"没错，我喜欢看挑球过人，也喜欢看华丽的比赛，喜欢穿裆表演，但是
看看这个。"他按下了播放键。球员们看到了萨瓦莱塔把自己的头挡在足
球和对方球员的脚之间的画面。他说："你们的队长就是这样踢球的。"
梅西笑了，其他队员也笑了。费拉罗接着说："如果我们明天能保持这种
态度，那就一定能拿下冠军。"

"我们中的很多人即将离开U20国家队。这就是这个年龄级别比赛的魅
力所在，大部分人一生只能享受一次。我们不能让机会从手中溜走。"这
就是队长传达的信息。

潘乔·费拉罗的首发阵容是：奥斯卡·乌斯塔里；加夫列尔·帕莱
塔、埃塞基耶尔·加雷、胡利奥·巴罗索；巴勃罗·萨瓦莱塔、费尔南
多·加戈、胡安·曼努埃尔·托雷斯、罗德里戈·阿尔楚比；莱昂内

尔·梅西、古斯塔沃·奥韦尔曼。替补出场的是：阿奎罗（第57分钟换下奥韦尔曼）、埃米利亚诺·阿门特罗斯（第61分钟换下阿尔楚比）、卢卡斯·比格利亚（第72分钟换下加戈）。

从宾馆到球队大巴再到乌德勒支哈盖瓦尔德球场的球员通道，梅西毫无激动之情。他没有说过任何让人记忆深刻的话，他也不记得自己说过什么值得一提的东西。"他生性冷静，非常的冷静。"萨瓦莱塔说，"我发现每次他罚点球的时候，都冷得像冰一样。"

第38分钟的时候，梅西在左路控球，然后开始了近40米的奔袭，一路过掉了数个对手。梅西杀入禁区，德勒·阿德莱耶试图将球断下但却无能为力，于是他先伸出了一条腿，之后又伸出了另一条腿。这次抢断从一开始就注定要失败，梅西被绊倒，明显的点球。梅西站起来，不紧不慢，不带一点情绪地走上了罚球点。

本来应该是身为队长的萨瓦莱塔来踢点球的，或者至少由他决定谁来主罚。"踢点球的人一定得是最有自信的人。"萨瓦莱塔如今说。被犯规以后，曾在前教练吉列尔莫·奥约斯的要求下苦练数月点球的梅西把球放上了罚球点，一脸严肃。他紧紧盯着足球，然后几乎没有助跑，一步、两步、三步……

阿森纳主帅阿尔塞纳·温格说过："要想达到巅峰水平，你需要有超乎常理的自信。所有伟大的运动员都拥有这种不合理的乐观心态。如果一名运动员不会排除内心疑窦的阴影，那么他就不能激发出自身的最大潜能。"

……四步、五步……仅仅是五小步……

过去40天的集训营期间，全队上下见证了梅西在心智上的明显变化，尤其是在决赛的时候。整支球队的情绪（一路杀到决赛、和马拉多纳通了电话、正取得领先）和梅西近乎冷血的沉稳淡定形成了鲜明的对比，而他的冷静也在球场上发挥了巨大作用，梅西也因此成为了这支球队强大而无声的领袖。

……他轻轻将球踢向守门员的右侧……

"他干净利落、冷静沉着地踢进了点球，仿佛一切没什么大不了的。"（萨瓦莱塔）

"大家都知道他会是点球主罚之一，但我们不知道的是他罚点球的时候竟能如此冷静，没想到他会就这样缓缓地把球踢向了球门一侧。"（奥韦尔曼）

……皮球轻轻地滚进了球门，和对方门将安布卢塞·范泽金距离甚远，他扑向了相反的方向。

梅西勉强一笑，脸上是一副"我当然会踢进"的神情。他掀起了自己的球衣，露出了T恤上的字："为了玛丽、布鲁诺、托米、奥古斯（For Mari，bruno，tomi，Agus）。"他把这粒点球献给了他的妹妹玛丽亚·索尔、两个侄子奥古斯丁和托马斯以及堂弟布鲁诺。

第52分钟，尼日利亚扳平了比分。20分钟之后，阿奎罗在禁区内被放倒了。又是一个明显的犯规。而这次主罚的依然是梅西。

如果说第一个点球的踢法对于一名左脚球员而言并不常见（他们往往会踢向门将的左边），那么第二个点球，梅西则选择了在三小步之后用精湛的脚法将球送向了另一侧门柱。守门员再次一头扑往了错误的方向。

"他一点都不害怕，哪怕这是在世青赛决赛上。他罚点球的时候就像是在家里的后院踢球一样。两个点球的脚法完全不一样，也射向了完全不同的地方。"（潘乔·费拉罗）

梅西再次掀起球衣，只不过这一次脸上的喜悦更少一分。

比赛结束了。

阿根廷就这样拿下了队史第5座世青赛冠军奖杯。球员们再次欢呼雀跃，大家互相开着玩笑，梅西的脸上绽放出了灿烂的笑容，久未退去。在领取奖牌的路上，他们谈论着女主持人的紧身装扮，向到场观战的权贵人物挥手致意，接着再次蹦蹦跳跳地跑上球场，领取了决赛的战利品——世青赛奖杯。

这一时刻终于到来了，这个人终于降临了：这个人率队勇夺世青赛冠军并荣膺最佳球员，就和马拉多纳在1979年做到的一样，而且还作为锦标赛头号射手赢得了金靴奖（比费尔南多·托雷斯和乌克兰的亚历山大·阿利耶夫多进一球）。这个人就是梅西。萨瓦莱塔和梅西开起了玩笑，提醒他要不是因为主罚那两粒点球，他就拿不到金靴奖了。更令人激动难抑的是，这两人都站在当今荷兰王后马克西玛·索雷吉耶塔的丈夫，荷兰国王威廉·亚历山大身边合了影，而马克西玛王后正是出生于阿根廷。

回到酒店以后，"教授"主张队员们应向同样会再住一晚的对手表示尊敬。所以，没有派对，什么都没有；只有一个为时稍长的庆功晚宴，仅此而已。

梅西当时是怎么想的呢？他把那次夺冠的经历当作一生中最美好的回忆。纵使后来他在职业生涯取得了数不清的成就，对他而言那段时期仍是他生命当中的许多"初体验"之一（代表国字号球队参赛，拿下世界冠军，融入一支全新的球队）。他从另一个国家远道而来，他想凭借自己得到认可。在小组赛阶段，他还只是众多球员中的一员，但他的稳定性和体能遭到了质疑。在关键的淘汰赛阶段，他成为了决定性的因素——对阵哥伦比亚扳平了比分；踢西班牙时上演两分钟内一传一射的神奇表现；复仇巴西时早早攻破球门。尽管梅西已经在西甲完成了首次亮相，甚至还在同一赛季的另一场比赛中为巴萨打入过进球，但直到在荷兰的赛场上梅西才真正开始展翅高飞。

"你们对他说了什么让他有了额外的动力？"萨洛里奥曾被这样问到。萨洛里奥是这样回答的："我们把他打造成了好胜的野兽，近乎入魔——阿根廷人就是要赢。我们对他说：'看，如果我们输了，我们就要离开，因为他们会把我们往死里踢。'由于时间紧张，我未能和潘乔、莱昂一道出征南美青年锦标赛，但是我非常享受这次世青赛之旅。有这样一个我想带进坟墓里的难忘片段：当时我在角落里，球员们走过来，把我抬了起来，然后把我扔向了空中，反复三次。我对自己说：'见鬼，我一定是为这支球队做得太多了，要不然我好好地坐在角落鼓掌，他们也不会走过来……'"

"阿Kun当时就像疯了一样，我们都非常高兴。"奥韦尔曼补充说。
"我记得唱完歌、聚完会之后，我们开始回归冷静，然后我走向梅西，对他说：'说真心的，以后我有了孩子，我一定会跟他们说我曾经和你一起踢过球。因为你一定会成为一名伟大的球员。'这件事我记得一清二楚，他听到这话后笑了，然后不好意思地拍了拍我的肩膀。说实话，我当时的确相信他会成为伟大的球员，只是没想到会伟大到如此程度。他超出了我的预料。我们当时还开玩笑说：'现在佩克尔曼把梅西选入2006年世界杯阵容不会受到任何阻力了，因为他已经不得不带上他了。'"

奥韦尔曼来自阿根廷青年人队，决赛庆功之后，一个念头闪过他的脑海："我们和一个来自于世界顶级豪门的孩子并肩作战，但他和我们相处的时候，就好像他是来自与我们的水平级别相同的任何一支球队一样，他总是那么谦逊；当然也有不和谐的时刻，因为他有时候也会在场上变得烦躁不安，或者在你不传球给他的时候发发牢骚……我一直试着追随他的天性，一直对他有着最崇高的敬意。能和他一起踢球真是极大的荣幸。"

世青赛后，古斯塔沃·奥韦尔曼再也没有为他的祖国出战过了。现在他的儿子已经5岁了，是梅西、内马尔和C罗的狂热球迷。奥韦尔曼告诉儿子自己曾与梅西并肩作，谁知儿子却根本不相信他的话：

"是他为巴塞罗那效力的时候吗？"
"不不不，是在阿根廷国青队。"
"你什么时候还在阿根廷队踢过球？"

于是奥韦尔曼播放了一段录像，正是对阵西班牙队的比赛中他接到梅西的传球后射门得分的镜头，就在解说员的说话节奏越来越快的那个节骨眼上："……加戈，梅西，奥韦尔曼……球进了！！！"

"快看，快看，那是爸爸！！！妈妈，妈妈，快来看！！！爸爸在跟梅西一起踢球！！！"

记者：你有没有梦到过那一刻？

梅西：实话实说，我一直都梦想着为国效力并赢得冠军，但是直到一切发生以后，我才真正意识到身披国家队战袍取得荣誉的感觉是多么的美妙。

记者：你有没有意识到你们鼓舞了整个阿根廷？

梅西：我们回国时受到的欢迎太难以置信了，我当时简直不敢相信眼前的场景。现在我只想陪伴家人，好好享受与父母（46岁的豪尔赫和44岁的塞莉亚）、兄弟姐妹（11岁的玛丽亚·索尔，22岁的马蒂亚斯——他在罗萨里奥市中心开了一家蔬果摊和一个售货亭，以及25岁的罗德里戈——与豪尔赫和梅西一同待在巴塞罗那，正在钻研厨艺）以及侄儿们在一起的时光。

记者：全世界都在拿你跟马拉多纳对比。你是怎样做到保持脚踏实地的呢？

梅西：（他脸一红，没有直接回答）……我和我的家人一同经历了很多困难的时光。但正如他们所说，这对我来说就像是一个梦一样。其实我现在还没有醒过来。这件事对我来说太特别了，我永远都不会忘记。赢得世青赛冠军是我一生中最快乐的时刻。

（《人物》杂志对梅西的采访，2005年7月）

夺冠之后，梅西给母亲发了封电子邮件："妈妈，我不敢相信这一切发生在我身上了。我不得不掐一下自己才能确信我不是在做梦。"他以英雄的身份回到了阿根廷，成为了全国人民翘首以盼的救世主。第二天，他的名字出现在《队报》《米兰体育报》《世界体育报》《AS报》等各大报刊杂志上。

"我从6岁开始就爱上了国家队。当你听到国歌响起，那感觉太激动人心了。不仅仅是塞尔吉奥·阿奎罗和莱昂内尔·梅西，能带领这支球队走向胜利，这是我一生骄傲的源泉，"费拉罗说，"这是我职业生涯的巅峰。有史以来只有名阿根廷教练敢拍着胸脯说'我是世界冠军'：梅诺蒂、比拉尔多①、佩克尔曼、托卡利还有我。在埃塞萨国际机场，你可以看到一张印有所有赢得过世界冠军的教练的海报，你可以在其中看到我搂着梅西和乌斯塔里的照片。这是我一生中最美好的时光。"

大家原本打算回到布宜诺斯艾利斯后就各回各家，但当他们到达埃塞萨的时候，所有人都被成百上千等待着迎接他们的球迷震惊了。电视摄像机、无线话筒、摄影镜头挤作一团。球队走进出站大厅，所有人都在寻找梅西，整个场地成为了记者的海洋。梅西的叔叔克劳迪奥和父亲豪尔赫早早就开着面包车来接他了，他们决定接受一家知名电视节目的采访。这之后，当时还是大清早，梅西在送他回归罗萨里奥的车上酣然入睡，跟他一起的还有当时正效力于纽维尔斯的福尔米卡和加雷。

托尼·弗里尔罗斯在他撰写的梅西传记中详细地记录下了接下来发生的事情。梅西在学校时的好友钦蒂亚·阿雷拉诺组织附近的年轻人筹钱购买了一些彩旗和颜料，用以装饰周边街道。钦蒂亚家的前门上用白色颜料写着，"梅西，祖国的骄傲"。他们还挂起了一条横跨街道两侧的条幅，上面写着"欢迎冠军荣归故里"。人们一直等到了半夜，梅西却仍未出现，而锣鼓和爆竹早已准备就绪，附近还架着3台电视摄像机。寒冷降临，等待变得越来越漫长，大部分人最终选择了回家睡觉。

大约清晨5点，人们听到有车驶来。摄像机的灯光马上被打开，人们开始朝着那辆车挥洒五彩纸屑。有人喊道："梅西来了！梅西来了！"事实上，到来的只是一个又累又冷的年轻人，他唯一想做的就是上床睡觉。但面对这样的场景，他还是当即给出了回应：他向所有人一一问好，亲吻相拥，并接受了采访。

带着世界冠军的头衔，这个5年前含泪离开的男孩终于回到了久别的家乡。

---

① 卡洛斯·比拉尔多，阿根廷功勋教练。早年是一名妇科医生，后转行拿起教鞭。曾带领阿根廷国家队取得一次世界杯冠军、一次世界杯亚军。

4　弗兰克·里卡杰尔德时期：巨星崛起

我们都知道梅西将超过罗纳尔迪尼奥。我记得我在办公室里，在报纸上读到我们打算购入拉斐尔·范德法特的消息。我望了望弗兰克。我们刚刚见证了梅西在巴萨B队大放异彩。此时，弗兰克说道："不，我们并不需要范德法特。"

（亨克·滕卡特）

2004/2005赛季，巴萨继续高举重建大旗，坚定打造以罗纳尔迪尼奥为核心的战术。弗兰克·里杰卡尔德批准了埃德加·戴维斯、帕特里克·克鲁伊维特、迈克尔·雷兹格尔以及菲利普·科库的离队，而路易斯·恩里克和马克·奥维马斯两人也决定退役。这标志了一个时代的结束，而以霍安·拉波尔塔为首的董事会成员个个年富力强，干劲十足，很快又让人们对俱乐部的前景感到乐观起来。俱乐部用球员转会所获得的资金引进了不少球技与品性俱佳的球员，包括德科（来自刚刚捧得欧洲冠军杯的波尔图）、吕多维克·久利（摩纳哥）、贝莱蒂（比利亚雷亚尔）、埃德米尔森（里昂）、亨里克·拉尔森（凯尔特人）、西尔维尼奥（维戈塞尔塔）以及萨穆埃尔·埃托奥。仅仅引进埃托奥就让巴萨向马洛卡和皇马各支付了高达1200万欧元的转会费。这套阵容凸显出了新巴萨的场上核心——巴萨当时力求打造以拉斐尔·马克斯、哈维和德科为轴的中场组合（伊涅斯塔当时还是队中新人），而埃托奥、久利和罗纳尔迪尼奥则组成了得分高效的锋线。2004年12月，罗纳尔迪尼奥获得世界足球先生的称号，人们也对球队取得的好成绩和大手笔重建给予了赞誉。此时的巴萨所缺的就是那座久违的联赛冠军奖杯了：蛰伏5年之后，唯有再度捧杯，巴萨方可重新赢得世人的肯定。

2003年11月，莱昂·梅西在对阵波尔图的一场友谊赛中首次代表一线队出场，尽管那场比赛令人难以忘怀，但诺坎普球场的大门却并未就此对他打开。难道这名看上去进步神速的十六七岁天才少年在主帅弗兰克·里杰卡尔德眼中真的就那么不堪重用？无论是俱乐部还是梅西的家人都有这样的疑问：为什么不让他上场踢比赛？对于在巴萨一线队缺乏上场机会，梅西本人又作何反应？处在这样一个年龄段，任何青少年都会感到困惑迷惘，更别说这位在顶级豪门的边缘徘徊挣扎的天才球员。当时，俱乐部建议梅西接受由巴塞罗那俱乐部青训计划主管何塞普·科洛梅尔挑选的一名阿根廷心理医生的诊察。

运动心理医生的工作可不好干，他们常常被运动员视为"小草"，而他们中的许多人之所以扮演这样的角色，只是想要成为这些知名机构的一部分。俱乐部赋予了梅西完全自由裁量权，可他总是不住地怀疑，自己所做的一切是否从一开始就偏离了正确的轨迹。最初，他接受了科洛梅尔的提议，但后来梅西告诉俱乐部，自己无意同不信任的人交心。这位医生此前曾带领一组研究心理学的学生观摩自己对梅西的"治疗成果"，梅西对他的信任由此土崩瓦解。梅西觉得这一切对自己来说毫无用处，因而不再同这位医生见面。他离一线队近在咫尺，却又那么遥远，他相信自己可以应付好这种压力——主要是因为他压根就没觉得有压力。

梅西的体格日渐强壮：2003年8月到2004年4月期间，梅西的体重增加了3.7公斤，增长的体重主要源自肌肉——他已经完全不再是以前的小不点了。他的成长同健身房并无太大关系，主要是源于自己在训练课上的表现和连续在巴塞罗那B队出任首发。何塞普·科洛梅尔对他抱有信心，吉列尔莫·奥约斯、亚历克斯·加西亚、蒂托·比拉诺瓦和佩雷·格拉塔科斯等其他教练的力挺也给了他信心，而这种信心不啻为球员发展最需要的维他命。"无论他处于何种级别，如果他不再成长，我们会让他就此止步。但他已经达到了那个级别，我们为何要在这之前阻止他呢？"青训计划主管科洛梅尔对梅西的父亲说。

那时候，似乎球员不蓄起神气的胡髯便踢不上一线队。在波尔图发生的一切，与其说是有意而为之的结果，倒不如说是必然的产物。像他这个年龄的毛头小伙想进入里杰卡尔德的球队几乎是不可能的。所以，梅西心想，或许他们认为我已经到达了极限，目前他只能在格拉塔科斯执掌的巴塞罗那B队继续努力。

格拉塔科斯明白，弗兰克·里杰卡尔德所仰仗的麾下球员皆是受过大赛磨砺且才华横溢的大将，他们是梅西进入一线队的拦路虎。但格拉塔科斯依然认为梅西是一颗冉冉升起的新星，因此开始不断选他参加比赛。就这样，诺坎普球场的大门出现了一道裂缝，这道裂缝中透出了一丝曙光。他们特别针对梅西的体能特点为他准备了一套训练方案，梅西也由此开始将自己的训练课同巴萨B队和里杰卡尔德的一线队串联起来。这位荷兰教头告诉梅西的家人，他对梅西某些"超凡潜质"颇为看重，但也强调会"在合适时机逐步发掘他的这些潜质"。

格拉塔科斯也明白，他有责任逐渐向梅西灌输一些他在比赛中所欠缺的某些东西，有了这些东西梅西才能更好地适应西乙B级联赛。然而，要帮助他改掉踢球时的坏习惯并非易事。球队的"老将"（鲜有超过21岁的球员）曾不只一次地对教练抱怨，说梅西从不参与自己本应负责的防守任务。"他从来不紧逼。"队员们说。佩雷很清楚这一点，他在训练课上提醒这位阿根廷小伙子，即使他被断球了，比赛也还要继续。但也私下告诉自己的球员，让他们不要忘记梅西给球队带来的贡献："是的，他不擅长紧逼，但他拿球后的表现呢？别担心，小伙子们，我们会让他改善的。"

事实证明，这位17岁少年所取得的飞跃都是用勤劳的汗水铺就的。相比于自己在青年梯队中如巨星般冉冉升起，梅西在巴萨B队的第一个月却似乎是踟蹰不前：虽然踢满了每一分钟，却只在前12场比赛中攻入了5球，其中包括了第二场对阵吉罗纳的那粒进球。他发现如今他很难摆脱防守队员，发挥作用影响战局。

球队的情况也好不到哪里去。巴萨B队在9月份的比赛中遭遇了萨拉戈萨B队。巴萨技术团队都认为球队赛前的技战术部署很合理，取胜应该不在话下，结果却被对方踢了个3：0。梅西黯然失魂地走下球场，他一回到更衣室便哭了起来。他的反应让佩雷·格拉塔科斯颇感意外："别忘了，他踢得很好！我们应该帮他振作起来。我们告诉他，只有坚持不懈才能变得更强。而且，我们必须将这次失利转化为一些积极性的东西。"梅西是唯一一位在那场西乙B级联赛第3组的第5场联赛中失利后哭泣的红蓝军团队员。而对大多数人来说，这只不过是普普通通的一场比赛。

除了每周跟随一线队合练一次，梅西每天都要接受格拉塔科斯的训练。随后，一周一次变成一周两次，然后是一周三次。里杰卡尔德的技术团队的质疑声也渐渐消失，但荷兰教头在该问题上总是讳莫如深，不置可否。当被问及梅西时，他只是说："他踢得不错，他很出色，但还有些方面有待改进。"看来里杰卡尔德并不想操之过急。然而，他的助手亨克·滕卡特则认为梅西已经做好了准备。10月份的一天，罗纳尔迪尼奥和德科对二人说他们在浪费时间："老板，他应该来到我们队伍，和我们并肩作战。"

在巴萨，里杰卡尔德负责唱红脸，滕卡特则负责唱白脸。后者的职责是约束罗纳尔迪尼奥，让他能够遵纪守法。换句话说，这是一种"萝卜加大棒"的带队方式，一般来说，负责分析决策的"头儿"给球员"萝卜"，而滕卡特则给他们"杀威棒"，对他们当头棒喝。

正当巴萨物色攻守能力俱佳的后卫队员时，吉奥瓦尼·范布隆克霍斯特进入了俱乐部的视野，无论在个性还是对足球风格的理解上他都很符合球队的模式。因此，在最初租借期期满后，巴萨从阿森纳签下了范布隆克霍斯特。荷兰的青训体系同巴萨的青训系统颇为相似，荷兰球员也因此风靡全球。2013年，如今在鹿特丹费耶诺德主帅罗纳德·科曼①的手下担任助理教练的吉奥瓦尼同亨克（他的最后一份工作就是在鹿特丹斯巴达队担任代理主教练）在鹿特丹的一家餐厅进餐时追忆了莱昂·梅西进入巴萨一线队时的情景。

　　谈论起梅西时，吉奥瓦尼脸上依然洋溢着微笑。他知道，自己曾同一位也许是史上最杰出、最具代表性的足球运动员共用过更衣室。滕卡特说，20年后再度回首职业生涯，他不会把自己看作是"发掘了梅西的教练"。不可能的，他只不过是一名教练，仅此而已。

　　亨克·滕卡特：*2003/2004赛季，我们给了他（梅西）机会，让他首次代表巴萨一线队在对阵波尔图的比赛中登场，当时他还只是个十来岁的小伙子，甚至都没随我们训练过。我第一次和他见面还是在前往葡萄牙的机场。他们告诉我们说这孩子非常不错，其实当时我们很缺队员，于是便说：为什么不呢？后来我们邀请他定期参加我们的训练，次数也越来越多。*

　　吉奥瓦尼·范布隆克霍斯特：*在梅西参加的首堂训练课上，合练的罗纳尔迪尼奥就说过这孩子以后会超越他。人们都笑着喊："哈哈，说对了！"具体细节我记不清了，梅西同我们合练的首堂训练课上我唯一记得的是，当时感觉既惊讶又高兴。你呢？*

　　滕卡特：*我记得一件事。前几分钟，巴西人把他带走并"罩着他"。我们在训练前通常会先抢圈。他和几名西班牙队友一组，有普约尔、奥*

---

　　① 著名荷兰籍足球运动员及教练。其球员时期司职后卫，曾凭借一记关键的任意球帮助巴萨斩获了队史第一座欧洲冠军杯。

莱格、哈维和伊涅斯塔；另外一组则是由几个巴西队员以及埃托奥、拉斐尔·马克斯等人组成。记得是西尔维尼奥对梅西说："孩子，来这边吧！"他就加入那群巴西球员开始抢圈。西尔维尼奥接纳了他，不光是字面上的接纳，而是从此以后真的像父亲般照顾他。

范布隆克霍斯特：人们在电视上看到一位球员光芒四射时总会不禁高呼道："啊！他太出色了！"但你只有跟他一起训练过才能真正了解他到底有多伟大。我曾经和博格坎普、亨利还有罗纳尔迪尼奥一起训练过。如果你每天都和他们一起踢球，你会发现他们是多么的与众不同！至于梅西，他的首堂训练课便会让你见识到这一点——我以前从来不会如此果断地盖棺定论！甚至对其他三人也没有过，虽然他们都是超级巨星。

滕卡特：当时，在低两个级别联赛里踢球的（巴萨）B队小伙子们和一线队球员之间还是有着不小差距的。有时候我们得依赖于霍安·贝尔杜这样的球员，他们作为球员储备也许是最好的，但还不足以取代更大牌的球员。但至于梅西嘛……

范布隆克霍斯特：几周后，我们一线队同B队踢了一场训练赛。当时梅西踢的是中场，同防守型中场蒂亚戈·莫塔对位。最终，梅西在全场的对决中完胜对手。

滕卡特：尽管在对阵波尔图的比赛中表现出色，尽管他的自信和球技令我们感到惊讶，但我们还是经过了一段时间考虑以后才确认他为处子秀做好了准备。事实上，有一年左右的时间吧。为什么？因为在我们阵中，有能力的球员还是很多的。右路有久利，得分手有埃托奥，德科是中场领袖，左路有罗纳尔迪尼奥。说到罗纳尔迪尼奥，我们必须把他安在某个地方。当初球队从巴黎圣日耳曼队签他的时候是希望他能出任前腰位置，但当球权不在我方手中时，小罗从不参与防守，这一点是很要命的——所以我们把他安置在了左翼。连哈维都未能打满所有比赛，更别说伊涅斯塔了，所以，想想我们当时的配置吧！梅西在2004/2005赛季被招入一队，不过大批时间都是在替补席上度过。

范布隆克霍斯特：B队及以下级别的球队踢的是*3-4-3*阵容，梅西身披*10*号，出任经典前腰，位置紧挨前锋身后。所以，在我们惯用的*4-3-3*体系中并没有梅西通常所踢的位置。

滕卡特：在替补球员当中，他好似一名影子前锋。但体系并不重要，重要的是他能在场上挥洒自如的位置。他踢不了中路，因为我们对于前场进攻球员的要求是：必须身体强壮，可以背对球门拿球转身。所以他并不适合这个位置。

范布隆克霍斯特：关于梅西的成长，教练组成员间又是作何谈论？

滕卡特：弗兰克对他这么年轻就打一线队的能力有些怀疑。"我们必须等待。"他说。我们遇到了一个问题，这孩子确实不错，但我们又没法给他很多机会。他继续参加我们的训练课，而且次数越来越多，但我们没让他参加对抗赛。如果让他参加，我们又该让谁离开？他的时机还未到来。

范布隆克霍斯特：作为左后卫，我在训练中常常负责盯防梅西，因为你把他放在右路进攻的位置上。所以我得谢谢你！你也看到了，他把每个球都视为生命中的最后一个球，他在每堂训练课上都表现出了强烈的动力。这就好像偶尔渴望训练的小罗：你可以看到他们开心欢笑的样子。当然，想阻挡他们是不可能的。

滕卡特：他们恨不得搞掉阻挡他们的所有人。只要一拿到球，梅西就能证明自己有多强大。有时你需要敦促自己的球员，让他们积极点，而对于梅西，你需要做的却是在他脖子上套根绳子把他拉回来。

范布隆克霍斯特：我记得当时的训练课棒极了，因为我们的球员真的很棒！有时候我们在更衣室热身后才去球场，光看到小罗、德科或莱昂用足球做那些美妙的准备活动，我就感到无需热身便可参加训练了。真是一大乐事！（对滕卡特说）你需要给莱昂很多建议吗？我记得你一直没怎么管过他。

滕卡特：说实话，不多。这些球员都颇具天赋和智慧——这两个要素往往密不可分。寥寥数语便可让他们知道我们对其场上的表现有何要求。自己在场上大多数的表现他都会记到心里，我们只需要教他如何成为一名职业球员、如何照顾自己、如何训练……有时一周会有3场比赛，如果他在训练中还这么疯狂，一周可能踢不了这3场比赛，甚至连两场也踢不了。他需要兼顾自己的训练热情和体能状况。当他开始比赛时，他的表现会有起伏。不过我们并不担心，因为我们看到的是一名拥有超凡球技的优秀少年。一名17岁的球员状态有所起伏也是可以理解的。

范布隆克霍斯特：比赛前一天我们通常会上一堂非常棒的训练课，我很喜欢这种训练课，这不失为一个好的迹象。我们会从抢圈开始，然后针对比赛对手组织练习赛，最后在一块小场地上进行11对11对抗。莱昂踢球的架势像是在拼命，所以，他赢得机会是早晚的事！

滕卡特：有时我对弗兰克说："看到了吧？"在我们看来毫无空隙可钻的情况下，他也能从两三名球员之间突破。他的射门势大力沉。如果是普通球员，你可以预见他的意图、腿部的摆动以及摆腿射门的动作——动作虽快，但防守者有足够时间封堵球路。但在梅西身上，他似乎不用摆腿便可送出一脚力大无比的射门。

范布隆克霍斯特：他似乎能比我们其他人更早地做出判断，或者，他似乎能够看穿眼前形势，从而准确判断出自己应做出何种动作。听起来有些像科幻小说。我能看到的只有一个球和好多条腿，而他却总能找到处理球的方法。

在低级梯队中，梅西并不接受担任边锋的安排，因为担任这个位置需要等待别人给他传球，他自己带球的机会不够多。但教练们常常让他拉开右边路。这是球队的惯用战术：右后卫负责防守对方的左脚选手，而出任右边锋的梅西则可以频频切入对方腹地攻击球门。但梅西踢着踢着便会跳出自己的位置，出现在前腰区域。因为他发现自己在这片区域更有感觉，对球队贡献更大。但他也明白，想要进一线队就必须接受当前的现状：他不能踢前腰，因为巴萨的进攻重任落在踢左路的小罗身上。而且，依自己目前的身份想提条件还不够格：眼下的目标应该是升入一线队并站稳脚跟。距离梅西首次代表一线队出战与波尔图的友谊赛已经过了11个月，他也跟随弗兰克·里杰卡尔德和亨克·滕卡特参加了几十堂训练课，梅西相信自己已经准备好实现质的飞跃，完成西甲首秀。

里杰卡尔德也是这么想的。

凭借稳固的防守、埃托奥的进球以及小罗的神奇表现，巴萨已经是6轮不败，在积分榜上以16分遥遥领先。下轮比赛将于2004年10月16日进行，届时巴萨将做客蒙胡伊奇球场（当时西班牙人队的主场）挑战西班牙人。比赛还剩8分钟的时候，梅西替换德科上场。虽然红蓝军团大部分时间占据着主动，却仅以1∶0暂时领先，鹿死谁手仍未可知；梅西被换上场并不单纯是为了顺应球迷们的呼声。"孩子，你担任右边锋，抓住机会再进一个！"滕卡特嘱咐梅西说，"多利用速度突一下边后卫和中后卫之间的那片区域！"不过因为时间所剩不多，梅西最终也无甚建树，巴萨仅凭一球小胜。

年仅17岁零4个月的梅西由此成为代表巴萨俱乐部出战正式比赛的最年轻的球员。

梅西的父亲带他回到了位于卡洛斯三世大街上的公寓，这里距离诺坎普球场仅有几条街之遥。正如记者罗伯托·马丁内斯所言："梅西成长的地方，距离人声鼎沸的诺坎普球场仅3条街区之遥，试问他又怎么会怯场？他在诺坎普球场踢球都如同在自己后院里一般，只不过多了10万名观众而已。"

那天晚上，梅西并未谈及首秀或是任何关于比赛的话题，事实上，他并没有特别说起任何事情。他根本没有为这一时刻特别庆祝：这仅仅是个开始，他才刚刚上路。然而，在静得出奇的房间里，自己仿佛又一次听到了踏上诺坎普球场时那排山倒海般的掌声，这一记忆深深地镌刻在梅西的心头。

在下轮对阵奥萨苏纳的比赛中梅西踢了20分钟，之后的7轮比赛又是在替补席上度过的，包括那场3：0击败皇马的大捷。

那场比赛，梅西就坐在里杰卡尔德身后，他默默望去，眼前正值巅峰期的小罗像往常一样做出招牌式的跪地滑行动作，忘情地庆祝着自己的进球。

是里杰卡尔德一手培养了我，他没让我感觉到有什么压力……有时候，我不明白自己为何还未被他征召入队或上场比赛。现在，我更加理性地看待这一问题，我发觉我的今天其实得益于他当年的谆谆教导和循循善诱。我对他充满感激，因为他总是知道对我而言何谓最好。

（2013年，莱昂·梅西在巴萨电视台）

"莱昂遇到的首位顶级教练便是里杰卡尔德，这让他受益匪浅。"西尔维尼奥解释道，"里杰卡尔德一直都是一位很大气的教练，一位真正的绅士，总是对所有人表示关心。"任何人都很难从个人角度批评这位荷兰教头。

里杰卡尔德认为，教练只能将自己20%左右的时间用于训练，其余时间则须在特别情况发生时默默地做该做的事情：他有时会成为你的兄长、父亲或是同事。他常对助手说的一句话便是："他可能心情不好，我们去看看他怎么了。"有时，球员真不让人消停，他们会不停地寻找教练的弱点；而教练如果能表达对球员的喜爱，让他们知道彼此的球技不相上下，或者讲述自己在球员时代也经历过同样的猜疑、嫉妒和欢乐，就可以让球员更好地接受管教。在这个意义上，里杰卡尔德就好像是一名曾担任过祭坛侍者的牧师。

他很快让梅西体验到了这种"家长式的温情"。一个拥抱、对梅西的场外生活表示关心、训练前的一个玩笑……里杰卡尔德逐渐拉近了他同这位阿根廷少年的距离。梅西和他在一起时总感觉很自在，也一直很感激他。一名小球员可能会在低级别联赛中令人印象深刻，但当有一天主教练给他机会让他上场，球员一定不会忘记他的提携之恩。"别怕犯错误。"里杰卡尔德告诉他说，"你可以重新来过。"里帅的信任对梅西帮助很大，他们之间也不仅仅是单纯的职业关系。里杰卡尔德生于阿姆斯特丹，父亲是一位苏里南移民。不论是在地区比赛、学校比赛还是阿贾克斯的低级别联赛中，里杰卡尔德都曾当选过最佳球员。他和那些"与众不同"的球员有着某种心灵相通的感觉，包括罗纳尔迪尼奥；他也遭遇过太多同他们一样的耻辱；他还知道，足球应该属于踢球的人。通过每个手势、每次谈话，他都在不断地告诉球员们，他将随时为他们提供帮助。里帅这种英明而不失真诚的带队策略让他从弟子们那里得到了自己想要的东西。

里杰卡尔德更喜欢和其他球员交流，特别是罗纳尔迪尼奥，但他也特意努力让当时还是替补的梅西信任自己。在球队例会上担任主角的总是小罗、埃托奥和西尔维尼奥，而梅西则很少发言。除非有人提问，即使回答，往往也是单音节的答案。梅西在里杰卡尔德麾下的前几年里只想当一个服从命令的"小兵"，而荷兰教头却利用自己营造的和谐关系帮助这位阿根廷人顺利成为了球队精英中的一员。

巴萨在2004/2005赛季的第34轮比赛中迎战阿尔瓦塞特。比赛当天早晨，梅西离开了位于卡洛斯三世大街上的公寓。自从梅西在对阵西班牙人的比赛中完成处子秀以来，他仅代表巴萨一线队参加了5场西甲联赛，即使上场，也不过寥寥数分钟。除此之外，他还分别踢了一场国王杯和欧冠的比赛，并随巴萨B队踢了9场比赛。梅西知道被里杰卡尔德安排参加主场比赛后的活动日程：上午11点他就得赶到诺坎普球场。想在健身房活动一下或者做些按摩的球员也可以自行安排。如果有时间，梅西会在更衣室玩一下网式足球。

最先玩这个游戏的是西尔维尼奥和罗纳尔迪尼奥，很多时候小罗对这个游戏的着迷程度甚至超过了训练本身。健身区和更衣区之间是球员区，这一区域有三面墙，围成了一个长方形的开阔空间。巴西球员们充分利用了这一区域，他们用胶带在地上拉好线，用绷带做球网，然后一对一进行比赛。每次球弹到本方区域，接球方最多触碰3次便要将球踢回，首先得到11分的一方获胜。西尔维尼奥认为自己球技高超，和小罗有一拼；有时，他确实比小罗表现抢眼，常常获胜。西尔维尼奥打遍全队无敌手，堪称巴萨的"网式足球之王"——直到梅西的到来。

梅西将网式足球看成又一项重要的挑战。这虽然仅仅是一个游戏，但在获得某项小型体育游戏胜利的背后还隐藏着更多利害攸关的东西：小游戏中的表现往往也能帮助球员在俱乐部上下积攒威望。

梅西一开始只等待着轮到自己出场，但不久以后便开始主动找人对战。他是最厉害的，也是状态最稳定的，在这项"队内锦标赛"中无往不利。

"我们会在比赛前玩这个游戏，特别是在训练之后。"前巴萨左后卫费尔南多·纳瓦罗回忆道，"后来他们安装了玻璃墙壁，弄得像个笼子一样，里面拉了一个特别高的网。比赛相当火爆，激烈异常。这恰恰是个好现象，因为这意味着我们的技术变得更出色。梅西的确是表现最好的那个，他喜欢把球发到柱子旁边；在场地一侧有一根柱子，他总是把球发到这里，让人根本接不到。"范布隆克霍斯特试图打败梅西，他说："我们1点钟结束训练，之后我们会玩上一下午，有时甚至会玩到6点。但如果你要面对梅西，那就太不公平了。因为他强得太可怕。"

网式足球赛不只是球员在繁重的日常训练之外的一种消遣方式，还被教练员们所关注，因为这项游戏可以展现出球员的竞争力和品性。如果球员在游戏中能保持较高水准，这说明他极具雄心与抱负。你可以检验参与者的技术水平，也可以根据其脉搏频率的增加情况了解其心理状态：看看他是斗志饱满、超然冷静还是愤怒不已……

每逢比赛日，球队在训练之后都会到附近的索菲娅公主大酒店就餐，休息。

巴萨同阿尔瓦塞特的比赛在5月份进行，当时联赛还剩4轮，尽管对手位列榜尾，但谨慎的里帅还是要求弟子们耐心组织，切勿掉以轻心。凭借卡西利亚斯在防守端的稳定发挥和外星人罗纳尔多在进攻端的攻城拔寨，皇马取得了6连胜，同时也在积分榜上紧追领先了大半个赛程的巴萨。事实证明，这场比赛的艰难程度超乎想象：阿尔瓦塞特顽强阻挡了巴萨的进攻，而巴萨方面，哈维的停赛使得球队难以找到比赛节奏，顶替其出场的伊涅斯塔也无法盘活球队的进攻，打破对手的密集防守。比赛中，久利几脚刻意追求角度的射门偏出，埃托奥的一脚抽射也无功而返，而罗纳尔迪尼奥则踢得过于小心，他不断切入对方腹地，使得比赛中的局部拼抢愈发激烈……这都是巴萨在比赛中焦躁不安的写照。然而幸运女神还是眷顾了巴萨：比赛进行到第60分钟左右，埃托奥禁区弧顶一脚劲射，攻破了整晚力保大门不失的劳尔·巴尔布埃纳的十指关。

比赛还剩7分钟结束，巴萨以1∶0的比分艰难领先。就在此时，滕卡特让梅西热身。埃托奥看了看替补席，做了个手势示意自己不想下场，但教练已确认换人。里杰卡尔德对走上前来的梅西简单嘱咐了几句，仿佛梅西已经有了百场比赛的丰富经验："怎么想就怎么踢。你负责右路。"梅西望着教练，等待对方下一步的指示，但教练没再说什么，把梅西送上了场。

比赛第87分钟，埃托奥被梅西替换下场。埃托奥非常不满，他只是同梅西握了握手，没怎么正眼瞧他。滕卡特因为他的态度在其耳边大声呵斥，但埃托奥还是不管不顾地走向球员通道。回到更衣室里，他开始乱踢杂物。没有人愿意被换下，尤其是被一名年轻球员换下。里杰卡尔德赛后表示自己并未亲眼见到埃托奥发火："我们认为当时是让梅西这样的年轻球员登场的最佳时机。"

这是一场输不起的比赛。1：0的比分容不得队员们有半点分神。距离全场结束仅剩3分钟，虽有补时，也所剩无几。小罗走到梅西身旁。"我会给你传球助你得分，让你明天登上报纸头版。"小罗说。在随后的比赛中，巴西人从右手边位置将球传给无人盯防的梅西，后者顺势吊射入网。门将巴尔布埃纳向裁判示意梅西越位在先，裁判也认定梅西越位，判进球无效。其实这球并不越位，门将心里也知道，他抚了抚梅西的长发以示歉意。

"等着，我再传球给你！"小罗坚定地说道。

比赛已经打满90分钟，小罗从前腰位置用脚背将皮球传到阿尔瓦塞特防守队员的身后，梅西在皮球弹地后用一记精妙的吊射攻破了巴尔布埃纳把守的大门。这也是梅西代表巴萨一线队攻入的第一球。

接下来就是梅西进球后的特别时刻。

他张开双臂，甩着双手狂奔起来。然后他停了下来，转身寻求队友们的拥抱。小罗跑了过来，他弯下腰让梅西跳到自己的背上。巴西人将立功的小将背了起来。巴萨距离联赛冠军仅一步之遥！

队员们在球场上庆祝了这粒进球和这场比赛的胜利，球迷们同样欣喜若狂。更衣室的气氛达到了高潮。如果巴萨赢得下一轮比赛而皇马输球，那么巴萨将在时隔5年后再次把联赛冠军奖杯带回诺坎普球场。所有人都摸了摸这位进球功臣。"祝贺你，孩子。"他们说道。更有人调侃小罗说："罗尼，你要小心这孩子，说不准他会抢了你的位置。他现在都能进球了！"

梅西在媒体区接受了采访："更衣室的所有人都对我很照顾，而我与罗尼的关系尤为密切，所以我们才会那样庆祝。我想把这粒进球献给我的家人，献给行程中的母亲和即将出生的侄子。"哥哥罗德里戈的妻子已经怀孕数月，不久便会分娩。

直到现在，梅西的父亲豪尔赫回想起那一天仍会兴奋地颤抖："人们用旋律喊着'梅西、梅西、梅西'。无论对谁而言这都是一个最重要的日子。"豪尔赫的儿子由此成为有史以来替巴萨打入进球的最年轻的球员。"我由衷地为他感到高兴。"里杰卡尔德在记者发布会上说，"那粒进球展现了他的才华。"

阿尔瓦塞特的守门员巴尔布埃纳因此成了队友们揶揄的对象："你防住了罗纳尔迪尼奥，却吃了小不点的苦头！"巴尔布埃纳预感到梅西将成长为一名巨星，所以特意保存了那场比赛的用球。如今他表示，自己不会将此球用于易物交换或出售。那个见证了世界最佳球员首粒重要进球的比赛用球目前正收藏在巴尔布埃纳的家中。

莱昂·梅西回了家。他们笑着谈论梅西在3分钟内以几乎相同的方式攻入两粒进球。梅西用过晚餐，然后上床睡觉。

第二天中午时分，他在家中同家人共进午餐的时候突然接到了一个电话。来电者竟然是马拉多纳！这是二人第一次通话。马拉多纳对梅西表示祝贺，而梅西再次接到他的电话，已经是在几个月后举办的U20世青赛上了。

我常常说，从我第一次进入更衣室的那一刻起，罗纳尔迪尼奥、德科、西尔维尼奥和莫塔等巴西球员就接纳了我，让我少走了很多弯路。特别是他（罗纳尔迪尼奥），他可是队中的明星球员。我在他身边学会了很多东西。我很感谢他第一次见面就对我那么照顾。他确实帮了我很多忙，因为那是我第一次踏进那样的更衣室，而我则生来性格就如此，这让一切更加容易了。

罗纳尔迪尼奥肩负着巴萨的重建大业。当时球队正值困难时期，在他到来后，球队做出了许多转变。虽然球队在他加盟的第一年并未没任何斩获，但人们都深深迷上了他。球队渡过难关，冠军奖杯接踵而至，他也让所有人欣喜若狂。我认为，巴萨应该永远感谢罗纳尔迪尼奥为球队所做的一切！

（莱昂·梅西在罗纳尔迪尼奥加盟巴萨10周年时接受巴萨电视台的采访）

"你好，伙计！"这是两人第一次在前往俱乐部停车场的路上邂逅时小罗跟梅西的搭讪。此前巴西人早已听人谈论过这个"小跳蚤"。过了几天，就在梅西随一线队完成首堂训练课之后，罗纳尔迪尼奥给自己的记者朋友克里斯蒂娜·库贝洛打电话说："我刚同一位将来会比我更强的希望之星一起完成了训练。"小罗说。"别瞎吹牛了。"克里斯蒂娜回应说。

"第一堂训练课！我记得很清楚。"克里斯蒂娜回忆道，"他给我打电话告诉我的。他还说过好几次：'你不知道他在训练中的表现有多棒！'这就是世界杯冠军和世界足球先生罗纳尔迪尼奥说的话！而且德科也说过。"

据滕卡特回忆，在梅西前几次跟随一线队"出征"时，有人对梅西说："嘿，就是你！快过来。你是唯一一位将同我们坐在一起的阿根廷人。"说这句话的不是西尔维尼奥，而是德科。他们在外籍球员专用餐桌前给梅西腾出了地方。梅西明白球队内部的不成文规定，他知道这是怎样的一种特权：无论在巴萨还是在巴西队，罗纳尔迪尼奥都是新生领袖，是世界足球先生，被国际足联和一切拥有足球常识的人士所认可。而梅西竟要和这样一位球员共用同一张桌子！而且一旦选好了桌子就不会再改变，因为这是足球界的规矩。"虽然梅西在拉玛西亚时同加泰罗尼亚人在一起，但他毕竟是阿根廷人，他同我们这些拉美球员在一起才感到自然，比如马克斯、罗尼、德科、埃德米尔森还有我。"西尔维尼奥解释道，"我想，梅西坐在一张桌子前发现自己不必讲话才会感到更加自在。他光坐在那里看着，腼腆地笑着。梅西接受新事物很快，而且总是自得其乐。"

这一切也诠释了梅西在对阵阿尔瓦塞特一役中进球后，他的"监护人"罗纳尔迪尼奥把他背起来的情景。"他来到巴萨后有幸同巅峰期的小罗一起踢球，这对他的成长是很有好处的。"原巴萨董事会成员霍安·拉库埃瓦解释道，"他就好比一朵在树荫下成长的小蘑菇，罗纳尔迪尼奥就是那颗大树。梅西拼命成长。当人们更多关注罗纳尔迪尼奥的丰功伟绩时，梅西正在为进入巴萨一线队而努力。"

罗纳尔迪尼奥让他见识到了竞技足球的现实、同精英球员共处的生活以及比赛当中的技巧。小罗知道如何利用媒体，因此他确保了媒体不会过早把注意力放到这位阿根廷年轻人身上。如果梅西表现欠佳，罗纳尔迪尼奥会走进媒体区转移记者的注意力。如果有人在球场上对梅西侵略过度，小罗或德科会罩着他。"罗纳尔迪尼奥会跟他谈论很多关于足球的话题。"克里斯蒂娜·库贝洛回忆道，"他会对梅西说：'埋伏边路，等我传球。'"他让梅西关注美职篮，教他把美职篮里的东西运用到足球比赛中。罗纳尔迪尼奥给梅西带来的帮助与美职篮密不可分。他教梅西理解阻挡、阅读比赛的含义。关于足球，他教给梅西的东西多得超乎人们的想象。

"当然，罗纳尔迪尼奥对梅西所起的作用并不都是好的，也有坏的一面。"亨克·滕卡特评价道，"但如果正负相抵，我认为他们二人在一起还是个不错的选择。他从正反两面都是梅西学习的教材。"

在西班牙足球界流传着这么一句话："小心教父！（cuidado con los padrinos！）"所以，"这孩子我负责"的教育方法要用之谨慎，因为这也是约束他人的另外一种方式。在场上，足球只有一个，老大也只有一个。队友们抬起头时，他们会寻找一名球员，基准点只有这一个，而非两个。如果你一定要二选一，便会出现分歧。那时候，包括梅西在内的所有人都只找罗纳尔迪尼奥一人。

伟大球员能一眼认出最终会接过自己衣钵的那个人，他们会有两种反应：要么不会对那位希望之星给予太多的支持和帮助（据说胡安·罗曼·里克尔梅便是采用这种特殊方式的典型代表），要么会悉心照顾他，鼓励他，就像罗纳尔迪尼奥对梅西做的那样。但这种鼓励和帮助也是暗含条件的，那就是：不能跳到我的座位上来；要记住我做这些你欠我人情。罗纳尔迪尼奥这种近乎家长作风的保护允许梅西闪耀星光，但这也成为了控制他的一种手段。

在球场下罗纳尔迪尼奥同样带领梅西见识到了大千世界。小罗、莫塔和德科是这群天才足球运动员中的社交代表。球队每月都会外出聚餐一次，梅西也会参加，但在众人喧闹的谈话声中几乎听不到他的声音，用范布隆克霍斯特的话说："他说话我们也听不见。"但这名17岁的少年却迷上了这一切，后来他也将此视作获得认可和功成名就所带来的福利。罗纳尔迪尼奥充分享受着生活的乐趣，他让当时还在球场和家之间过着两点一线单调生活的少年梅西见识到了如何过上挥霍奢侈的快节奏生活。

小罗很容易让人着迷，但巴西人发发可危的生活方式已初露端倪。球队的每周体育例会是部分主管和教练组会晤的场合，会上很少有人提到梅西，他们谈论的绝大部分都是罗纳尔迪尼奥。

巴萨时隔5年再度捧起西甲联赛奖杯，庆祝夺冠的大巴环游巴塞罗那市，然后向诺坎普球场驶去。梅西站在蒂亚戈·莫塔身旁欢呼雀跃。整个赛季，梅西仅代表一线队出场了77分钟，包括对阵顿涅茨克矿工首次亮相欧冠的那场比赛。他还是个小孩子，随着巴西球员一起纵情起舞，脸上始终洋溢着幸福的笑容。巴西人叫他"小兄弟"——球队的"小福星"。梅西有许多理由值得庆贺：为了这个赛季，为了他目前取得的一切成绩。而到了球场里，梅西被告知他的哥哥和嫂子弗洛伦西亚不得不离开诺坎普的看台，因为嫂子即将分娩。听到这一消息，梅西迅速离开了庆祝队伍：嫂子马上就要给他带来一个小侄子了。就在当天，奥古斯丁出生了。

一切事宜结束之后，梅西回到了罗萨里奥休假。

在那风朗气清的假日之初，里杰卡尔德坚持认为，梅西虽然与众不同且好胜心极强，但他仍然欠缺成熟，技术也尚未完全成形。所以，里帅想要继续庇护他。而在梅西看来，他认为自己终于达到了他本应所属的水平，俱乐部无论如何也不会再把他降入B队。年龄对他而言并不重要。虽然他才17岁，但他知道自己能为球队带来帮助，与小罗、德科和哈维搭档才是最合适他的位置。在上个赛季中，梅西还代表巴萨B队踢了17场比赛，最终帮助球队获得联赛第7，距离升入西乙A级仅差4分。这17场球也是梅西在B队的最后几场比赛。

莱昂·梅西完成了一线队首秀，取得了首粒进球，随队获得了联赛冠军，还当上了叔叔，踌躇满志的他经过休整，前往荷兰参加在那里举办的U20世界青年锦标赛。

他帮助阿根廷夺得冠军，并当选了该赛事最佳球员。

就这样，他生命中的一切突然开始提速。

2005年夏天的那几个月可能是梅西整个职业生涯最为疯狂的时刻。梅西在国际赛场上大放异彩，不仅如此，他还收获了巴萨提供的第三份合同。双方于世青赛期间在荷兰签约，那天正是梅西的生日。

梅西的首份合同就是那份著名的"餐巾纸合同"，第二份则是在2004年2月4日签署的那份，这份合同中包括了升入巴萨C队的3000万欧元买断条款、升入B队的8000万欧元买断条款和升入一线队的1.5亿欧元买断条款。尽管当时梅西年纪尚轻，但这却是一份巴萨B队的球员合同，到2012年结束。合同履行的第一年，梅西年薪为5万欧元，此外每场比赛上场费为1600欧元；而到了合同的最后一年，梅西的年薪涨到了45万欧元，每场比赛的上场费为9000欧元。这份合同还包括一项有趣的条款：合同履行第一年，如果梅西因需要不能担任正常位置，他将得到每场5500欧元的补偿金，而这一金额在最后一年将变为5万欧元。巴萨每年为梅西支付往返阿根廷和巴塞罗那的4次航班，并提供每年9000欧元的住房津贴，还给他免去了一份12万欧元的借款，这笔借款是在首份合同中借给他的，用于帮助他克服早年遇到的诸多困难。多年以后，梅西身边的一些随行人员把那个梅西称作乞丐（Mendigo），说他总是"唯唯诺诺，毕恭毕敬"。基本上，无论霍安·加斯帕特给他什么，梅西都会欣然接受。

了解到梅西经历的层层困难以及他在面对如此多的考验时所表现出来

的果敢和刚毅，霍安·拉波尔塔的新管理层为他提供了坚定的支持。然而，无论何种新关系都必须以交流和信任为基础。"许多人声称他们能够代表梅西，其中有一些自从他12岁那年起就开始参与他的运动生涯。我们试着在他们中间充当中间人。"前巴萨主席拉波尔塔回忆道，"除此之外，还出现了很多官僚式的问题，但我们都一一解决了，这也让梅西的父亲吃了一颗定心丸——不论如何，我们不会让梅西踢球的权利受到侵犯。就这样，我们相互之间建立起了信任。我们做的一切当然是为了捍卫每一位球员的利益，也自然而然地捍卫了巴萨的利益。我们给了梅西他理应得到的优先权，我们的关系就是这样建立起来的。"

于是，巴萨开始同梅西构建金融协定，对梅西作为球员所体现出来的优秀品质给予等量的认可和奖励。"从管理梅西的角度来看，我们决定使合同更具前瞻性。"时任巴萨副主席的费兰·索里亚诺解释道，"我们想：我们每年都会坐下来讨论一下该给梅西增加多少薪酬。我们并没有告诉豪尔赫说我们几乎每年都会给梅西加薪，但梅西父子两人知道我们每个赛季初都会讨论这一问题。我们明白这名球员的价值，明白他在球场上的价值，而且我们也知道，他从来不索要什么。我们让他提升了好几个梯队，并为他制定越来越困难的任务，但我们要让他明确地知道一件事：'有我们在，就不要担心钱！'"

第三份合同是梅西参加世青赛期间在乌特勒支签下的。当时，俱乐部足球主管特希基·贝吉里斯坦亲赴荷兰，在阿根廷与巴西的半决赛之前与梅西父子会面。梅西以往的劳动合同总是由父亲代签，而梅西现在已经达到法定年龄，可以自行签署合同了。这份合同准备得略为仓促，根据该合同，梅西将为巴萨效力到2010年，比第一份合同少了2年，但薪水则大幅增加。梅西将拿到一线队员的薪酬；从此以后他再也不会被下放至巴萨B队。他在2004年的年收入为9万欧元，2005年为11万欧元，合同的最后一年则为45万欧元；如果能踢上25场比赛，他将额外获得100万欧元；如果踢上45场比赛，则会在此基础上再加100万；到2005年10月，他还将再获22.5万欧元的奖金。买断条款数额仍为1.5亿欧元。

"我们对梅西充满信心：我们坚信，梅西的加入将对一线队起到重要影响。"当年贝古列斯坦曾这样说道。他相信梅西具有"改变多场比赛的节奏和走势"的能力。

这份合同还未正式生效就被宣布废止了，3个月之后，梅西又签订了一份新的合同。这就是"梅西效应"的传播速度。

西尔维尼奥从一开始便欣然接受了知心大哥、挚友、向导和保镖的角色，而在以前球队，这些角色是由赫拉尔多·格里希尼①、乌斯塔里和维克托·巴斯克斯等人担任的。"我们经常一起讨论足球，莱昂不是话匣子，倒是一位很好的聆听者。相反我总喜欢说起来没完，谈生活、谈未来，什么都说。"这位现已退役的巴西球员说道，"莱昂话不多，也不开玩笑，但他脑子很快，有时他会突然反诘你。他老说自己可不是西尔维尼奥……他总是对我说：'好吧，西尔维（西尔维尼奥的昵称），快出去把你想说的都告诉记者，等我出去后，就没什么好说的了。'"

"梅西知道西尔维尼奥很看好他，喜欢照顾他，西尔维尼奥是一位父亲般的人物。"2006年从切尔西转会到巴萨的冰岛球员埃聚尔·古德约翰森补充道。如果说小罗是梅西左肩上的堕落天使，那么西尔维这位虔诚的基督徒便是他右肩上的仁爱天使。"西尔维尼奥是个好人，从来不摆架子。他喜欢大笑，喜欢讲笑话，但他也是位虔诚的信徒和顾家的男人，他爱自己的家庭，也十分清楚如何规划今后的生活。"

"莱昂17岁那年已经知道了自己想要什么，他在许多问题上已经有了

---

① 阿根廷足球运动员，梅西儿时好友。

非常坚定的想法。"西尔维尼奥称，"当你走上前去想给他一些建议，向他解释当下发生的事情，他会告诉你他已经知道了，他明白是怎么回事。巴萨的近状、足坛新闻、媒体轶闻……"2005年夏天巴萨的中日韩之旅让两人的关系更为亲密了。

梅西随队赢得了世界冠军和联赛冠军，还签下了第一份职业合同，可谓一路平步青云。他人生中第一次成为一名被正式认可的巴萨一线队球员，并享受到了这一地位带来的安全感和名望。他也可以开始享受同一线队员平起平坐的感觉了。当时的梅西是巴西籍队员们的小跟班。"他一句英语也不会说，所以老是跟着我们。"在阿森纳待过两年、在曼城待过一年的西尔维尼奥说道，"我能搞定兑换货币之类的事情，也经常帮他换钱。有一天我拿着钱去房间找他，一到大厅就听到莱昂在房间里喊：'出去，出去，不用，快放下，你出去就行！'莱昂非常激动。我心想：'这是怎么了？'等我走进他的房间，发现原来是一名中国人想打扫梅西的房间，但梅西说的话他一句也听不懂。"

西尔维尼奥笑道："我当时差点笑破肚皮！'帮帮忙，西尔维，告诉他不用了，这样就行，让他走吧！'我却对自己说：'我啥也不说，我倒要看看他能怎么办！'梅西只好操着自己浓厚的阿根廷腔说道：'Go，go！（出去，出去！）'那个中国人怎么听得明白？哈哈！"

那年夏天，梅西还发现了一位母亲式的人物。"我去中国时已经怀孕了，这让我真正拥有了母性本能。"克里斯蒂娜·库贝洛回忆道，"在那些旅途中梅西常常和我待在一起，后来里杰卡尔德问我：'他都跟你说些什么？'他的家乡罗萨里奥、图尔维奥河还有他的朋友们……我们谈的都是些正常话题，他还是个小孩子。里杰卡尔德总跟我说：'他可不会和我们攀谈。'他不懂得如何表达自己。有一天我问他：'你为什么不太爱讲话？'他的回答是：'我喜欢听别人说。无话可说时又为何要说呢？'那次旅行让我发现了一点：如果梅西信任你，他就会看着你的眼睛。"

这意味着你已经被他的内心世界接纳了。

"哪怕出场一秒钟，我也感到很满足。""小跳蚤"在自己的阿根廷国家队首秀前夕无比期待地说。为嘉奖梅西两个月前在世青赛上的惊艳表现，何塞·佩克尔曼征召梅西参加了一场阿根廷国家队同匈牙利国家队的友谊赛，比赛地点设在布达佩斯的费伦茨·普斯卡什球场。

下半场比赛进行到第11分钟，阿根廷队主教练吩咐体能教练爱德华多·乌达逊为梅西讲解他的战术安排。乌达逊让他起来热身，在他耳边嘱咐了几句，然后吻了他一下。比赛战至第64分钟，佩克尔曼把梅西叫到身边。加夫列尔·米利托走上去给他加油打气。梅西身披18号球衣，当时他也恰好18岁。这是阿根廷队此役首次换人，被换下的是利桑德罗·洛佩斯。

梅西接到里奥内尔·斯卡洛尼的传球，他第一次触球即加快了比赛的节奏。第二次得球时，他正沿中场奔袭。然而，就在梅西上场后仅仅92秒，匈牙利的后卫威尔莫斯·范萨克猛冲过来阻截梅西，一只手扯住了他的球衣。"跳蚤"随之挥起胳膊想甩掉对方的手，却打在了范萨克的喉部，后者捂着脸应声倒地。

那天是2005年8月17日，克里斯蒂娜·库贝洛见证了现场发生的一切，她在《世界体育报》中写道："梅西久久难以忘记执法那场匈阿友谊赛的德国主裁马库斯·默克的脸，这可是梅西首次代表阿根廷国家队参赛。"胡安·巴勃罗·索林、里奥内尔·斯卡洛尼、加夫列尔·海因策和罗伯托·阿亚拉全都跑了过去，试图说服主裁，称梅西的举动只是单纯出于防护，他不应该吃牌。但默克却不这么认为，他做了一个夸张至极的出牌动作，高高举出了一张红牌。范萨克也领到了一张黄牌。

梅西根本无法相信，他瞥了看台一眼，紧张地摆弄着球裤上的松紧带，低着头走下了球场。佩克尔曼的助教乌戈·托卡利安慰梅西说，以后还会有其他比赛可以让他披挂上阵。"梅西简直要崩溃了。"库贝洛写道，"他甚至都记不得斯卡洛尼跑过来与他拥抱，也不记得埃尔南·克雷斯波跑过来安慰他。他听不到现场球迷开始呼喊他的名字，只是含着眼泪走下了球场。他哭得像个伤心的孩子，眼中饱含着沮丧、愤怒和酸楚的泪水。球队的按摩师陪着他回了更衣室。"

"你知道人群中有谁吗？"克里斯蒂娜·库贝洛回忆说，"是何塞·穆里尼奥，他是来考察他的一位弟子的。就在梅西被罚下后，我在看台上发现了穆里尼奥，我问他：'何塞，你怎么在这？刚才的事情你怎么看？'他回答说：'疯了，这些裁判都疯掉了，他们怎么能对这么优秀的孩子做这种事？告诉他不要担心，就说是我说的，振作起来，保持冷静！'"

最终，阿根廷以2∶1赢得了这场友谊赛，球员们回到了更衣室。他们发现梅西待在角落里，仍在独自哭泣。"队友们都过去安慰他。"库贝洛继续写道，"他们都向梅西保证，他仍是球队的一分子。而对于梅西，这是他首次代表蓝白军团为国效力，可自己的美好梦想却被裁判击得粉碎。然而他必须明白，这就是足球。"

乌戈·托卡利和同样在那天完成国家队首秀的巴勃罗·萨瓦莱塔陪着梅西走过了媒体席。教练组告诉梅西什么都别说，所以梅西只是可怜巴巴地望了望台下聚集的众多记者。

是没什么可说的。但阿根廷和加泰罗尼亚地区的媒体却发难了："默克敢不敢因为这么一个举动而罚下里克尔梅这样的大牌？""默克想出名想疯了吧。"克雷斯波也对裁判出言尖锐，"他不考虑匈牙利人的蓄意犯规，却把梅西罚下场……不知道是不是因为匈牙利主教练也是德国人的缘故（当时的匈牙利主帅是德国人洛塔尔·马特乌斯），还是其他什么原因。这位18岁少年怀揣梦想首次为国征战，他不应得到这样的惩罚。裁判本应该更通情达理一些。"

现已退役、被国际足球历史和统计协会（IFFHS）提名为21世纪头十年最佳裁判的马库斯·默克不愿就此事发表评论。"我从不在比赛之后发表评论。"默克说。他遭到了媒体的进一步质疑，但他的表情说明了一切。

奇怪的是，默克在自传中对此事只字未提。该书的合著者奥利弗·特拉斯特说："我记得他很久以前跟我讲过，他的判罚尺度很明确——无论何时犯规，无论犯规的球员有多大牌，他都会从严判罚。他希望自己的裁判工作能成就一种前后一致的'结构'，对他而言这是最重要的事情之一。虽然他为梅西感到遗憾，但他还是不得不向这位年轻人出示红牌。但无论过去还是现在，他都对梅西的球技敬仰之极。"

在返回旅馆的途中，斯卡洛尼放声歌唱，试图活跃一下球队的气氛，但梅西独自坐在那里望着车窗外。莱昂·弗朗戈抚摸着梅西的头发，试图把他从那无尽的黑洞中拉回来，却徒劳无功。

"那天晚上我和莱昂在一起待了6个小时，他只是不停地哭。"库贝洛回忆道，"我安慰他说：这只是个开始，还有千万场比赛在等着你！"

到达巴塞罗那机场后，梅西面对RAC1电台的麦克风打开了话匣子："我当时晃过了那个匈牙利人，他老想抓我的球衣。我用最好的办法摆脱了他，但裁判却说这是一次肘击。这让我很愤怒。我还有几十分钟要踢！但足球场上什么事都会发生，这件事让我始料未及。"随后，梅西同哥哥罗德里戈和巴勃罗·萨瓦莱塔一起离开了机场。

回去的路上，萨瓦莱塔再也没有听到梅西说一句话。

还来不及擦干眼泪，那年夏天梅西再度遭遇令人不快的意外事件。梅西又一次成为了官僚主义的牺牲品：先是前几年耽误梅西进入一线队，这次又是护照出了问题。西班牙超级杯是西甲赛季开始前的传统好戏，本届杯赛的对阵双方是巴塞罗那和皇家贝蒂斯。在巴萨做客贝尼托·比拉马林球场的首回合比赛中，梅西沦为看客；而在回到主场的比赛中，梅西甚至连大名单都没进。发生了什么事情？加泰罗尼亚地区报纸《体育报》披露了这起"梅西案"。原来，梅西被划分为外国球员，而巴萨阵中已经有了罗纳尔迪尼奥、拉斐尔·马克斯和埃托奥3名外援，名额已满。那么，梅西去年又是怎么踢了7场比赛的呢？

巴萨方面辩称，梅西是一位"归化球员"，这是一个西班牙足协杜撰出来的概念，意指出生于欧盟之外且为俱乐部的低级梯队效力了5个赛季的球员。西班牙足协的态度并不明确，相关条例也确实让人感到模棱两可。梅西只有一本阿根廷护照，在对阵阿尔瓦塞特打进一球后他便没再上场，因为巴萨担心其他俱乐部会质疑梅西的比赛资格，进而质疑比赛的合法性，所以，在妥善解决这一法律范围灰色地带的问题之前，巴萨还是决定先不让梅西上场比赛。

奇怪的是，欧足联却并不限制梅西参赛。梅西在上赛季的欧冠联赛上就曾披挂上阵，而正当巴萨证实梅西仍可在欧洲登场比赛之时，欧足联也在3天后发布了许可——从常理来说，如果他能上场一次，他就可以上场第二次。

与此同时，梅西一直在刻苦训练，就仿佛他要在下场比赛中登场一样，他那刚毅的态度让那些刚认识他的人颇为吃惊。然而，事情的不确定性需要俱乐部相关负责人尽快妥善地解决这一新难题。如果当务之急不能解决，租借梅西也不失为一种可能。

赛季开始后，关于梅西未来的幕后讨论仍在进行。如果他因为官僚主义的阻挠而无法接受征召，那是不是应该允许他换个球队发展提高？至少，这是那些同梅西关系亲密的人士提的一个建议，但令人吃惊的是，巴萨的技术团队竟然也意见一致。教练组在积极寻求一个可以避免冲突的解决方案：这位年轻的阿根廷小伙子实力超群，他需要更多的比赛出场时间，但巴萨有罗纳尔迪尼奥占据着球权。"我们为何不把他租借到其他球队一年呢？"有人在里杰卡尔德的办公室建议道。于是，豪尔赫·梅西不断接到莱里达、萨拉戈萨等多家西班牙球队甚至是欧洲各地球队打来的电话，其中最具吸引力的当属意甲球队（国际米兰最有诚意），另外也有来自其他联赛的球队（比如格拉斯哥流浪者，但奇怪的是竟然没有一家英国俱乐部）。

来听听前埃因霍温俱乐部主席罗伯·韦斯特霍夫是怎么说的吧："我和巴萨主席拉波尔塔关系甚笃。2005年，拉波尔塔曾在G14会议期间向我介绍过一位才华横溢的年轻人，因为他无法在西班牙参赛，所以想把他租借出去。我们也是一家知名俱乐部，时任主教练是胡斯·希丁克，我们刚刚夺得联赛冠军，并打入了欧冠半决赛。"西班牙人队也曾加入到竞争梅西的行列，并试图利用右后卫巴勃罗·萨瓦莱塔同梅西的亲密关系吸引梅西的加入。"我们的主教练米格尔·安赫尔·洛蒂纳整天唠叨着教我怎么劝梅西加盟。"萨瓦莱塔回忆道。有些俱乐部已经就租借展开了谈判，甚至有人听到梅西家人传出"我们要去西班牙人"之类的话语。

然而，后来发生的事情，却改变了俱乐部和世界足球界对于"小跳蚤"的看法，也最终改变了巴萨俱乐部的租借计划。

那就是在诺坎普球场举行的甘伯杯。

*

历史悠久的甘伯杯是巴塞罗那俱乐部于每赛季前举办的一项赛事。当年8月24日的甘伯杯上，巴萨在诺坎普球场迎战法比奥·卡佩罗带领的尤文图斯队。尤文图斯的锋线由德尔·皮耶罗和伊布拉希莫维奇两人组成，巴萨方面则新签下了马克·范博梅尔（来自埃因霍温）和桑蒂·埃斯克罗（来自毕尔巴鄂竞技）。本场比赛也是这支接近完整的新巴萨的首次亮相。里杰卡尔德决定给梅西一次首发的机会，这也是里帅对梅西一个夏天的苦练表达的关爱和支持。另外出任前锋的还有亨里克·拉尔森和罗纳尔迪尼奥。虽然后卫利利安·图拉姆并未出场，但在乔纳森·泽比纳、罗伯特·科瓦奇、法比奥·卡纳瓦罗和吉奥吉奥·基耶利尼这些悍将的镇守下，尤文图斯的后防依然不容小觑。然而，从比赛开始的第一分钟……

梅西要球。

梅西在球场两翼和中路之间穿梭跑动。

梅西从中场开始奔跑。

梅西带球突入禁区。

梅西穿裆过掉法比奥·卡纳瓦罗。

梅西从帕特里克·维埃拉脚下断球，后者随之转身向梅西脚踝踹去。裁判出示黄牌，这是这场比赛意大利人为阻止梅西而领到的3张黄牌之一。

尽管尤文图斯拼抢凶悍，但梅西毫无惧色。

梅西为首粒入球贡献助攻。

梅西带球，起脚射门。

梅西用胸部送出妙传。

您可以访问以下链接观看详情：http://www.youtube.com/watch?v=IopoUHtWFRO

"我不停地问泽比纳这孩子是谁。我们开始对他重点照顾。"（帕特里克·维埃拉）

比赛当中，尤文主帅卡佩罗紧挨着里杰卡尔德站在边线处，他对这位荷兰教头说："反正你们不能让他上场，不如把他交给我吧。租借一年。要知道，他无论到哪个队都是铁定的一线主力。"里杰卡尔德婉拒了卡佩罗的请求："我认为三四个月之内我们就会妥善处理好梅西的护照问题，法比奥。"

"卡佩罗同弗兰克谈过梅西的事情，他们两人关系甚笃。"亨克·滕卡特回忆道，"他不仅想租借梅西，或许还想收购他。"

现在这位意大利教头也直言不讳："我第一眼见到梅西就被他征服了。当时他被禁止代表巴萨参加比赛，所以我想抓住机会问一下弗兰克，看我们能否收购梅西，哪怕租借也行。但他告诉我不可能，梅西年内就能代表巴萨参加比赛。梅西是天才，是能赢得任何比赛的天才。对我而言，梅西是可以比肩贝利、克鲁伊夫、迪斯蒂法诺或马拉多纳的史上最伟大的球员，尽管他还没赢得过世界杯。"

里杰卡尔德在比赛第89分钟将梅西换下，因为他觉得梅西的表现值得享受一下来自现场9.1万名观众的欢呼。替换梅西上场的是久利，后者也意识到，从那天起他稳坐巴萨首发席位的日子已经结束了。

比赛踢成2∶2平，尤文图斯通过点球大战赢得了奖杯。

梅西当选本场最佳球员。

卡佩罗在新闻发布会上谈到了梅西："我从未见过这么年轻便拥有如此球技和人品的球员，还穿着一件如此重要的球衣。梅西是一位伟大的斗士，他可以在球场上随心所欲。看到一位如此年轻的少年能为足球运动做出如此美妙的贡献，我感到非常高兴。这些东西可不是每天都能看到的，我们可以将其视作足球运动的广告代言。"

"克里斯蒂亚诺·罗纳尔多和梅西开创了足球新纪元，他们的风格也许各不相同，但却拥有众多相似之处——"这位意甲教头继续说道，"他们都想努力做到极致、进球得分并帮助球队获胜。梅西的想象力更加丰富，他的传球和助攻都非常巧妙；而C罗则更加强壮，速度更快，而且远距离攻门能力略胜一筹。可能C罗更多地是为了个人和射门得分而踢球；梅西也进球很多，但他是为了球队在努力。"在当时，还没有任何人从这些角度谈论梅西，但卡佩罗却已经看出了端倪。

雷克萨奇补充说："比赛结束时，卡佩罗曾说了这么一句话：'今天一位巨星诞生了。'而我们虽同这位巨星一起待了5年，可直到卡佩罗的话漂洋过海之后，大家才开始谈论梅西。即使在这里，所有人都恰如恍然大悟。看来，卡佩罗对于我们某位球员的溢美之词没有被人们当成耳旁风。"

记者雷蒙·贝萨仍记得那晚的情形："在那之前根本没人提过梅西。而现在，每个人都在讲述着不同的历史。新闻界最容易做的事情就是：我认识他，我发现了他，我以前写过关于他的报道……但我有种感觉，当卡佩罗宣布'就是他'的时候，我仿佛听到人们在说：'我的天啊，如果卡佩罗都这么说……'这就是典型的'culé（屁股）现象'——我们看不清自己所拥有的，非要借助局外人才能看清。在我印象中，哪怕在当时也并非俱乐部的每个人都支持梅西。这就是巴萨在管理人才方面存在的问题。说实话，无论你的管理多么井井有条，无论你对于该做什么多么胸有成竹，在某些阶段你还是需要别人提醒一下：'现在是时候了！'"

在那段时间，特希基·贝吉里斯坦曾给何塞·佩克尔曼打过电话。"教授"萨洛里奥回忆说："有一天，这位巴萨足球主管给我们打来电话问：'你们对梅西做了什么，能改变他的态度？'这是他询问佩克尔曼时所说的话，'他不再是以前的梅西了，不再是我们送他去参加世青赛的那个梅西了。'其实，我们给他灌输了某种侵略性，并不是让他去攻击人，而是教他惧怕失败：在西乙B级联赛中，巴萨的战绩总是负、负、胜、平、平。而在当时，我们必须获胜，否则便会出局。对方那20个人总是恨不得把我们撕成碎片。"

尤文图斯率先把钱摆到了桌面上，但为梅西开出天价的却是国际米兰。贝吉里斯坦和拉波尔塔从梅西身边的人那里得来的消息清晰明确，掷地有声："如果梅西无法参加西班牙联赛，如果不能搞定这些繁文缛节，他就将奔赴意大利。"

"国际米兰的介入，真正让巴萨感受到了梅西离队的风险。"霍安·拉波尔塔回忆道。他不得不竭力利用自己的交际手腕劝说梅西，并充分利用自己同梅西父亲建立起来的信任来阻止梅西加盟意甲联赛。

已经追逐梅西3年的国际米兰十分明白，此时正是联系梅西的绝佳机会。费兰·索里亚诺回忆说："当时的确有不少球队为梅西提供合同，让俱乐部面临了梅西的离队危机。我记得有来自国际米兰的报价，也有来自皇家马德里的……但是梅西父亲始终相信我们会支持梅西，会及时通知梅西，为他提供一份新合同，这便是他们追求的稳定。"

这一点毫无问题，但到了2005年9月，情况开始变得复杂，处理起来也颇为费神。

"豪尔赫打电话给我，要来我办公室。"拉波尔塔说道。身为巴萨主席的他不知豪尔赫此行所为何事。"我有重要的事情想和您谈，我想当面交流一下。"豪尔赫·梅西说。梅西的父亲是想征询好友兼巴萨主席的意见，同拉波尔塔交换一下观点和想法。

豪尔赫告诉他，国际米兰想签下梅西，他们为他提供了3倍的薪水，而且愿意立即支付1.5亿欧元的买断金。

作为俱乐部主席及豪尔赫的好友，霍安·拉波尔塔说："我告诉他的第一件事就是，我们没有想过要出售梅西；其次，我换位思考，替梅西父亲考虑了一下：'听着，你显然想让儿子赚更多钱，他们会保障梅西的未来；但是在巴萨，他的职业生涯同样会有财政保障，最重要的是，他还会获得满身荣誉。'我似乎是在进行一场赌博，因为当时我们手上的荣誉屈指可数。全世界一半的球迷热爱我们的球队，巴萨开始被其他俱乐部视为标杆，但我们还未获得辉煌荣誉。"

豪尔赫·梅西承认拉波尔塔所言也颇有几分道理。梅西已经把自己视作巴萨一线队的一分子，而且他的职业前景看上去一片光明。拉波尔塔对梅西那种不加掩饰的爱惜之情，也着实让他感激。就这样，这次关于梅西未来的谈话无果而终。

就在那时，国际米兰的老板和主席马西莫·莫拉蒂在马德里的一次晚宴上告诉霍安·拉波尔塔，他想让梅西来意大利踢球，而且他对左脚球员情有独钟，还说梅西堪称奇才。巴萨主席对莫拉蒂表达了敬意，但坦言巴萨无意让梅西离队。

拉波尔塔可能会认为这件事情已经告一段落，但随着双方的摊牌，在那年秋天令人窒息的三日内，剧情险些发生了颠覆性的反转。

当时巴萨奔赴德国，挑战欧冠联赛小组赛中的最强对手云达不莱梅。双方在首回合的较量中战成平局，虽然梅西不能在西班牙联赛中登场，但欧足联却允许梅西参加冠军杯的比赛。不过出于保险起见，里杰卡尔德还是多带了一名球员。

9月14日，比赛当天早晨，豪尔赫·梅西同贝吉里斯坦就国际米兰对梅西表现出来的兴趣进行了交谈。两人的会晤不太顺利。他们初步达成的协议是：让梅西在巴萨待到12月份，如果官僚问题得不到解决，那么"既然全西班牙和全欧洲都想要他，租借梅西也不成问题"，贝吉里斯坦对豪尔赫说。

但当时两人提到了一个关键性问题。尽管国际米兰的不懈追求和梅西在夏天的惊艳表现让巴萨感受到了压力，可俱乐部明知他在3个月前刚刚签署了新合同，所以并不急着续约。巴萨的立场毫不含糊：先等等看梅西是否被允许上场，届时分析一下梅西的表现，然后再洽谈新协议事宜。梅西现在是阿根廷国家队的一员，还获得过U20世青赛冠军，尽管暂时无法上场比赛，但他还是一如既往地进行训练，无怨无悔。可俱乐部居然对梅西各方面的进步视而不见，这让老梅西十分愤怒。他想出了一个跟球队续约的计划。

那天早晨，他吼道："我们不干了！"此时看来，似乎梅西比以往任何时候都更有可能加盟国际米兰，而且意大利人也开始讨论费用，并承诺将解决梅西转会事宜，为下赛季而战。看起来事态已经变得相当尖锐。费兰·索里亚诺接到过一个梅西身边的小圈子打来的电话，说梅西正在考虑离开巴萨。

对阵云达不莱梅的比赛当天,里杰卡尔德决定把梅西放在替补席上,而西尔维尼奥则在看台上观战。在比赛进行到第65分钟的时候,梅西上场替换下了久利,出现在右边锋的位置。他抓住了这宝贵的上场机会,体现了自身的价值:在同对方边后卫克里斯蒂安·舒尔茨的对位中,梅西凭借两次带球跑动完胜对手。梅西接到罗纳尔迪尼奥的脚内侧传球,直接面对对方门将,舒尔茨只好在禁区内扯了一把梅西的球衣。点球!小罗操刀命中,帮助巴萨最终以2∶0获胜。

"梅西对我们来说非常重要。"赛后,里杰卡尔德如是说。"我也当然迫切地希望官僚问题早日妥善解决,好让我早日参加联赛比赛,但我能沉得住气。"梅西说。看台上的索里亚诺和其他巴萨董事会成员又一次被阿根廷人在球场上的惊艳表现所折服,他们已经近乎疯狂。他们应为他的未来安排妥当,现在就等一致裁决了。"我们明天可否见个面?"他们向豪尔赫·梅西询问道。

第二天早晨10点钟,诺坎普球场的办公室内,霍安·拉波尔塔、索里亚诺、贝吉里斯坦、亚历杭德罗·埃特克塞瓦里亚(备受梅西和全体球员敬重的巴萨内部权威人士)以及豪尔赫·梅西见面了。

主席公开重述了梅西父亲私下表达的意思:不错,国际米兰为梅西开出了天价,但在国际米兰,梅西只能赚薪水,而在巴萨,他却可以名利双收。"豪尔赫相信了我说的话,"拉波尔塔回忆道,"莱昂想留下来,豪尔赫也想让儿子留下来,但我们确实无法给出国际米兰提供的待遇,他们似乎打算拿1.5亿欧元买断莱昂的合同,并支付给他二至三倍的薪水。我想给他加薪,因为这是他理应得到的。所谓钱可通神,但金钱也不一定会让人快乐。我对豪尔赫说:莱昂去了意大利可能会改变自己的踢球方式,可他还是习惯在巴萨踢球……反正当时我想到什么就说什么。"

豪尔赫·梅西被告知莱昂的出场时间将超过久利。更重要的是,在那次会议上,莱昂还获得了直接同主席联系的权利。"对我们而言,'梅西案'非常敏感，也很特殊。"拉波尔塔反复强调。

巴萨成功阻止了梅西加盟国际米兰。

意大利人并不想支付买断条款的费用，反而打算同巴萨对簿公堂，就巴萨当前支付给梅西的薪水和要求意大利人所支付薪水的比例失调提出质疑。"但我和莫拉蒂关系很好，他也知道我无意出售梅西，国际米兰和巴萨这样两家俱乐部为这样的事闹翻也不值得。"拉波尔塔肯定地说，"那次会晤之后，莫拉蒂很快被告知梅西父子决定留在巴萨，我想他的计划正是因此而彻底泡汤。现在每年都有球队邀请梅西加盟或者类似的举动，但我认为真正存在梅西离开巴萨风险的仅此一次。"

会议过后，拟定新合同的工作便紧锣密鼓地开始了。

声名鹊起之后，梅西在卡洛斯三世大街公寓里的生活也变得越来越不方便。有一天，他离开公寓时竟有人爬到他的车顶上，要求梅西签名，否则就不下来。梅西没带纸笔，只好向车内一行人中借。也正是因此，新合同还为梅西续约提供了一笔奖金，梅西可以拿这笔钱买一栋带花园的新房子。就这样，梅西搬到了卡斯特利德费尔斯。

梅西父子希望合同到2013年结束，也就是巴西世界杯前一年。那样的话，即使他踢不上比赛，也可以通过自由转会的方式加盟另外一家俱乐部，以便为参加世界杯保持良好的状态。梅西一家把2014年巴西世界杯看成梅西人生中最重要的一届世界杯——因为届时梅西将年满27岁，理论上正值职业生涯的鼎盛期。这是家人为梅西精打细算、筹划未来的又一范例。

豪尔赫·梅西拒绝了巴萨的首次报价，但俱乐部随即更改了几处条款和金额，双方最终达成了协议。而就在两天前，梅西还打算加盟国际米兰。这便是他18个月以来签下的第三份合同。

巴萨试图让合同在梅西的意愿上再延长一年，到2014年结束，但综合考虑，梅西的最新收入在一线队已经排在了中游位置。在合同履行第一年，他的年薪为90万欧元，到2014年底为350万欧元，包括全部肖像权收入。梅西首赛季可以获得25万欧元的奖金，这笔钱被他用来购置了一所新住宅。如果第一年他能在60%的比赛中踢满至少45分钟，他再将获得28万欧元的奖金，而该项奖金将逐年递增至80万欧元。另外，他还因为续约合同而一次性获得200万欧元。买断条款金额维持在1.5亿欧元不变。合同于9月份拟定，自2006年1月起开始生效。

豪尔赫·梅西要求俱乐部争取尽快解决所有的官僚问题，并被告知问题近日便可得到解决。一方面，西班牙足协似乎即将达成有利于梅西和巴萨的结论；另一方面，巴萨手中也握有锦囊，一定可以使问题得到妥善解决。

西班牙足协处理这一问题的进度出奇地缓慢，这不禁让人既心生恼怒，又备受煎熬。无独有偶，两年前豪尔赫·梅西宣誓服从西班牙宪法时也出现过类似的问题。此后不久，豪尔赫和妻子便为当时还未成年的儿子申请了西班牙国籍。莱昂·梅西最终于2005年9月26日在民事登记处获得了西班牙国籍。他不再是外籍球员，在缺席了联赛6轮比赛后，莱昂·梅西终于可以在第7轮中披挂上阵。

"一整个夏天以来，我从未见过儿子这么兴奋。"梅西的父亲说。

对于球队迎来新马拉多纳的说法，我既不会亲口言之，也不会作此提议，更不会妄加同意。我更喜欢球队迎来了一个新的梅西这种说法。梅西的球员之路还很漫长，他具有独特的内在气质，虽然他认为自己的终极位置是影子前锋，活跃在空当处，但在球队需要时他能够担任场上的多个位置。无论我们安排梅西在比赛中出任哪个位置，他总是堪当大任，这种以大局为重的精神让我们每一个人心存感激。

（弗兰克·里杰卡尔德，2005年）

2005/2006赛季见证了弗兰克·里杰卡尔德手下这支巴萨的辉煌巅峰。

该赛季巴萨进行了精心调整，引进了范博梅尔和埃斯克罗，赫拉德·洛佩斯则因合同终止而离队，而夺冠赛季的核心球员则保持不变。球队的板凳深度得到加强，上赛季便已凸显的团队默契感在本赛季更加出色。

而前两个赛季两手空空的皇家马德里将罗比尼奥招致麾下，此前"银河战舰"已经拥有罗伯托·卡洛斯、大卫·贝克汉姆、外星人罗纳尔多和齐内丁·齐达内等众多大牌球星。梅西曾向齐达内提出交换球衣的请求，后者欣然接受。其实，梅西只会同费尔南多·加戈、巴勃罗·艾马尔或其他一些朋友交换球衣，但不好意思同别人开口，而齐达内则是个例外。

2005年12月，罗纳尔迪尼奥蝉联世界足球先生，并由此确立了足坛超级新星的地位。

大约在那个时候，有一天前巴萨球员罗纳德·德波尔同弗兰克·里杰卡尔德共进早餐，他只是在电视上见过梅西，便自顾自地评价起这名阿根廷人来："我见过这个孩子，叫梅西对吧？但说实话他并未给我留下过多印象。"里杰卡尔德吃惊地望着他："罗纳德，你最好先看看他的训练再来说这话。他做的事情没几个人能做得了。我们甚至不用给他灌输想法，只让他凭直觉去做自己的事就行了。"

但里杰卡尔德只有在私人场合才会这么说。在某堂训练课结束后，滕卡特拦下了罗伯托·马丁内斯。这名记者密切关注着梅西，并在西班牙《世界体育报》上撰写关于梅西的报道。"听着，罗伯托，放过那孩子。"滕卡特说道，他希望能止住人们对梅西的吹捧。"他是不错，不过和你写的还有些差距。"滕卡特希望人们对梅西的评价客观一些。

虽然教练们对梅西仍采取比较矜持的态度，但机会还是不请自来。梅西身披的19号球衣意味着久利已经不再是第一选择。巴萨球员踢够60%的比赛就能获得额外奖金，因此他们都很在意自己的上场次数。"有一次有球员找我说：'教练，我到58%了，还差两场比赛，让我上场吧！'"滕卡特回忆道。后来，"问久利出场率"成了一个队友间的玩笑。

"48%！"久利对范布隆克霍斯特说，"莱昂内尔也上场了。"

"如此算来，"范布隆克霍斯特接话道，"你还差12个百分点。莱昂！！莱昂！！！久利说他需要12个百分点！你帮帮他！"这位边后卫和其他人坏笑着冲阿根廷人喊道。

签署新合同10天之后，梅西便在欧冠小组赛阶段第二场对阵乌迪内斯的比赛中首发出场。这是梅西在甘伯杯对阵尤文图斯和云达不莱梅的比赛之后，又一场暴风骤雨般的比赛。正如雷蒙·贝萨在《国家报》中描述道："受到本场最佳球员梅西的鼓舞，巴萨连续攻克乌迪内斯的球门，小罗火力全开，成为那场比赛的主要得分手。阿根廷人凭借本场的惊艳表现彻底打乱了意大利人的战术部署。"巴萨以4∶1大幅领先。

11月，梅西在对阵帕纳辛奈科斯队的比赛中攻入个人首粒欧冠进球。里杰卡尔德尤其欣赏梅西在逼迫对方门将失误时所施加的压力：梅西断球后，将球挑过门将头顶，然后绕过对方把球打进。这是巴萨本场比赛打入的第3球，最终，巴萨5∶0狂胜对手。

巴萨成功打入16强，面对何塞·穆里尼奥执教的切尔西队。

但在这场比赛之前，梅西还要在伯纳乌首次随队参加西班牙国家德比。本赛季至此，梅西仅两场比赛打满全场，一场是对奥萨苏纳，一场是对帕纳辛奈科斯。此举是里杰卡尔德出于保护梅西的考虑，也是为了照顾队内每位队员的现状。助理教练们不再那么确定里帅此举是否刚好符合梅西的胃口和他展现出来的才华，他们告诉荷兰教头：即使是面对皇马，梅西也做好了首发登场的准备，现在是时候忘记旧有秩序了——久利显然比梅西差了一截。就这样，里杰卡尔德抛开直觉，他听从了助理教练的建议，决定让梅西在对阵皇马的比赛中首发出战。直到比赛前两个小时他才告诉梅西这个决定，因为他不想给梅西太大的压力。"这可真是个惊喜！"梅西赛后欣喜地说道，他原本以为教练会让自己替补上场。

"银河舰队"已经出场，但巴萨用行动证明，在伯纳乌这块足坛圣地上，他们才是主宰这场比赛的人。人们关注的焦点落在了打入两球的罗纳尔迪尼奥身上，随后，小罗收到一份出人意料的礼物：伯纳乌球场的球迷起立为他鼓掌。小罗、埃托奥和梅西组成的巴萨锋线锐不可当，阿根廷人在右翼同皇马球星罗伯托·卡洛斯的个人对决中完胜对手。人们再也不必为梅西和罗比尼奥这两名新人孰强孰弱而争论不休了。3∶0的比分让所有口水仗戛然而止。比赛战至第59分钟，伊涅斯塔替换梅西下场。是的，梅西果然已经为参加重大比赛做好准备。

12月13日，梅西在诺坎普球场接受了《都灵体育报》为最优秀的21岁以下球员颁发的"欧洲金童奖"称号。位居其次的韦恩·鲁尼得票率远远落后。梅西获得奖杯后，小罗上前祝贺，并告诉他不久的将来他们会给梅西颁发欧洲足球先生奖杯——也就是巴西人几天后将被授予的那个奖项。

那一年是梅西的丰收年。

*

梅西曾在弗兰克·里杰卡尔德的征召下身披10号踢过一场比赛，那场比赛梅西踢的是影子前锋。梅西在对阵波尔图队的比赛中完成了一线队首秀，3个月后，一支由巴萨替补队员和二线年轻球员组成的巴萨队同伯恩德·舒斯特尔执教的顿涅茨克矿工队踢了一场内部友谊赛。梅西顶替了路易斯·加西亚。滕卡特建议让梅西踢自由人，年仅16岁的梅西听从了他的安排。比赛后，他返回巴萨二队，几个月后又重返一线队，出现在边锋的位置上。此举旨在把梅西从中场争夺中解放出来，在对方边卫面前充分发挥梅西的速度优势，让梅西斜插吸引防守，为队友创造更多空间。但即使里杰卡尔德也知道，梅西出任边锋只是暂时的。

而且，梅西出任边锋只不过是一种战术上的改变。

梅西在巴萨一线队中的转型经历了不同阶段的演变：一种是战术上的演变，另外一种则是他在队中角色的演变。这两者是相辅相成的。里杰卡尔德召唤梅西进入这支精锐之师的时候，巴萨的首发阵容可谓群星璀璨，球队核心由罗纳尔迪尼奥、德科和埃托奥组成。梅西为球队贡献了自己的才华。里杰卡尔德并不打算改变现有秩序，因为这种各因素的相互制衡虽然难以捉摸，却影响深刻，对于队伍的管理而言是不可或缺的，特别是这样一支为世人瞩目的球队。梅西出任右翼，像所有升入一线队的年轻队员一样，他已经准备好服从命令，无论让他做什么，他都尽心尽力地完成，就像他在拉玛西亚的各个梯队中表现出来的那样。梅西不是一个典型的边锋，而且是一名左脚将，但这不妨碍他迅速展现个人价值。无奈之下，球队只能牺牲最弱的那个环节——吕多维克·久利。

受边锋位置的限制，梅西越来越像一个小角色，但他很快便开始寻找远离两翼的更广阔空间，尝试一些与他对比赛的理解相一致的移动。梅西战术演变的第二个阶段逐渐成型。

优秀教练应该明白，如果一名球员不停地"敲门"并要求更多发展空间，就应当"开门让他进来"。但在由一群球员组成的生态系统内，如果一名年轻球员侵入他人的领地，他会发现可能因此受到影响的人不会轻易让他展现优势，又或者教练可能会剪掉他的翅膀，因为教练不想动摇整个集体。

里杰卡尔德曾承诺最终会让梅西踢中场，但在加盟一线队后的前几年梅西并未获得这一机会。其实，一直等到佩普·瓜迪奥拉到来之后梅西才真正完成了第二次战术演变。

巴萨在2006年2月和3月对阵切尔西的欧冠比赛，是最能代表梅西在里杰卡尔德时代作为边锋出任首发的比赛。

两队连续3个赛季在欧冠中相遇。一年前，切尔西在一开始便火药味十足的比赛中淘汰了巴萨。当时红蓝军团首回合以2∶1取胜，但切尔西主教练何塞·穆里尼奥指责弗兰克·里杰卡尔德在比赛中场时曾与当值主裁安德斯·弗里斯克有过言语上的接触。弗里斯克红牌罚下了迪迪埃·德罗巴，之后死亡威胁接踵而至，令弗里斯克被迫结束了自己的裁判生涯。在斯坦福桥球场的主场回合比赛中，切尔西队取得梦幻般开局，早早便确立了3：0的领先优势。特里最终打入了锁定胜局的一球，尽管里卡多·卡瓦略对维克托·巴尔德斯犯规在先，但主裁拒绝做出犯规判罚。最终切尔西以4：2击败了巴萨。"巴萨是一家伟大的俱乐部，但近百年来只拿了一次欧冠冠军。"魔力鸟（穆里尼奥）说道，"而我担任教练没几年便拿了欧冠冠军。"两队日后的交锋也因为穆里尼奥这一番充满挑衅的言论而变得更加惹人注目。

2006年2月22日，两队之间的16强首回合比赛打响。本场比赛，人们谈论更多的话题是"复仇"。巴萨和切尔西，两支也许是当时最出色的欧洲球队，打法风格迥异，主教练性格也截然不同。"每个人都被笼罩在紧张的气氛之下。"当时效力于切尔西的左后卫阿西尔·德尔奥尔诺说。葡萄牙教头如往常一样为比赛造势：赛前洒水，将球场浇成泥巴浴，足球到了场上几乎无法滚动，看样子两队已经准备好了肉搏战。或许出于这一原因，伊涅斯塔被放在了替补席，巴萨出现在中场位置的全是壮汉：德科、埃德米尔森、莫塔，而前锋依然是罗纳尔迪尼奥、埃托奥和梅西。罗纳尔迪尼奥坐镇左路，但有权在周围活动；埃托奥担任得分手；梅西则负责右路。

本场比赛是阿根廷人在里杰卡尔德时代踢的一场堪称完美的经典比赛。梅西自比赛第1分钟起就极富攻击性，总想上演过五关斩六将的好戏，表现灵气十足。本场比赛身披31号的梅西年仅18岁，虽然其他老大哥本应承担更多责任，但队友们总是在寻找他的身影。梅西完成了第一次射门，创造了第一次威胁球，而且一丢球便立刻反抢，简直成了切尔西防守队员眼中的头号公敌。

德尔奥尔诺从一开始便意识到，自己面对的是一位奔跑迅速、勇猛果敢的对手。

"我们战术布置很严密。"德尔奥尔诺解释道，"穆里尼奥的赛前布置非常细致，就是想阻止巴萨的移动。当时我们有克洛德·马克莱莱、弗兰克·兰帕德和迈克尔·埃辛等中场球员充实后防，但梅西还是能突善抢。我和他有两三次交锋机会，我用尽了自己的经验和能用的所有办法阻止他。"

有一次，梅西突破了德尔奥尔诺，后者接着在拼抢中凶狠地踹在梅西的大腿上，阿根廷人的右大腿顿时出现了鞋钉印。但裁判并未对德尔奥尔诺予以警告。

德尔奥尔诺证实："梅西并未报复，他什么都没说。后卫和前锋之间在足球比赛中常常出现报复行为，但梅西没有。"

随后，令全世界难忘的时刻来了，这也是整场比赛的最大亮点。

第36分钟。

梅西在右翼的中线附近接球，一路狂奔后，球离身体有些远。罗本原以为球会出底线，但梅西灵机一动，做出了一个惊人的举动。

"小跳蚤"在距离角旗区3米左右的地方加速追球。这里也是边锋赖以生存的区域。罗本护着皮球，而梅西试图从右边绕过罗本，未果后又从左边尝试。荷兰边锋本打算用肩把梅西狠狠顶开，结果自己失去了平衡，梅西借此机会从他的左边超了过去。

梅西在角旗区附近再次得球。

罗本倒地双腿铲抢，哪知被阿根廷人巧妙地穿了裆。罗本倒地未起，梅西迅速追球，就在此时……

"我见到对方防守队员杀气腾腾地冲了上来……"（梅西）

"我试图阻止他……"（德尔奥尔诺）

"我跳了一下……"（梅西）

"……他过掉了我……"（德尔奥尔诺）

"他就这样被我过掉……"（梅西）

"他开始在地上翻滚，我就被罚下去了。"（德尔奥尔诺）

随后双方队员扯在一起，普约尔和罗本听不懂对方讲的话，加上比赛紧张的氛围，两人险些打了起来。几秒钟后，主裁特里·海于格向德尔奥尔诺出示了红牌。

"梅西很聪明，看上去他伤得很重，但其实他没事……毫无疑问，梅西是借题发挥。"

"这场比赛最悲哀的事情莫过于，他们竟然说这不是犯规！"西尔维尼奥说，"很明显，德尔奥尔诺是在情急之下不顾一切地冲人去的。这应该是红牌！"

"简直是疯了。"滕卡特描述道。

"但梅西的表现确实无懈可击。"西尔维尼奥回忆说，"犯规就是犯规，红牌就是红牌，没什么好说的！"

"我并未对那位防守队员说什么，他也什么都没说。这只是比赛的一部分，这就是足球，都是各为其主，他为自己的球队尽了力。"如今梅西这样解释道，"当时比赛有些失控，但过后就恢复了正常。"

是的，比赛继续进行。

虽然此后每次拿球都会招致斯坦福桥球场球迷的嘘声，但梅西并未因那次风波而减弱锋芒。无论是在冲突期间还是在比赛全场，梅西都没讲一句话。比赛过半时的这种气氛激发了他的斗志，他要球后寻找新对手保罗·费雷拉——此人已移至左路担任防守，另一边则是替换乔·科尔上场的格雷米。

球员被罚下，让穆里尼奥有了充足的理由加强防守，以收获一场0：0平局。梅西想改变部署，但球队并不赞同。

兰帕德发出任意球，巴尔德斯出击失误，球被蒂亚戈·莫塔碰进了球网。切尔西凭借对方这记乌龙球占得先机。

梅西继续要球，他是所有前锋中表现最为突出的。梅西继续寻找对手的弱点，以求扭转局势，他的果敢表现也深深感染了全队。切尔西队员对"小跳蚤"犯规，但裁判却漏掉了这个本该是点球的判罚。

比赛还剩20分钟的时候，小罗罚出一记任意球，约翰·特里在拉斐尔·马克斯的干扰之下将球顶入自家球网。巴萨将比分扳成1：1。

8分钟后，这位墨西哥中后卫接到来自本方半场的传球，将球传至远门柱，不料被埃托奥跃起将球顶进。凭借这一入球，巴萨以2∶1艰难获胜，同时也给何塞·穆里尼奥送上了49场比赛中的首败。

滕卡特回忆起这场比赛时说："我们报了上一年的一箭之仇！"

本场比赛梅西共有5次射门，一次击中门梁，并让对方被罚下一人，而且为表现抢眼但状态不稳定的小罗提供了强大的火力支援。

理论上说，这并不是属于梅西的比赛，但他在斯坦福桥球场的抢眼表现要胜过巴萨全队。他天生便是一名拥有最佳决策能力的球星。"这是世界足坛多年来最棒的一场比赛。"圣地亚哥·塞古罗拉在《国家报》上写道。要知道，这可是梅西代表成年队取得的成就。

他的表现甚至让罗纳尔迪尼奥和埃托奥受到了"二流演员"的冷遇，要知道，二人可是刚在世界最佳球员奖的投票中分获第一名和第三名。梅西前进了不只一个阶梯，继对阵乌迪内斯和在伯纳乌的完美演出后，他在斯坦福桥球场的表现发挥了巨大的影响力。在西班牙国内也并不奇怪：现在，梅西的首发位置无人能够撼动，渐渐地，久利只是在赛后才偶尔在队中出现。

何塞·穆里尼奥再次在记者招待会上发难。当被问及德尔奥尔诺的红牌时，魔力鸟反问道："你们看得应该比我更清楚，你们有视频，我希望最好由你们说出事实真相，因为我不想让自己惹麻烦。比赛结果是1∶2，我们又能做什么？我们会因为梅西演戏而将他停赛吗？是的，他在演戏。加泰罗尼亚是文化之乡，他们（指加泰罗尼亚媒体）应该知道剧院在哪儿！那里的剧院实在是棒极了！"

两周后诺坎普体育场的球迷用"文化建议"招待了来访的穆里尼奥："去剧院吧，穆里尼奥，去剧院！"

次回合的比赛中，比赛开始时梅西的位置是左边线地带，但几分钟后他开始从左路移至中路。他无惧中场的激烈碰撞，毅然加入中场的争夺中。进球，往往是从中场策动的。

比赛战至第25分钟，梅西突然倒在球场上。

他受伤了，是肌肉拉伤。

他沮丧地拍打着场地。受伤的身体无法支撑他继续比赛。

里杰卡尔德迎上前往更衣室的梅西，给了他一个拥抱。梅西右手搂住这位荷兰教头的腰，把头深深埋在教练的大衣内。他想让教练给他一个那样的拥抱，因为他需要这样的拥抱。

巴萨最终1∶1战平了切尔西，晋级四分之一决赛（遭遇本菲卡队）却付出了代价：梅西的成长之路又起波澜！

梅西同威廉·加拉相撞后感到一阵剧痛，但他咬牙坚持，希望自己能够坚持打完比赛。但他倒地的那一瞬间却并没有身体碰撞，这时他才意识到这不是单纯的痉挛，而是自己受伤了。当2010年Goal.com邀请梅西讲述自己职业生涯的两个重要时刻时，梅西脑海中浮现的就是诺坎普的那个夜晚："我的第一次重伤。"

梅西右腿股二头肌顶部撕裂。短跑选手起跑时所需的爆发力便是依靠股二头肌，而这块肌肉，梅西很快便会耳熟能详。巴萨方面称，梅西的股二头肌撕裂了4厘米，而媒体则说是5厘米。这已经是梅西一个月内两次伤到这块肌肉。第一次受伤让梅西12天无法参加比赛，在事后看来那一次还是恢复得比较快的。然而，本次受伤可能会让他再缺席4至6周的时间。可过了一个半月，他仍无法上场比赛。那个赛季，梅西踢了25场比赛，有79天缺席训练场。

据说在足球运动中，肌肉损伤的发生绝非偶然，这种伤害完全可以避免。如果肌肉撕裂，八成是热身运动出现了某种问题，也可能是运动员的不良生活习惯或是运动员对身体缺乏注意所致。虽在前一个周末对阵拉科鲁尼亚队的比赛中休养一轮，但或许梅西这是积劳成疾。又或许，梅西上次的肌肉损伤并未完全痊愈。还有人说梅西热身不当，同加拉的碰撞或许亦有关系。

但没有明确的科学测试可以对肌肉损伤做出解释，有的只是猜疑和恐惧，以及对某些预防措施的需要。当时俱乐部对球员状况的监测工作远不如今天的这样细致，因此球队也是负有一定责任的：3个赛季内，累计共有12名球员出现了20起类似的肌肉拉伤。

弗兰克·里杰卡尔德在呼吁对梅西保持冷静的同时，也对这些问题有所考虑。

当时，梅西必定不如现在更了解自身的极限。踢完比赛后，梅西从不在意伤痕累累的脚踝和双腿，哪怕脚上布满淤青、水泡、划伤或擦伤。因为这就是他选择的生活，也是比赛的一部分，但一月两次的受伤频率意味着出现了其他问题。虽未敲响警钟，但梅西确实开始思考这一切来自何处。

答案并不简单，但梅西无需费力便可发现。进入一线队后，虽然他还是个孩子，但他的场下生活已经开始松懈。

问题不是因为梅西应酬太多，而是出在生活的规律性，换句话说他的生活太不规律——无论是他的饮食还是他的个人时间表。

此外，梅西的成功来得太快，一切来得那么容易，让他不知所措。比起大多数同龄球员，梅西或许已在思想上做好迅速提升的准备，但突然改变的体能要求以及在一支精锐之师踢球所带来的新压力却让梅西吃不消。梅西每几个月便会进步一个台阶，随之而来的是新的压力、更快节奏的比赛、更难打的硬仗、更快的频率、更高的关注度、更强的求胜欲，而且需要满足人们更多的期待。一线队是供职业球员生存的地方，他们必须特别爱惜自己的身体，作息要有规律，饮食要健康。如果球员想在场上大放异彩，这些要求都是必须要达到的。

有时，你需要犯错之后才能发现你的极限所在。

在巴萨B队时，梅西在拉玛西亚吃完饭后，有时会再到一家阿根廷餐厅吃点东西。他通常会点几个恩帕纳达斯卷饼，总是肉馅的，然后再点一份米兰小牛肉。在梅西常去的餐厅，有款叫作"米拉梅西"的菜式深得梅西喜爱。"米拉梅西"的做法是：把200克肉浸入鸡蛋和混有番茄酱的面包屑里，再同火腿和奶酪放一起置于烤箱内烘烤，然后将其搭配薯片食用（但从不搭配沙拉）。吃完这些，梅西会点一些甜奶巧克力冰淇淋。他偶尔也会用意大利肉饺代替恩帕纳达斯卷饼和米兰小牛肉。用餐时，梅西总会喝些水或可口可乐，但从不喝酒。

服务生会开玩笑地说道："吃点鱼肉吧，对你有好处。"梅西则回答道："呃！鱼是水里的东西。"恰逢鱼肉或肉类批发商送给他一盒阿根廷大虾时，梅西会执意让他们给父亲送去，并让他们下次记得给他带一些阿根廷肉。周日中午，他偶尔会去餐厅吃饭，然后从那里去球场——特别是里杰卡尔德在执教巴萨的最后几个月允许球员在比赛前到达球场即可。梅西在饱食恩帕纳达斯卷饼、米兰小牛肉或意面后赶去参加比赛。"我到球场时就已经把它们消化掉了。"梅西说。

没有比赛的时候，梅西会在训练结束后睡一大觉，4点左右爬起来去吃披萨，然后吃些巧克力花生。渴了的时候，梅西会痛饮1.5升可口可乐。可以说，他的生活方式就像一名学生，完全缺乏营养控制。

梅西像极了一部豪车，明明是汽油车，烧的却是柴油。偶尔开开还行，但最终会让发动机卡住。

梅西这种毫无规律可言的生活方式引起了董事会的重视。为关注梅西成长，确保他饮食更健康，从而让他变得更强，董事会可谓动了一番心思。董事会会议室的建议是："一定要把梅西深深种在地里，这样便不会有人将他连根拔起。"然而，他们虽忧心忡忡，在此期间却并没有做些什么特别的事情为梅西改变坏习惯。事实上，至少要再过两年，俱乐部（以及梅西自己）才决定敦促梅西直面营养及饮食控制的重要性。

那一年本该是"梅西年"，却因为梅西养伤而成为"巴萨年"：巴萨在欧冠联赛四分之一决赛中淘汰了本菲卡队，在半决赛中会师国际米兰，而联赛冠军早已成为了他们的囊中之物。

欧冠决赛定于5月17日进行，也就是梅西受伤后的第10周。此时，正在疗伤的梅西正在同时间赛跑，争取能赶上决赛。如果一切进展顺利，届时梅西将披挂复出。